Os supridores

José Falero

Os supridores

todavia

Para Dalva Maria Soares,
que demorou a chegar.
Te amo, Preta.

I.
Assunto desagradável

— Bah, é mesmo, tchê? Mas que barbaridade!

Sem dúvida o celular ao qual o sr. Geraldo falava não tinha sido projetado para mãos enormes como as suas. Ele precisara de nada menos do que cinco tentativas para digitar corretamente o número de seu chefe, o sr. Amauri, tamanha era a sua dificuldade em pressionar apenas um daqueles botões minúsculos de cada vez. E agora, por fim em contato com o dito, parecia incapaz de acreditar que estava mesmo sendo ouvido através do aparelho, pois fazia questão de berrar cada palavra do que dizia.

— Bom, de qualquer forma, não foi pra saber dessas fofocas que eu te liguei — explicou, emendando uma risada. — Na verdade, eu queria era perguntar se tem como a gente almoçar junto hoje, pra tratar dum assunto... ahn... um assunto desagradável, vamos dizer assim.

Tudo, desde o tom de voz descontraído até a forma indireta da pergunta, tudo o sr. Geraldo tinha escolhido previamente e com o maior cuidado, inclusive ensaiando a frase três ou quatro vezes para ter uma ideia de como soaria aos ouvidos do chefe. Sabia melhor do que ninguém que o sr. Amauri, na qualidade de supervisor da rede Fênix de supermercados, vivia atopetado de abacaxis a descascar, sem tempo para nada, razão pela qual não apreciava convites inopinados como aquele, mesmo quando vindos do gerente mais dedicado e competente sob sua supervisão, o que de fato o sr. Geraldo era, e mesmo havendo entre ambos a grande amizade que havia.

Com efeito, o supervisor mostrou-se aborrecido. Sem rodeios, foi logo respondendo:

— Ora, Geraldo, seja lá qual for o problema que tu tá enfrentando aí, na tua loja, tu tem autonomia pra tentar resolver ele sozinho. Aliás, não só tem autonomia, como tem o *dever* de tentar resolver ele sozinho. Afinal de contas, tu é o gerente. Ou não é?

— Sim, claro que eu sou, mas... — O sr. Geraldo pigarreou, vacilante e desanimado. Embora já tivesse previsto a má vontade do chefe, não esperava uma objeção tão crua. — Olha aqui, tchê, se tu quer saber, eu não me orgulho nada, nada do que eu vou dizer agora — prosseguiu de improviso —, mas acho que tu vai me entender. Ou pelo menos espero que me entenda. É o seguinte: eu simplesmente não sei como fazer pra me ver livre desse problema que eu tenho nas mãos. Pronto. É isso. — E, num lampejo de inspiração, arrojou: — Ah, tu também já foi gerente um dia, Amauri, e eu me pergunto se, por acaso, naquela época, tu nunca, *nunquinha*, ficou assim como eu tô agora, sem saber o que fazer.

— É... às vezes... às vezes acontecia, sim... — admitiu a custo o sr. Amauri, não achando jeito de negar a insinuação sem parecer presunçoso. — Mas — insistiu — será que tu não pode *mesmo* resolver esse tal desse problema sozinho? É necessário *mesmo* que a gente se encontre pra debater essa questão?

— Ora, tchê, se eu não achasse que fosse pra tanto, é claro que eu nem teria te ligado.

O supervisor estalou os beiços do outro lado da linha.

— Tá bom, então. Que seja. No mesmo restaurante da outra vez, pode ser? Daqui a meia hora, tá bom?

— Sim, sim, maravilha, assim tá ótimo — concordou o gerente, saboreando o pequeno triunfo. — Obrigado, e até daqui a pouco, então. Abração.

Largou o telefone num canto, recostou-se na cadeira de rodinhas, acendeu um cigarro e se pôs a contemplar sua pequena sala. O compartimento, atulhado de coisas para as quais nunca se achava local adequado, parecia mais um almoxarifado improvisado do que a gerência do supermercado. Tantos anos enfiado naquela salinha... Tinha chegado à conclusão de que a odiava, mas desta vez sentia algo especial ao contemplá-la. Não que ela tivesse deixado de ser odiosa; muito antes pelo contrário. Ele sabia que seria fácil evocar a cólera de sempre, bastando, para isso, reparar nas inconveniências daquele cubículo. Entretanto, sua preocupação o fazia perceber, agora, tudo o que aquela sala representava, por menor e mais parecida com um almoxarifado que fosse: um bom emprego, uma vida estável, uma posição duramente conquistada... Perguntava-se se aquela salinha ainda seria *sua* por muito mais tempo, e nisso suspirou. Andava suspirando um bocado ultimamente.

Era um homem atarracado, propenso à gordura, olhos protuberantes sempre arregalados, nariz cheio. Havia qualquer coisa de rude e vulgar em seu aspecto: o cabelo grisalho impecavelmente penteado e o rosto liso, livre de barba, não conseguiam lhe conferir um ar de todo civilizado. Tinha voz grave e sonora e um jeitão boa-praça um tanto irônico e intimidador, sendo perigosamente difícil distinguir as ocasiões em que estava gracejando das em que falava sério. Quem o visse, não poderia imaginar mais do que ele aparentava: sujeito meio grosseiro, sem nenhum glamour, porém metido em roupas supostamente elegantes, ou seja, um ex-pobre que havia subido na vida com a mais penosa honestidade. Os funcionários o amavam, porque não implicava por qualquer equívoco, não era exigente demais e não bancava o tirano, entre outras amenidades igualmente capazes de seduzir qualquer empregado mais ou menos sensato. Contudo, tinha verdadeiro horror a preguiçosos, desses que fazem de tudo para não fazer nada.

Odiava corpo mole. Ele próprio, como que para dar exemplo, ajudava bastante nos afazeres braçais do supermercado, derramando litros e litros de suor, sem nada dever mesmo aos subalternos mais aplicados, apesar de ocupar o cargo de gerente e, portanto, não ter qualquer obrigação de dar-se àquele tipo de trabalho.

Depois de fumar, deixou o supermercado aos cuidados de Paulo, o chefe de loja e seu imediato, saindo para a entrevista recém-combinada com o sr. Amauri. Chegou ao restaurante antes do supervisor; foi só após alguns minutos que este entrou no estabelecimento, a passos largos, com seus belos sapatos de bico fino envernizados — sapatos que o sr. Geraldo mesmo lhe dera de presente, em seu último aniversário, e que se arrependera de lhe dar, logo ao vê-lo experimentá-los, por considerar, tarde demais, que teriam caído melhor nos próprios pés. Eles se apertaram as mãos com entusiasmo e trocaram breves palavras de saudação, sorrindo largamente; em seguida, chamaram um garçom, fazendo cada qual seu pedido. A comida não demorou a ser servida, e quando isso aconteceu, deu para perceber que os dois estavam famintos.

— Vem cá, e aquela tua dor nas costas, Geraldo? — perguntou de supetão o sr. Amauri, depois de engolir ruidosamente um naco de bife mal mastigado. Havia curiosidade e preocupação em seu rosto rubro e cavalar.

O sr. Geraldo largou a faca por um instante para fazer um movimento, como se espantasse uma mosca.

— Ah, deixa isso pra lá, homem. O médico disse que a dor vai diminuir até sumir, e, bom, assim eu espero.

— Mas eu aposto que ele te recomendou repouso.

— É. Recomendou. Mas tu sabe como é que são os médicos.

— Eu sei é como *tu* é — frisou o sr. Amauri.

O gerente prontamente revirou os olhos, pois já conhecia de cor e salteado o sermão que viria a seguir. Parecia-lhe até que não seria possível acontecer um único encontro com o chefe sem que aquele maldito sermão viesse à tona. Era como um ritual indispensável.

Com efeito, foi em tom de reprimenda que o supervisor continuou:

— Abre a loja de manhã, fecha a loja de noite... O primeiro a chegar, o último a sair... Nunca descansa. Não é verdade? — Balançou a cabeça. — Olha, não tem necessidade nenhuma disso, tu bem sabe. Tu pode dividir as responsabilidades com o chefe de loja da tua unidade, como todos os outros gerentes fazem. Por que tu também não faz assim, tchê?

— Ah, é que eu gosto de ficar de olho nas coisas — respondeu com simplicidade o sr. Geraldo, entre uma garfada e outra, encolhendo os ombros. — A gente já falou sobre isso, Amauri. E a gente também já falou sobre tu aparecer na minha frente com esses sapatos.

O sr. Amauri não era bom em perceber desvios de assunto estratégicos. Driblado, sorriu:

— E eu não tava com eles, sabia? Fui lá em casa e meti eles nos pés antes de vir aqui, só pra te provocar.

Fizeram, então, um silêncio prolongado. Não havia dúvida de que tanto um como o outro achava melhor deixar o assunto principal para depois da comida. Antes de os pratos ficarem vazios, contudo, o supervisor lembrou-se de aproveitar o encontro para comentar:

— Eu acho que agora, na próxima semana, vou ter que desfalcar um pouco o teu quadro de funcionários, Geraldo. Parece que todo o mundo resolveu ir para a praia neste verão. Tá um verdadeiro inferno por lá: filas enormes nos caixas, os clientes reclamando de tudo o tempo inteiro... — Juntou as sobrancelhas por um momento, enquanto falava, e em seguida sacolejou a cabeça, tentando afastar a desagradável recordação. — Enfim. Uma confusão que tu nem imagina. Daí eu tô recrutando operadoras de caixa das lojas daqui da região metropolitana, pra mandar pras filiais de Cidreira, Pinhal, Quintão, enfim, de todo o litoral. Por umas duas semanas, digamos. O que tu me diz? Será que tu pode me ajudar nisso?

— Sim, sim, eu tô com o quadro de operadoras completinho — explicou com orgulho o sr. Geraldo. — Além disso, o movimento por aqui tá bem fraco, viu? Deve ser pelo mesmo motivo que lá na praia tá essa muvuca toda que tu diz. Porto Alegre tá às moscas; parece que todo o mundo resolveu ir pra praia, mesmo. Sim, acho que eu posso te ceder até três operadoras sem grandes problemas. Por duas semanas, tu disse?

— Talvez mais. Aquele movimento todo é fora do normal, mesmo pro verão, e eu não tenho como saber até quando vai durar. Não ao certo.

Aí tornaram a se concentrar unicamente na refeição, baixando os olhos para os pratos. Quando terminaram de comer, chamaram o garçom. Não, obrigado, não desejavam sobremesa; era café o que queriam. Obrigado. E o pressuroso funcionário desapareceu, levando os pratos sujos e tudo o mais e prometendo voltar num minuto com o café. O sr. Amauri, então, ajeitou-se na cadeira e juntou as mãos sobre a mesa, entrelaçando os dedos longos.

— Muito bem, muito bem... — Sorriu com um desembaraço frio e cerimonioso, estreitando as pálpebras. — Agora, vamos ao tal assunto desagradável que tu falou, seja ele qual for. Eu confesso que tô curioso, viu? — Consultou o relógio. — Curioso e sem tempo, pra falar a verdade. Daqui, tenho que ir direto pra matriz. Quero ver se resolvo de uma vez por todas aquele problema das notas que não foram emitidas. E então? Vamos lá, desembucha.

O sr. Geraldo, entretanto, não respondeu de imediato. Olhou pensativamente para um lado, brincando com o palito de dentes que enfiara entre os beiços. Parecia procurar nas mesas contíguas as palavras certas para começar.

O sr. Amauri estreitou ainda mais as pálpebras. Era impressão sua ou, pela primeira vez, vislumbrava arranhões nos brios do amigo? Esperou com paciência, sentindo sua própria curiosidade crescer, até que aqueles olhos protuberantes e arregalados que tão bem conhecia finalmente voltaram-se-lhe resolutos.

— Olha aqui, eu vou direto ao ponto, porque esse é o meu jeito — advertiu o gerente, levantando uma mão num gesto de autodefesa. — O problema são furtos. Furtos e mais furtos. Tão sumindo produtos do meu estoque (bolachas, bebidas, doces, desodorantes, tudo), e as minhas investigações não tão me levando a lugar nenhum! Eu já não sei mais o que fazer, Amauri. Nunca vi coisa parecida. Pombas, tchê, eu tenho ladrões entre os meus empregados!

O sr. Amauri processou as informações em silêncio. Suas feições de cavalo chegaram a se suavizar fugazmente, como se as notícias, afinal, não se revelassem tão graves quanto o esperado, mas em seguida ele voltou a fechar o semblante. Calculava quais seriam as dimensões do iceberg cuja ponta o sr. Geraldo indicava.

— Suspeitos? — perguntou por fim.

O gerente tinha ficado momentaneamente distraído, a língua agitando o palito de dentes para um lado e para o outro.

— Hã? Suspeitos? Ah, sim… Eu desconfio de dois supridores: o Pedro e o Marques.

— Demite os dois, então — sugeriu o supervisor, movendo um ombro com descaso. Mas, no mesmo instante, pensou consigo próprio que aquele encontro provavelmente não teria sido solicitado se as coisas fossem tão simples assim.

Com efeito, o sr. Geraldo sacudiu a cabeça.

— Não, talvez não seja o melhor a fazer. Eu não tenho provas contra eles. Se de fato são eles os ladrõezinhos, não deixam rastro nenhum, viu.

— Malfeito bem-feito.

Nesse momento chegaram as duas xícaras de café. E chegaram sozinhas, magicamente, ou assim se lembrariam no futuro os senhores Geraldo e Amauri, porque, de tão absortos que estavam, nem mesmo deram pela fugaz presença do ágil e silencioso garçom. Tomaram pequenos goles, meditando; depois, o supervisor falou:

— Bom, mas se tu suspeita desses tais Pedro e Marques, precisa ficar na cola deles. Já olhou as imagens do sistema de segurança?

— Tenho olhado, tenho olhado. E nada. Nas imagens, os dois nunca tão fazendo nada de mais.

— Deixa eu te perguntar uma coisa, Geraldo: por que tu suspeita deles, afinal?

— Intuição — respondeu laconicamente o gerente, empinando sua xícara de café e avaliando o semblante do outro através do vapor que a bebida exalava.

O sr. Amauri tentou conter-se, mas acabou rindo.

— Bah, tchê, *intuição*? Eu sempre ouvi dizer que esse é um dom feminino.

— Ah, deixa de bobagens, homem! Eu tô falando sério. Não vou com a cara deles. São rebeldes, sabe? Não gostam de receber ordens, não tão nem aí pra hierarquia. Não me respeitam. E tão sempre juntinhos pelos corredores do supermercado, sempre cochichando sabe Deus o quê. — O sr. Geraldo ficou visivelmente perturbado só de falar nos dois funcionários. — Mas, enfim, é só isso. Tu perguntou se eu tenho suspeitos, não perguntou? Pois eu desconfio deles. Eles são os únicos funcionários que consigo imaginar fazendo esse tipo de coisa. Só que eu não gosto de dar tiros no escuro, Amauri. Se eu não tenho certeza que o Pedro e o Marques são mesmo os responsáveis pelos furtos, como é que vou demitir os dois?

— Mas às vezes isso é inevitável, meu amigo. Tentar alguma coisa, sabe? Todo o mundo acaba tendo que dar uns tiros no escuro em algum momento da vida. Ora, se as tuas investigações, como tu mesmo disse, não tão te levando a parte alguma, por que tu não demite os dois pra ver no que dá?

— Porque o Pedro e o Marques... Bom, deixando de lado o aspecto disciplinar... Enfim, enfim, a verdade é que eles são os melhores supridores que eu tenho, tá bom? — Percebendo que essa declaração deixou o sr. Amauri meio confuso, o sr. Geraldo deu de ombros e explicou: — Talvez seja a experiência, não sei. Os dois já trabalharam em outras redes, maiores do que a nossa. São rebeldes? São, sim. Mas, olha, eu tenho que admitir que sabem trabalhar como poucos. Até me fazem lembrar de mim mesmo quando eu trabalhava de supridor; a única diferença é que eu não era rebelde. Eu andava na linha. Pode acreditar: ia ser uma pena despedir os dois e depois descobrir que foi um engano. A gente tá no meio do verão, Amauri, e nesta época, tu sabe, é difícil contratar novos funcionários. Contratar dois que trabalhem como eles, então, nem se fale.

Nesse ponto os senhores Geraldo e Amauri fizeram uma nova pausa para bebericar o café. Bom café. Muito bom. Tão bom que o supervisor fez questão de expressar sua aprovação com um prolongado "hummm".

— Nossa, tinha esquecido como era bom esse café daqui — comentou. Depois inclinou-se um pouco para a frente e voltou ao assunto, dessa vez falando em voz ligeiramente mais baixa do que a que vinha adotando até então: — Olha, Geraldo, que nenhum dos nossos funcionários ouça isto, mas a verdade é que as nossas lojas não podiam ser mais vulneráveis do que já são a esse tipo de problema que tu tá enfrentando. Não temos como vigiar todos os funcionários o tempo todo, e eles conhecem as lojas melhor do que ninguém, conhecem os pontos onde as câmeras de segurança não alcançam, conhecem a rotina dos seguranças... Se eles quiserem mesmo furtar os produtos, se botarem isso na cabeça, quem é que vai conseguir impedir? Dificilmente a gente vai pegar eles com a mão na massa. Além disso, meu amigo, tu já ouviu falar que basta uma única maçã podre no cesto pra que todas as outras apodreçam também? Pois é. Um funcionário desonesto sempre vai tentar corromper os honestos. Sempre, sempre. Quanto mais comparsas tiver, melhor pra ele, e, claro, pior pra nós. — Secou sua xícara de café com dois grandes goles finais e voltou a consultar o relógio, surpreendendo-se com a posição adiantada dos ponteiros dourados. — Mas, bah, olha que horas já são, tchê! Eu tô atrasado... Bom, vamos ser práticos. Tu acha que os seguranças da tua unidade tão envolvidos nessa história? Será que não fazem vista grossa pros furtos, ou até furtam também?

O gerente já balançava a cabeça.

— Francamente, eu não sei, Amauri. Não tenho nada de palpável, e é por isso mesmo que eu tô preocupado. Já faz mais de dois meses que eu comecei a dar pelos furtos e não consegui descobrir nada até agora, apesar dos desfalques só terem aumentado de lá pra cá. Tá sendo que nem caçar um maldito fantasma! Eu inspeciono os armários dos funcionários periodicamente: nada; inspeciono as mochilas deles quando tão indo embora: nada. Parece que os produtos simplesmente desaparecem do estoque!

— Muito bem... — O sr. Amauri estava pensativo, mas já se levantava para ir embora. — Muito bem, muito bem... Olha, vamos fazer o seguinte: vamos reforçar a segurança da tua loja. Eu vou telefonar pra algumas filiais hoje e ver se consigo alguns seguranças emprestados pra ti, tá bom? É uma medida provisória, claro; depois a gente vê o que a gente faz.

O sr. Geraldo pareceu gostar da ideia.

— Sim, sim, maravilha! E tu acha que consegue os seguranças pra quando, hem?

— Pra amanhã mesmo, eu acho. Mas te ligo ainda hoje pra confirmar. — O sr. Amauri consultou o relógio outra vez. — Olha, preciso ir agora, Geraldo.

— Tchau, então, Amauri. E obrigado. Eu vou ficar esperando a tua ligação.

— Tchau. Paga a conta aí; da última vez, fui eu. E não te preocupa, viu, que a gente vai botar um fim nessa história.

Apertaram-se as mãos, e o supervisor se afastou com pressa, saindo para o dia ensolarado.

O gerente permitiu-se mais uma xícara do bom café, antes de voltar ao supermercado. "E não te preocupa, viu, que a gente vai botar um fim nessa história." Essas palavras do sr. Amauri ficaram ecoando em sua mente, reconfortantes. Ao que parecia, seu bom emprego, sua vida estável, sua posição duramente conquistada, enfim, estava tudo a salvo.

2.
Sonho de riqueza

Um território vasto, localizado no extremo leste de Porto Alegre; um território que, arrastando-se num moroso processo de urbanização, ainda apresentava muitos vestígios de seus remotos tempos rurais; um território onde ainda era possível ver, a olho nu, a Mata Atlântica virando fumaça de pouquinho em pouquinho, onde ainda era possível acompanhar, em tempo real, a ação corrosiva da metástase civilizatória trazida nas caravelas havia mais de meio milênio; um território repleto de colinas, pelas quais subia e descia e ziguezagueava, subia e descia e ziguezagueava, como uma montanha-russa gigante, a estrada João de Oliveira Remião. Assim podia ser descrito um dos maiores bairros da capital gaúcha: a Lomba do Pinheiro.

Despontando da avenida Bento Gonçalves, perto da divisa entre Porto Alegre e Viamão, a estrada João de Oliveira Remião apresentava, logo de cara, a primeira de suas muitas ladeiras, já ali ameaçando oferecer o céu como destino. Não que a Lomba do Pinheiro fosse um paraíso. Antes pelo contrário, inclusive: afastada do Centro, fora do alcance dos tentáculos do poder público, abandonada à própria sorte, assim tinha construído em torno de si uma assustadora fama de terra sem lei, onde nem as mais abomináveis selvagerias eram motivo de surpresa; e essa fama, infelizmente, não estava tão longe da realidade. Dúzias de vilas compunham o bairro, todas crescendo e crescendo sem qualquer planejamento às margens da estrada, todas derramando-se desordenadamente por encostas íngremes, todas fazendo fronteira com algum matagal. Duas delas eram a Vila Viçosa e a Vila Nova São Carlos, que, recolhidas em sua insignificância, no coração da Lomba do Pinheiro, vinham a fazer parte uma da outra, como irmãs siamesas.

A história da Viçosa remonta a meados da década de 1970. Foi mais ou menos por essa época que dezenas de famílias se reuniram e compraram terras pertencentes a um certo Rafael da Silva Filho, onde se estabeleceram e começaram a rascunhar a vila. Pouco tempo depois, no início dos anos 1980, uma certa Julitha Áurea Bastos, proprietária de terras vizinhas, vendeu-as ao Departamento Municipal de Habitação. O órgão público, por sua vez, reassentou nessas terras o numeroso pessoal deslocado da antiga Vila São Carlos, que tinha dado lugar à construção dum terminal de ônibus, noutro canto da cidade. E assim surgia, pertinho do rascunho da Viçosa, um outro esboço de vila: o da *Nova* São Carlos.

Mas, embora embrionadas assim, em devida regularização junto ao município, coisa da qual nem todas as vilas da Lomba do Pinheiro podiam se orgulhar, foi através de desmatamentos insipientes, invasões desmandadas e ocupações contumazes que, nas décadas seguintes, a Viçosa e Nova São Carlos fugiram de controle e entraram em célere expansão, até por fim se abraçarem e se fundirem num único e grande loteamento junto à margem oeste da João de Oliveira Remião. Ninguém nunca mais soube dizer com certeza onde exatamente terminava uma vila e começava a outra; no entanto, como tinham brotado e se desenvolvido cada qual numa elevação, esparramando-se uma em direção à outra ao longo de encostas contrapostas, era de imaginar que a fronteira estivesse em algum ponto da baixada espremida entre elas — baixada essa que, no futuro, lá por volta do ano de 2015, mais ou menos, ficaria informalmente conhecida como Vila Sapo, diga-se de passagem.

E era ali, naquela estreita baixada espremida entre a Vila Viçosa e a Vila Nova São Carlos, nas entranhas da futura Vila Sapo, era ali que o jovem Pedro dormia e acordava, noite após noite, dia após dia, desde que se entendia por gente.

Foi difícil, mas o rapaz conseguiu vencer a forte vontade de faltar ao serviço naquela segunda-feira, 2 de fevereiro de 2009. E quando finalmente dignou-se a sair de casa para ir trabalhar, sem a menor esperança de que aquele se revelasse um dia melhor do que outro qualquer, o sol vigoroso veio se alojar sobre seus ombros de cabide, como se o peso da mochila já não fosse desconforto suficiente para aborrecê-lo. A claridade fez seus olhos doerem um pouco, pelo que ele lançou uma careta inútil contra a imensidão do céu azul, à guisa de protesto, enquanto enfiava entre os beiços ressecados um de seus cigarros vagabundos. Deu alguns passos, imaginando, como de costume, se não teria esquecido qualquer coisa dentro de casa, e foi então que apalpou os bolsos da calça de brim, sem encontrar o isqueiro.

— Porra! — latiu, voltando de pronto para a porta de casa, que tinha acabado de chavear. E não fora nada fácil chavear aquela porta, bem como desfazê-lo tampouco seria, pois a fechadura, que já vinha dando problemas havia algum tempo, na última semana entrara em condições de funcionamento verdadeiramente irritantes.

Mas Pedro já estava familiarizado com imperfeições, como todo pobre que se preza, ainda que não se considerasse merecedor delas, como todo pobre que se despreza. Às vezes, avaliando tudo quanto lhe girava em torno, apanhava-se espantado com a quantidade de coisas que, de uma forma ou de outra, causavam-lhe descontentamento: os ônibus lotados, as roupas surradas, os cigarros vagabundos, a insuficiência de cobertas no inverno, a falta de um ventilador no verão, o cheiro horrível de esgoto no quintal, a casa repleta de ratos, baratas, aranhas, cupins, pulgas, carrapatos e lagartixas. "Nada é perfeito", diz o ditado; acontece que na vida de Pedro nada era sequer minimamente razoável.

Com um suspiro eloquente, o rapaz tornou a meter a chave prateada na fechadura defeituosa, preparando-se para fazer uso de suas preciosas reservas de paciência. No entanto, ao girar o pulso com energia, não sentiu a resistência que esperava; apenas ouviu um estalo metálico, sem conseguir aceitá-lo como sinal de que a fechadura funcionara bem, devido ao hábito já transformado em instinto de suspeitar da boa sorte. E, com efeito, quando puxou a chave lentamente para fora, torturando a si próprio com aquele instante desagradável de suspense, viu sair junto com ela o miolo da fechadura, indevidamente liberto do único lugar onde poderia ser útil para alguma coisa. Então, para que não restasse esperança alguma de conserto, houve um segundo estalo, idêntico ao primeiro, e escorregaram, através do buraco deixado pelo miolo na superfície da fechadura, pecinhas e mais pecinhas que, de tão minúsculas, Pedro mal podia enxergar; espalharam-se todas pelo chão, algumas sumindo de vista.

Quem visse a maneira fleumática como o jovem conseguiu ficar parado ali, debaixo do alpendre da casa, não poderia imaginar a intensidade da cólera que, por um breve momento, percorreu-lhe as entranhas, tal qual uma descarga elétrica. Ele engoliu em absoluto silêncio a palavra feia que lhe tinha subido à garganta e relaxou a mão, que, por iniciativa própria, já ia se fechando para esmurrar a porta com toda a força. "Calma...", pensou, se perguntando, de imediato, se agarrar-se à calma faria mais sentido do que abandoná-la por completo. "Um problema a mais, um problema a menos...", foi o que argumentou, mentalmente, contra si mesmo. E o "problema", diga-se de passagem, não era a fechadura totalmente estragada, nem a provável impossibilidade de repará-la e tampouco a falta de dinheiro para comprar uma nova; o "problema" era, isto sim, o isqueiro trancado dentro de casa. Movido a tabaco e maconha, Pedro via a posse de fogo como uma das coisas mais fundamentais de seu dia a dia. Mas, afinal de contas, como fora esquecer *a porra do isqueiro*? Antes tivesse esquecido de vestir as calças, pelo amor de Deus! Ergueu na altura dos olhos a chave, ainda espetada no miolo, e sentiu vontade de chorar, literalmente. Por que sua vida tinha que ser tão miserável?

A casa tosca de Pedro compartilhava as dimensões de um pátio também tosco com outras seis casas igualmente toscas. Ele se dirigiu para uma delas e deu três batidinhas na porta, entrando imediatamente, sem esperar convite. Era uma casa diminuta e sem divisórias, habitada inacreditavelmente por cinco pessoas: uma prima dele, o marido e os três filhos. A absoluta desordem que reinava lá dentro fazia o casebre parecer ainda menor e causava em Pedro um mal-estar todo particular, porque ele sabia que seu próprio lar provavelmente seria tão bagunçado como aquele quando não morasse mais com a mãe. Apenas os quatro homens da casa estavam presentes. Os filhos, sentados lado a lado na cama de casal, sobre os lençóis embolados de qualquer jeito, distraíam-se jogando videogame, a risos frouxos, enquanto o pai, ouvindo música em volume dominical, preparava alguma coisa no fogão encardido. Alguma coisa bem cheirosa, conforme Pedro reparou assim que entrou. O marido de sua prima, que hoje em dia ganhava a vida como motoboy autônomo, já fora cozinheiro, lembrava-se agora.

— E então, Roberto, beleza?

— Beleza, Pedro. Cumé que tá?

— Sereno. — Pedro não pôde conter um meio sorriso, porque sempre achava estranho ver Roberto com aquele avental floreado, empunhando uma colher de pau diante do fogão e ouvindo Spice Girls. O homem era alto, musculoso, desses que se esperaria encontrar castigando um saco de pancadas ou fazendo coisa que o valha. — Preciso que tu me faça um favor — anunciou o jovem, largando sobre a mesa o miolo da fechadura, com chave e tudo. — Se tu ver a minha coroa chegar, entrega isso pra ela. Pode ser que ela queira tentar consertar, ou talvez prefira jogar fora, sei lá o que que ela vai querer fazer com essa porra. Mas entrega pra ela.

— Entrego, sim — respondeu Roberto, pegando o miolo e estudando-o com atenção, meio intrigado. — Mas que merda, hem? — Sorriu, após um momento, aparentemente desistindo de tentar entender como aquilo tinha acontecido.

— É, que merda — concordou o rapaz, aproveitando sem cerimônias a boca ativa do fogão para acender um cigarro. E, depois de expelir a fumaça da primeira tragada, despediu-se: — Bom, eu tô atrasado pro trampo, de novo, então já vou indo. Valeu, mano?

— Valeu, Pedro. Pode deixar que eu entrego pra tia.

Após sair da casa, fechando a porta atrás de si, o jovem atravessou o pátio, cujos limites frontais eram meramente imaginários havia duas décadas, desde a derrubada do muro. Não a derrubada do Muro de Berlim, naturalmente, mas a derrubada do muro tosco daquele pátio tosco, que, por coincidência, um tio de Pedro também tinha promovido justamente no fim dos anos 1980, temendo que o vento acabasse por lançar a ruinosa construção em cima de alguém.

Ao sair do pátio, desnecessário dizer, o rapaz não se viu na calçada da General Lima e Silva, nem na calçada da Ramiro Barcelos, nem na calçada de qualquer rua decente de Porto Alegre. Aquela era a calçada da Guaíba, uma ruazinha de asfalto carcomido, palco das mais repugnantes baixarias, dos mais esdrúxulos escândalos e dos mais cinematográficos tiroteios.

Enquanto se arrastava de má vontade para o ponto de ônibus, subindo a Nova São Carlos, Pedro pensou consigo mesmo, mais uma vez, que tinha que dar um jeito de ficar rico. Essa ideia andava atormentando-o muito ultimamente, e ele já estava achando que jamais ficaria em paz se não realizasse o sonho. Seus bisavós tinham sido pobres a vida inteira, seus avós tinham sido pobres a vida inteira, seus pais tinham sido pobres a vida inteira: até onde iria isso? Se era verdade que a riqueza, ou pelo menos uma vida digna, podia ser alcançada com muito trabalho e dedicação, então o que estava acontecendo? Ele tinha dado o azar de nascer numa família de grande tradição na vadiagem? Era essa a explicação para a pobreza em que vinha derramando-se seu sangue através dos tempos? Gerações e gerações de preguiçosos que *mereceram* as condições humilhantes em que nasceram e viveram? Não, claro que não. Todos os seus ancestrais tinham trabalhado muito ao longo da vida, tinham pertencido à classe social que mantinha a merda do país funcionando, e se sempre foram pobres, era porque devia haver alguma coisa errada... O erro deles talvez tivesse sido respeitar demais a lei... Tudo bem: o ciclo de pobreza terminaria nele: *ele* se tornaria rico. Como? Isso não importava. Ou importava? Suspirou longamente, amofinado.

"Merda de vida! É melhor morrer do que ter uma vida que nem a minha. Eu, na real, nem posso dizer que eu vivo; eu *sobrevivo*. Só o que eu faço é suar e suar pra me manter respirando, e mais nada. Uma puta duma usina trabalhando a todo vapor só pra acender uma bosta duma lâmpada! É, eu preciso ficar rico, custe o que custar. Preciso dar um jeito de experimentar as coisa que faz a existência valer a pena, e não vai ser trabalhando que eu vou conseguir isso."

Na metade da lomba, espiou para dentro de um beco e avistou três garotos sentados num muro, à sombra de uma casa de tijolos aparentes. Reconheceu-os de imediato, a despeito da boa distância a que se achavam, e foi reunir-se a eles, soltando uma espiral de fumaça pelas narinas e descartando a bagana de cigarro com um peteleco. Já estava atrasado para o trabalho e não saberia explicar por que, afinal, entrava naquela viela, em vez de seguir seu caminho. Sentia-se atraído por algo não identificado, como se houvesse alguma coisa interessante, porém esquecida, a ser feita ali.

Os garotos lhe inspiravam dó. O mesmo dó que tinha de si próprio. Ali estavam os três, descalços, vestidos de trapos, sentados no fundo dum beco, falando bobagem e se espreguiçando, se espreguiçando e falando bobagem, abandonados pela "mãe gentil". Tanto quanto sabia, nenhum deles nunca tinha ido à escola. Mas, de qualquer forma, os estudos a que teriam direito, caso estivessem interessados, não seriam grande coisa; afinal, a educação e o conhecimento eram bens de consumo como outro qualquer, custavam dinheiro, e dinheiro eles obviamente não possuíam. Teriam de se contentar em frequentar um dos dois colégios públicos das redondezas, ou o Afonso Guerreiro Lima ou o Tereza Noronha de Carvalho, e Pedro, que tinha estudado tanto num como no outro, não conseguia pensar neles como um fator tão decisivo assim, apesar de todo o esforço dos professores. O que podia fazer toda a diferença, não apenas na vida daqueles moleques, mas na vida de todo o mundo, era dinheiro: dinheiro, e nada mais. O lugar de uma pessoa na sociedade, pensava Pedro, correspondia diretamente à quantidade de dinheiro que essa pessoa possuía, e não era preciso ser um vidente para prever o futuro daqueles três meninos que nem para comprar chinelos tinham: avizinhava-se silenciosamente o dia infeliz em que teriam de escolher entre ser bandido ou ser escravo, se quisessem continuar vivendo. E não seria o ensino público mais sucateado de que se tinha notícia a livrá-los desse destino cruel.

— Salve, salve, gurizadinha medonha! — cumprimentou Pedro.

O trio respondeu em coro:

— E aí, Pedro.

— E a maconha, cadê? — perguntou o rapaz, subindo no muro e sentando-se ao lado deles.

Em sua opinião, essa devia ser a pergunta mais habitual da periferia de Porto Alegre. Era como se a maconha fosse uma pessoa muito querida e amplamente conhecida, de modo que, em sua ausência, qualquer um sempre perguntava por ela. Na verdade, a erva não era vista como droga por quase ninguém, ficando, junto com o tabaco e o álcool, no grupo de substâncias toleráveis que os pais, de modo geral, já deixavam os filhos experimentarem logo na pré-adolescência, ou pelo menos não faziam grandes esforços para impedi-los de experimentar. Droga, *droga mesmo*, era de cocaína para cima.

— Maconha, nem pra remédio, mano — informou um dos garotos, emendando um muxoxo. — A gente procurou maconha em toda parte hoje de manhã. Ninguém tem essa porra.

— Nem no Mangue?

— Nem no Mangue.

— Nunca tem maconha no Pinheiro, cara, é impressionante! — queixou-se outro dos meninos, indignado. — Neguinho só quer saber de vender pedra e pó por aqui. Na real, eu queria morar no Rio. Ou em Sampa. Duvido que os carioca e os paulista têm dificuldade de achar baseado pra fumar. O tráfico lá pra cima é que é de verdade, os cara não deixa os nego na mão. — Fez uma pausa. Depois, comentou: — Quem começar a vender maconha boa por aqui e nunca deixar faltar vai ganhar dinheiro pra caralho! Não vai ter concorrência nenhuma, porque os traficante daqui não vende; não vai ter problema com os porco, porque os porco tão cagando e andando pro que acontece neste fim de mundo; e cliente também não vai ser problema, porque aqui tem maconheiro de montão. — Contou as vantagens nos dedos pequenos enquanto ia falando. — Bah, baita negócio! — rematou, rindo abertamente.

Pedro não disse nada, mas já tinha meditado acerca daquilo e concordava com o moleque. Sim, aquele ensejo era real. E não chegava a ser misterioso. Em primeiro lugar, a economia brasileira ia bem (na verdade, melhor do que nunca, conforme andavam informando incansavelmente os telejornais); o povo todo estava com os bolsos mais pesados e vinha consumindo coisas que até pouco tempo atrás não eram para seus olhos, assim como também vinha consumindo *algo* que até pouco tempo atrás não era para suas narinas. O que mais havia antigamente — não apenas nas vilas da Lomba do Pinheiro, mas em toda e qualquer vila de Porto Alegre — era gente que queria cheirar cocaína e não tinha dinheiro, ou gente que queria cheirar mais cocaína do que já cheirava e não tinha dinheiro; hoje em dia toda essa gente estava com mais dinheiro. Com certeza a venda de pó vinha gerando lucros sem precedentes, refletindo o bom cenário da economia nacional, e os traficantes, claro, já deviam ter percebido isso. Em segundo lugar, havia a epidemia do crack, que, dando origem a legiões de zumbis, também produzia rios de dinheiro. Nesse contexto, a maconha já não era mais tão interessante comercialmente como fora no passado, e residia aí a explicação para o fato de a oferta da droga haver diminuído tanto nos últimos tempos. Apenas quadrilhas grandes e bem organizadas continuavam a vender maconha, porque podiam escoá-la em escala satisfatoriamente larga; na Lomba do Pinheiro, entretanto, havendo uma quadrilha pequenina em cada vila, ninguém queria saber de vender a erva, e os maconheiros tinham de percorrer longas distâncias em sua procura, muitas vezes sem sucesso.

No silêncio que se seguiu, Pedro deixou-se cair em seus pensamentos amargos, contemplando os majestosos eucaliptos que se erguiam por trás do amontoado de barracos.

"Há quanto tempo cês tão aí? Desde que eu me entendo por gente que eu vejo cês aí, grandão, parado, vendo tudinho acontecer. Quantos assassinato que acontecero por causa do tráfico cês testemunharo daí, hem? E, depois de cada um deles, o que que foi que aconteceu? Nada. Nada. Não é mesmo? Nada. O cara morre e vinte e quatro hora depois a morte completa um dia; só isso, não é verdade? Nessas viela tudo aí, cheiinha de miséria, ódio e sofrimento, a vida não tem tanto valor: quem mata não se importa muito de matar; quem morre não se importa muito de morrer. E a minha própria vida, que valor que tem a minha vida? Nenhum. Por enquanto, nenhum. *Por enquanto.* Por enquanto, olha só!, morrer não chega a ser mau negócio pra mim, porque, afinal de contas, eu tô só *suportando* a vida esses ano tudinho, e não desfrutando. Morrer só vai ser mau negócio pra mim depois que eu tiver uma vida bala. Mas, pra eu poder ter uma vida bala algum dia, não tem jeito: eu vou ter que passar por cima da lei e arriscar essa vida fodida que eu tenho hoje."

3.
O aguilhão do autodesprezo

Sentado na cama impecavelmente arrumada, ouvindo os soluços de choro da esposa e sentindo-se um bosta, Marques tratou de respirar bem fundo para, em seguida, desferir um suspiro possante, à maneira de quem tenta enxotar de uma vez por todas um espírito maligno. Deslizou a mão pelo rosto, de cima a baixo, estacionando-a na boca, o polegar e o indicador apertando os lábios, como se isso de algum jeito pudesse ajudá-lo a pensar melhor. Tentava imaginar um modo não explosivo de fazer Angélica entender que ele também ficara abalado com a descoberta daquela gravidez acidental. *Muito* abalado. Contudo, ao contrário do que ela tão maliciosamente tinha insinuado, em momento nenhum lhe passara pela cabeça a ideia covarde de "abandonar o barco". Ele estaria sempre com a esposa, superando não apenas aquela nova dificuldade, mas também todas as que eventualmente se seguissem, sem jamais exigir dela, na medida do possível, aquilo que não pudesse dar ou fazer com prazer. Apesar disso, não conseguia sentir-se nobre ou virtuoso naquele momento. Sabia que tudo quanto planejava, desde o esforço incondicional pela manutenção do casamento até a iniciativa de assumir uma parcela maior das responsabilidades, visando o bem-estar de Angélica, sabia que tudo estava dentro da caixa de obrigações de marido. E era mais por si mesmo do que por ela, mais para aliviar o próprio arrependimento do que para produzir nela algum efeito, que agora queria consolá-la, que agora queria afagá-la, que agora queria retirar tudo o que lhe dissera, que agora queria pedir desculpas pela sonora bofetada que acabara lhe dando. Mas não levava à prática nada disso que queria. Tinha medo. *Pavor*, na realidade. Pavor de parecer piegas sob seu próprio julgamento. E assim o aguilhão do autodesprezo ia espicaçando-o a cada palavra de amor não dita, a cada gesto de amor não feito.

Os dois estavam mais fartos de ofender um ao outro do que propriamente ofendidos, e sabiam que não brigariam mais por aquele dia. Sabiam, também, que se o motivo da contenda tivesse sido café-pequeno, talvez naquele exato momento já estivessem fodendo como loucos, reconciliados. Contudo, não tinha sido assim, e a reconciliação, embora iminente como o trovão após o relâmpago, viria apenas na forma de palavras descaradamente amistosas, como se nada tivesse acontecido, quando um deles enfim achasse que manter-se em silêncio por mais tempo seria demasiada infantilidade. Claro, havia no coração de ambos o mesmo propósito apressado de reconstruir a paixão a partir dos escombros a que tinham acabado de reduzi--la; eram bons nesse tipo de empreitada. Mas, antes, precisavam debater direito o assunto que desencadeara todo aquele desentendimento e do qual tinham se desviado logo de cara, sem nem ao menos se darem conta: o bebê que agora sabiam estar por vir. Foi a moça quem retomou a conversa, depois de fungar uma, duas, três vezes.

— Tá, e agora, amor, o que é que a gente vai fazer? — perguntou, com um ar repentinamente decidido. Iniciava, confiante, a mais quixotesca das tentativas humanas: a de jamais tornar a chorar na vida. Esperou: conhecia o marido suficientemente bem para adivinhar toda a boa vontade que de fato havia dentro dele. Porém subestimava a força de seu orgulho, a força de seu machismo, a força de sua ignorância; forças essas que, como um gargalo, dificultavam a passagem daquele conteúdo espesso para o campo das coisas expressas. O rapaz limitou-se a balançar a cabeça lentamente, sem fazer qualquer esforço para tirar os olhos do vazio em que tinham caído, e ela, então, perdeu a paciência: — Ah, caralho! Viu só como tu não me ajuda?

Tirado a contragosto de seu estupor, Marques estalou a língua e lançou contra a moça um olhar duro.

— Mas cumé que eu posso saber o que que a gente vai fazer agora, Angélica? — Disse isso encolhendo os ombros e desdobrando um braço para o lado, a mão aberta parecendo acusar a parede do quarto de propor um enigma indecifrável. — Não tem o que fazer, a não ser rezar por um milagre. Mais um filho... Que merda! Eu sempre quis ter uma porrada de filho, gosto pra caralho de criança, tu sabe, mas, porra, uma coisa é querer, e outra coisa é poder... Bom, pelo menos nenhum de nós dois tá desempregado...

— Bah, isso é verdade! — interrompeu agudamente a esposa, em desvelado menoscabo. — Oh, sim, as coisa podia tá bem pior, ui, ui, ui, não gosto nem de pensar. Mas acontece — deu um riso seco — que isso não me consola nem um pouquinho, tá ligado? Já tá sendo um verdadeiro inferno criar o Daniel decentemente (é leite, é creche, é roupa, é calçado), e agora a gente vai ter mais um filho, e eu não faço ideia de cumé que a gente vai fazer pra sustentar os dois... — Percebeu que estava perdendo o autocontrole; por isso, preferiu parar de falar, o que fez fechando não só a boca, mas também os olhos.

— Sabe o que eu acho? Acho que é melhor eu ir trabalhar. Já tô bem atrasado. — Marques se levantou e apanhou a mochila, que estava sobre a cama. — Olha, depois a gente conversa mais, tá bom?

Angélica concordou, movendo enfaticamente a cabeça.

— Porra, meu, eu te amo — declarou, a voz embargada, as lágrimas voltando a escorrer-lhe pelas faces.

— Eu também te amo — respondeu o marido.

Ela se pôs de pé, para que pudessem se abraçar, conforme as circunstâncias exigiam. Foi um abraço apertado e demorado, cheio de significado. Naquele instante, uma leve brisa entrava pela janela aberta, fazendo as cortinas esvoaçarem de maneira suave e constante, e a luz que se filtrava nelas projetava ondas vivas nos lençóis dourados da cama, enquanto os pássaros lá fora cantavam com alegria, comemorando seja lá o que for que um pássaro possa comemorar. Poderia ter sido um momento mágico, desses em que tudo parece tão belo, como numa cena de novela. *Poderia.* O problema era um som desagradável que fazia pesar tanto o espírito dele quanto o dela, ancorando-os firmemente numa realidade que de mágica não tinha nada: o assoalho de madeira da casa, apodrecido havia tempos, rangia alto, sem parar, gritando por socorro, ameaçando ceder a qualquer momento, porque o pequeno Daniel, que era, antes de mais nada, uma boca a ser alimentada, corria faceiro para lá e para cá, gastando as energias, e naquela conjuntura a lastimável verdade era que ou bem socorria-se o piso, ou bem alimentava-se a criança, já que, para as duas coisas, o dinheiro nunca dava: o que poderia haver de mágico nisso? Não há canto de pássaro nem coisa alguma capaz de trazer magia à precariedade total.

O abraço se desfez, com uma última troca de chamegos nas costas. Marques, então, virou-se e foi para a sala espalhafatosamente mobiliada. Ali despediu-se do primogênito, afagando-lhe o cabelo, dando-lhe um beijo na testa e pedindo que parasse de correr, uma nota de melancolia na voz, um sorriso incômodo nos lábios. Daniel obedeceu de imediato, sentando-se todo comportadinho no sofá. Depois observou com atenção o pai sair para a rua, fechando a porta atrás de si. Percebera que havia qualquer coisa errada com ele, *pudera sentir*, embora, claro, ainda estivesse longe de conhecer palavras o suficiente para definir de alguma forma a aura radioativa que envolve uma criatura frustrada. Seus olhos grandes, expressivos e cheios de curiosidade se demoraram na porta fechada, onde tinha desaparecido aquele ser tão querido, aquele ser tão amado, aquele ser que, infelizmente, carecia de alguma ajuda situada muito além de sua compreensão infantil.

Marques representava com fidelidade a geração a que pertencia, sendo um jovem um tanto estúpido metido em responsabilidades para as quais não tinha qualquer preparo, andando pela vida de maneira negligente, com ambições módicas e corte de cabelo moicano. Nascera e se criara na Vila Campo da Tuca, bairro Partenon, vendo de perto a violência nas mais variadas formas, e seus amigos de lá — amigos de infância — tinham se tornado prostitutas, traficantes, ladrões, viciados, vigaristas ou, a exemplo dele, tinham assumido um posto de trabalho qualquer, na parte mais baixa da pirâmide social — da *pesada* pirâmide social. Mas, havia quase três anos, quando Angélica engravidara pela primeira vez, o rapaz, por fim aceitando um convite que se repetia de tempos em tempos, mudara-se para aquela casa de assoalho apodrecido onde ela até então morava sozinha, na Vila Lupicínio Rodrigues, bairro Menino Deus.

A Vila Lupicínio Rodrigues era o indesejado quintal dum importante centro cultural de mesmo nome. E ali estavam os dois colados um no outro, vila e centro cultural, só para provar que a distância entre a cultura e as pessoas pobres não era física. Os moradores da vila preferiam ficar em casa sem fazer absolutamente nada a frequentar os eventos do centro cultural, mesmo que fossem de graça. Era como se soubessem, ou sentissem, que aquilo não estava ali para eles, como de fato não parecia mesmo estar; geralmente, quem frequentava os eventos era gente que vinha de outras partes da cidade — gente que vinha de outras partes da cidade *dirigindo carros caros*. E enquanto se representava de Shakespeare a Brecht no célebre teatro do centro cultural, o Renascença, a vila ia servindo de palco para tragédias da vida real. Pois, como em qualquer aglomeração de pobres, na Lupicínio Rodrigues também havia pessoas com nervos de aço, sem sangue nas veias e sem coração. Uma vez, ninguém sabia direito por quê, um policial militar resolvera entrar ali sozinho, fardado, e acabara assassinado a tiros. O assassino arrastara o cadáver pelos pés despreocupadamente, levando-o para fora da vila e deixando um rastro de sangue pelas vielas. As autoridades nunca conseguiram descobrir o autor da atrocidade, muito menos apanhá-lo: embora tudo tivesse acontecido bem no meio da tarde, infelizmente ninguém tinha visto nada, ninguém sabia de nada, ou pelo menos ninguém se dispusera a falar nada.

O local de trabalho de Marques — a filial da rede Fênix de supermercados gerenciada pelo sr. Geraldo — ficava numa ruazinha chamada General Jacinto Osório. E essa ruazinha, por sua vez, situava-se entre o Parque Farroupilha — mais conhecido como Parque da Redenção — e a Vila Planetário, não muito longe da própria Vila Lupicínio Rodrigues. O jovem já estava a meio caminho de lá quando finalmente admitiu ser mais culpado do que a esposa pelo desentendimento que tiveram. Seguia sem pressa, cego e surdo para tudo quanto se passava fora de sua cabeça. Com as pernas, avançava para o supermercado; com a mente, retrocedia ao início da desavença repetidas vezes, para revivê-la e revivê-la e revivê-la. Quanto mais intensamente remoía tudo, de cabo a rabo, tim-tim por tim-tim, mais o aguilhão do autodesprezo o espicaçava; e quanto mais o aguilhão do autodesprezo o espicaçava, mais intensamente queria remoer tudo de novo, de cabo a rabo, tim-tim por tim-tim.

— Eu tenho um bagulho pra te falar — começou Angélica, civilizadamente. — E acho que tu não vai gostar. Mas te senta aí, faz o favor.

O rapaz obedeceu, mais curioso do que propriamente alarmado. E a moça também se sentou, juntando bem as coxas, colocando as mãos nos joelhos, mantendo a postura bastante ereta, tudo denotando a mais pacífica intenção: um macete sutil, com raiz no medo, usado principalmente por mulheres casadas com homens inclinados à violência quando querem abordar assuntos difíceis sem que os ânimos acabem se exaltando. Antes de continuar, ela até fechou os olhos e deu um suspiro de autoencorajamento.

— Olha, amor, eu... Bom, é que eu acho que tô grávida de novo. Na real, já tenho certeza que tô.

Um vazio assaltou Marques. Seu primeiro impulso foi o de pôr-se de pé e levar as mãos à cabeça, porém deteve braços e pernas. Tentou, então, não demonstrar suas emoções; lutou para conter aquela ebulição em que entrava sua alma; fez força para ficar calado, porque, naquele momento, tinha certeza, simplesmente não seria capaz de dizer nada de bom. Mas a língua — *ah, a língua!* Nem de longe se controla esse diabólico chicote tão facilmente como se controla braços e pernas. Aquela sufocante vontade de alfinetar, aquela *necessidade* de falar alguma coisa que promovesse animosidade... A língua foi mais forte que ele.

— Porra, e tu quer que eu faça o quê?

O arrependimento foi instantâneo. O jovem mal podia crer que aquilo realmente tinha saído de sua boca. Teve raiva e vergonha de si próprio na mesma hora. Viu que precisava correr a retratar-se. *Deus do céu!, tinha que dizer que não sabia o que estava falando e pedir desculpas imediatamente!* Mas a língua — *ah, a língua!* De novo a língua foi mais forte que ele, desta vez negando-se a trabalhar, negando-se a coser o urgente pedido de perdão, enquanto um misto de ira e incredulidade ia se desenhando no rosto de Angélica.

— Mas como assim "e tu quer que eu faça o quê"?! — explodiu ela. — Tu não é o pai, Marques? Eu fiz essa cagada sozinha, por acaso?

— Bom, sozinha, acho que não. Mas teve aquele dia que a gente brigou e tu me botou pra fora, não teve? Daí eu fiquei, sei lá, uma semana inteira dormindo lá na minha coroa.

Ah, a língua!

— Cara, mas tu é muito filho da puta!

— Ué, e eu tô mentindo?

— E o que tu pensa? Tu pensa que eu saí por aí dando o rabo pra todo o mundo aquela vez? Ah, vai se foder, na real! Se isso aí não é uma desculpa esfarrapada pra abandonar o barco, então não sei o que pode ser.

— Como assim?

— Ah, não se faz de louco! Tu quer se apartar? A gente se aparta, então, não tem ruim. Mas não vem com esse papinho aí, que não cabe.

— Nada a ver, Angélica! Tu tá viajando, já. Quem é que falou em se apartar?

— Quem tá viajando é tu, meu! Porra, eu tô grávida de ti, e tu vem querer dizer que o filho não é teu? Que merda é essa?

— Eu não disse isso.

— Aí é que tá o problema, Marques. Tu não diz as coisa com todas as letra, mas fica largando charadinha. Isso é coisa de covarde, na real, sangue bom. Deve ser de família. A tua coroa também, aquela cobra, não tem coragem de dizer que não gosta de mim, e daí fica largando charadinha toda hora, que nem tu faz; eu acho que...

A moça teria falado mais, não fosse o inesperado tabefe que a atingiu em cheio na face esquerda.

— Lava essa boca pra falar da minha coroa! Entendeu bem? *Lava a porra dessa boca pra falar da minha coroa!* — Ao berrar essas palavras, borrifando saliva para todo lado, Marques fez questão de colar a boca ao ouvido da esposa, segurando-a pelos cabelos para impedir que afastasse a cabeça.

Era o momento da briga que mais lhe doía recordar. Era o momento em que mais desesperadamente lamentava não poder voltar no tempo para agir diferente. Era quando o aguilhão do autodesprezo o espicaçava com mais força. "Cumé que eu pude ser tão estúpido?", foi o que se perguntou mentalmente, enquanto esperava o semáforo de pedestres abrir para atravessar a torrente de veículos apressados que era a avenida João Pessoa. E aí estremeceu, de tanta impaciência e irritação: o que ganharia relembrando tudo aquilo, torturando-se daquele jeito? Conclusão: ele e Angélica brigaram feio, mas no fim se acertaram: ponto-final. Ela tinha conseguido perdoá-lo, e agora só estava faltando ele próprio conseguir se perdoar também. Precisava esquecer a contenda. Precisava ficar em paz.

Não era uma tarefa tão difícil varrer a briga da mente; difícil era deixar de pensar que seu segundo filho já estava a caminho, antes mesmo de ele conseguir se virar a contento com o primeiro. Sentia um desagradável frio na barriga só de imaginar as consequências desastrosas e inevitáveis que o nascimento dessa segunda criança teria em sua vida. E a consciência de que o sexo sem camisinha *nunca* era ideia de Angélica, mas *sempre sua*, a consciência de que *toda vez* precisava insistir, insistir *muito*, para levar a esposa a consentir no descarte do preservativo, essa consciência fez com que o aguilhão do autodesprezo viesse puni-lo outra vez.

Quando chegou ao supermercado, seus olhos ainda estavam metidos para dentro, vendo trabalhar o cérebro, como diria Machado, mas os pensamentos já eram outros, bem mais agradáveis. Como seria sua vida se sua sorte fosse melhor? Se fosse rico, estaria infinitamente mais feliz, sem sombra de dúvida. Talvez nem mesmo tivesse discutido com Angélica. "Tu tá grávida, amor? Porra, que baita notícia! Vamo comemorar, cacete!" E de noite iriam, ele e ela, jantar em algum restaurante fino, onde pudessem degustar não só a comida, mas também a sensação de fazer algo único, sem nada com que se preocupar, vivendo apenas o momento e dando graças a Deus por não serem apenas mais um casal infeliz, preso a uma vida conjugal comum e sem graça. Teriam um carro, claro, e, no caminho para o mais fabuloso dos motéis, ele faria com que Angélica chupasse seu pau, enquanto estivesse dirigindo. Sempre quisera experimentar uma excentricidade dessas. Passariam a noite inteira fodendo e depois dormiriam até não poder mais. Quando acordassem, pensariam em alguma coisa divertida para preencher as horas seguintes. Na verdade, teriam toda uma vida de festa e alegria, de modo que houvesse o que lamentar quando a morte chegasse...

Não, não, não; tudo isso era muito absurdo! Só um milionário poderia levar uma vida dessas; Marques ficaria satisfeito com muito menos. Por exemplo, já estaria bem bom se trabalhasse só quatro horas por dia e ganhasse uns cinco mil reais por mês. Teria tempo para jogar futebol com os amigos da Vila Campo da Tuca, como antigamente. Além disso, nada deixaria faltar ao primogênito, Daniel, assim como nada deixaria faltar a essa segunda criança que estava por vir. E Angélica nem mesmo precisaria trabalhar na pizzaria. Poderia passar o resto da vida em casa, cuidando das crianças e assistindo à televisão... Não; pensando bem, essa não seria uma boa ideia. Acabaria ficando gorda. A menos que frequentasse uma academia, claro. E, ganhando uns cinco mil por mês, Marques talvez até pudesse pagar a mensalidade de uma academia para a esposa... Enfim.

Foi com amarga surpresa que deu por si já pronto para começar a trabalhar. Era hora de voltar à realidade. *Dura* realidade. *Triste* realidade. *Quase insuportável* realidade. Baixou a cabeça, para dar uma olhada em si mesmo. Mais uma vez, via-se metido naquele uniforme ridículo, manchado, remendado, amarrotado, que já tinha pertencido a sabe-se lá quantos outros pobres coitados antes dele. Acolheu os andrajos na mais profunda sensação de fracasso. Era aquilo que ele era, afinal: alguém que vestia aquele tipo de roupa para ganhar a vida, alguém que provavelmente jamais conheceria o sabor da dignidade, alguém cujos filhos provavelmente jamais conheceriam o sabor da dignidade. O aguilhão do autodesprezo tornou a espicaçá-lo.

4.
Mestre e discípulo

Leitor voraz, Pedro desenvolvera — a duras penas, mas desenvolvera — a invejável capacidade de ler no ônibus sem ter enjoo. E o esforço valera a pena: as intermináveis idas e vindas entre a casa e o trabalho, antes repletas de tédio, haviam se convertido em momentos de indizível prazer — os momentos mais aguardados do dia do rapaz, nos quais ele podia "navegar pela alma dos outros", conforme costumava dizer. Contudo, na tarde de hoje, não quis saber de leitura. Depois de embarcar no ônibus e acomodar-se num canto, o que fez foi pôr-se a matutar com entusiasmo, deixando-se seduzir mais e mais pela ideia que tivera.

Irreversivelmente decidido a vender maconha como forma de abandonar o rumo inglório em que estava alinhada sua patética vida de cidadão trabalhador, assim planejava entrar de penetra na grande festa da gastança despreocupada, para a qual nunca fora nem nunca seria convidado. Haveria riscos, claro que haveria, mas estava disposto a enfrentá-los todos. Agiria com diligência e discrição; seu plano haveria de dar certo. E mesmo que desse errado, o que o jovem tinha a perder? Nem a cadeia nem a própria morte seriam piores do que a vidinha de bosta que ele já levava.

Não obstante, a noção de que talvez acabasse preso ou morto causou-lhe um princípio de preocupação, ameaçando lançá-lo num poço sem fundo de insegurança. Maldita noção! Parecia até obra de uma bruxa capciosa, uma bruxa que tentava chamar sua atenção para poder enfeitiçá-lo, para poder minar suas forças, para poder envenená-lo com o medo, para poder fazê-lo crer que seu plano estava fadado ao mais absoluto malogro, para poder induzi-lo a desistir, para poder convencê-lo a aceitar o *inaceitável*: a existência medíocre que lhe era imposta desde o momento em que abrira os olhos neste mundo. Foi só com considerável esforço que ele conseguiu dissipar aquela noção desagradável, tirando da cabeça a consternadora imagem de si mesmo a descansar esquecido no que poderia ser tanto o fundo de uma cela escura como o interior de uma gaveta de necrotério fechada. Pois agora era um momento-chave: era o momento de ter fé. Precisava recusar-se a cogitar o fracasso, precisava acreditar com todas as forças na própria capacidade de fazer tudo certo, precisava focar na possibilidade de ser bem-sucedido, não podia desperdiçar energia com dúvidas e receios, não podia permitir que o ânimo se esvaísse, não podia desistir de seu plano por razão nenhuma que fosse. E tão logo inclinou o espírito nesse sentido, sentiu despertar dentro de si um leão feroz, capaz de tudo.

Como sempre fazia, apeou do ônibus em frente ao Júlio de Castilhos, o Julinho, enveredando pela rua aristocrática que ladeava o colégio e seguindo em direção à filial da rede Fênix de supermercados em que trabalhava — aquela gerenciada pelo sr. Geraldo. Alguns minutos depois, roupas humildes, mochila rasgada, cabelo em desalinho, barba por fazer, entrava todavia brioso na loja, a autoconfiança beirando a sensação de superioridade. Uniformizou-se no vestiário, que ficava no andar de cima; em seguida voltou ao térreo, descendo com pressa as escadas, e saiu à cata de Marques pelos corredores do supermercado. Ansiava por confidenciar ao amigo o que planejava.

— Ah, tu tá aí, filho da puta! Cumé que tu tá, Marques?

— Sereno, Pedro. E tu, sangue bom?

— Sereno.

Ambos eram supridores. Isto é, entre as diversas funções que desempenhavam — como descarregar caminhões, organizar o depósito e limpar o chão da loja —, a principal era suprir as prateleiras, de modo que convinha dizer que eram supridores, ou repositores, como alguns preferiam falar. Em suas carteiras profissionais, porém, achava-se uma definição de cargo que não poderia ser mais indistinta: "auxiliar de operações". Se, no lugar disso, estivesse escrito "pau pra toda obra" ou simplesmente "curinga", daria no mesmo: o supermercado podia sujeitá-los a incumbências de toda sorte, sem lhes dar margem para moverem uma ação trabalhista sob alegação de desvio de função.

Pedro tinha sido contratado bem antes de Marques, e logo no primeiro dia de trabalho deste último, havia mais de um ano, ficou claro que seriam grandes amigos. Nesse dia, um pouco antes de os dois se conhecerem, Pedro, que mesmo na época já era funcionário do turno da tarde, falou assim aos colegas do turno da manhã, enquanto descarregava com eles um caminhão, às portas do depósito:

— Tem funcionário novo aí, gente. Cês viro?

— Ah, é, é? — surpreendeu-se um dos companheiros.

— Se pá é o cara que o seu Geraldo disse que ia colocar pra trampar de tarde contigo, Pedro — aventou outro dos colegas.

— Se pá — concordou o rapaz.

— Cadê ele?

— Bom, eu vi ele aquela hora que eu fui no banheiro, e ele tava sendo levado pro RH. Deve tá lá ainda. Decerto a Ana vai descer com ele e apresentar ele pra todo o mundo. Tu tá ligado cumé que é a porra toda.

Eles conversavam sem parar de trabalhar, posicionados no que chamavam espirituosamente de "corrente de descarrego". Aquilo, claro, nada tinha a ver com práticas religiosas. Era apenas uma formação estratégica, na qual costumavam se enfileirar espaçadamente, para descarregar os caminhões com rapidez e eficiência: o primeiro da corrente ficava dentro do baú do caminhão a ser descarregado, pegando os fardos, pacotes e caixas e arremessando uma coisa de cada vez ao funcionário seguinte, já posicionado fora do baú; este, então, num único movimento pendular com os braços, catava no ar as coisas que lhe eram jogadas, atirando-as ao próximo, e assim por diante, até o último, que ia ajeitando tudo numa zorra; por fim, uma vez cheia a zorra, os produtos eram levados depósito adentro, para serem armazenados adequadamente.

— Pelo amor de Deus, gurizada, não vamo deixar esse novato ficar mal-acostumado, hem! — disse Pedro. — Ele vai ser um supridor, que nem nós, mas é bom que desde o primeiro dia já fique sabendo dos desvio de função e venha descarregar essa merda desse caminhão com a gente. — Enquanto ia falando, sentiu-se cada vez mais convencido da importância do que dizia, de modo que acrescentou: — Quer saber? Eu vou lá é agora mesmo, avisar pra ele vir nos ajudar quando descer.

— Melhor tu não ir, Pedro. Já tô até vendo: o chefe de loja vai te mijar. Vai dizer que orientar os funcionário novo é função dele, e não tua.

— Ah, mas era só o que me faltava! O chefe de loja que vá pra puta que pariu! Olha só, cara, olha pra gente! Já tá todo o mundo lavado de suor, podre de cansado! Quanto antes chegar ajuda, melhor. E se a gente for depender do chefe de loja até pra uma coisa simples que nem essa, vou te dizer: a gente tá fodido, meu irmão.

Pedro tinha razão, conforme constatou em seguida: indo falar com o novo colega, avistou Paulo, o referido chefe de loja, flertando despreocupadamente com uma das atendentes da padaria, esquecido do mundo. "Pau no cu!", pensou, indignado.

Subiu as escadas e foi até a sala do RH, onde supunha estar o novato. Bateu na porta e, quando uma voz feminina autorizou a entrada, entrou. Mas não teve tempo de falar nada.

— Ah, Pedro, que bom que tu tá aqui! — foi logo dizendo Ana, a mulher que cuidava da papelada. — Tu veio me salvar! Olha só, tô *ocupadíssima* hoje! Demais, demais! Que tal se tu apresentasse o colega novo pro pessoal, já que tu conhece todo o mundo? — Sem nem mesmo esperar resposta, virou-se para o novato, que estava sentado no banco de espera, e ordenou displicentemente: — Vai com ele, Marques. Vai, que ele te apresenta pros outros.

Já descendo as escadas com o novo funcionário a tiracolo, Pedro puxou assunto:

— Então... É Marques, não é isso? O meu nome é Pedro. Tu já trampou de supridor antes?

— Já.

— Então tu tá ligado que o teu trabalho é abastecer as prateleira?

— Tô ligado.

— Pois é. Só que aqui, no Fênix, tu vai fazer de um tudo, sangue bom; até limpar chão tu vai ter que limpar. — Vendo a cara de poucos amigos de Marques, Pedro levantou as mãos, como quem se rende a um assalto, e acrescentou: — Não, não; não me entende mal, cupincha. Não tô te dando ordem. Não sou teu chefe nem nada. Calma, que eu sou só uma porra dum subalterno, que nem tu. Só tô te explicando cumé que é o bagulho por aqui. O chefe de loja vai te dizer a mesma merda, quando te ver, mas agora ele tá... — torceu os beiços e revirou os olhos — enfim, agora ele tá ocupado. — Sentiu que devia ir logo ao que interessava, e por isso botou uma mão no ombro do novato, deixando a outra livre para gesticular e gesticular, o que era hábito seu quando dava explicações. — Te liga só, mano: hoje é quarta, e toda quarta a loja faz promoção pra caralho. Tem um monte de gente comprando e tá todo o mundo cheio de coisa pra fazer. Então, se tu não te importa, não vou fazer o que aquela vaca da Ana pediu. Essa palhaçada de apresentações pode ficar pra outra hora. Eu vou é te levar direto pro caminhão que a gente tá descarregando lá na entrada do depósito, porque tá foda lá, viu? A gente tem que acabar de descarregar aquela porra o mais rápido que der, e daí correr pra abastecer as prateleira da loja, que tão só esvaziando, esvaziando e esvaziando enquanto a gente não tá lá. Tendeu? Além disso, só tem dois supridor no turno da tarde: eu e, agora, tu. Os outros três guri que tão lá no caminhão são do turno da manhã e daqui a pouquinho já vão embora pra baia, tá ligado? É melhor a gente se apressar pra conseguir terminar de descarregar o caminhão enquanto eles ainda tão aqui pra ajudar, porque senão a merda vai pegar preço é pra nós dois depois.

Após um instante, Marques perguntou:

— Se só a gente é do turno da tarde, quer dizer que, antes de me contratarem, tu ficava abastecendo as prateleira sozinho, depois que os nego da manhã ia embora?

— Não, não. O seu Geraldo também abastece, apesar de ser o gerente. O chefe de loja também ajuda, às vez. Olha, todo o mundo acaba fazendo de tudo aqui. Não podem é te ver quieto. Por exemplo, se o movimento tá fraco e as operadora tão sossegada demais lá nos caixa, sabe o que que eles faz? Eles vão lá, fecha dois ou três caixa e bota as guria pra abastecer as prateleira. Tendeu? Então, tipo, já vai ficando esperto nessa mão. Se um dia tu ver que não tem prateleira nenhuma pra abastecer, que já tá tudo bombando, pelo menos *finge* que tá abastecendo alguma prateleira, fica te salameando, saca, fica te acadelando, porque senão eles te bota pra limpar o chão, ou pra ajudar os açougueiro a organizar as câmara fria, ou pra fazer qualquer outra coisa que tiver pra fazer. É proibido ficar de bobeira.

— Tá, mas será que ninguém se mocoza pra poder dar uma respirada em paz nessa porra? — quis saber Marques, revelando um pouco de sua índole.

Um brilho surgiu no olhar de Pedro.

— Ah, bom, tu sabe cumé que é: malandro é malandro, não adianta nada. Claro que neguinho se mocoza. Inclusive, o primeirinho a se mocozar, quando dá, sou eu. — O rapaz fez essa confissão falando baixinho, entre risadas. — E, na real, eu não me mocozo só pra dar uma respirada, mas também pra dar uma mastigadinha, assim, bem de cantinho, tá ligado?

O novato também estava aos risos.

— Ah, sim, sim, claro, tô ligado, tô ligado!

Era para ambos um grande prazer identificarem-se mutuamente como farinhas dum mesmo saco logo de cara: não precisariam bancar o caxias um para o outro. E naquele mesmo dia, horas depois, quando os supridores do turno da manhã já tinham ido embora e o movimento da loja finalmente acalmou um pouco, os dois subtraíram uma caixa de bombons do depósito e foram comê-los, escondidos no vestiário.

— Ó: sempre toma cuidado quando for fazer essa mão, Marques — advertiu Pedro. — "Tem dedo-de-seta adoidado, todos eles a fim de entregar os irmãos."

Marques, que não era muito fã de samba, não tomou conhecimento de que o colega fazia uma citação, mas captou a mensagem.

— Filho da puta tem em todo lugar, é assim mesmo — comentou. — O que que eles vão ganhar caguetando o cara, meu? Não ganham nada! Sei lá, se tivesse um prêmio pra quem desse com a língua nos dente, tá, tudo bem, daí eu até entendia. Mas não: caguetam o cara só de pau no cu que são. Tô ligado cumé que é o bagulho.

— Mano, se tu soubesse o *ódio* que me dá ter que me mocozar aqui, feito um rato, pra poder comer minhas coisa em paz... Porra, a gente também é dono dessa merda toda, na real. A gente também é dono dos produto da loja. É tudo nosso também. Sabia disso?

O novato ficou intrigado. Com um bombom inteiro metido na boca, balbuciou:

— Ué, como assim?

Pedro refletiu por um momento. Sempre se arrependia de iniciar assuntos como aquele que estava a iniciar, porque as pessoas acabavam pensando que ele era meio louco. Mas não resistiu e, por fim, puxou um pé para cima do banco, abraçando o joelho e dizendo:

— Tá, olha só, te liga nessa viagem. Vamo começar pensando no seguinte: imagina que um dia tu me encontra com uma camisa nova e me pergunta de onde é que eu tirei ela. Daí eu digo que eu mesmo fiz a camisa, tá ligado? Comprei o tecido, desenhei a estampa, cortei, costurei, enfim, eu fiz a porra da camisa. Fiz ela sozinho. A pergunta é: por acaso tu acreditaria em mim?

Apesar de achar a questão estranha, Marques respondeu:

— Acreditaria. Por que não?

— Beleza. Agora esquece isso e imagina outra coisa: tu me encontra na frente dum *prédio* novo. Um prédio de, sei lá, quarenta andar. Aí tu me pergunta que prédio é aquele, e eu te respondo que fui eu que fiz o prédio todo sozinho. Fui eu que projetei o prédio, fui eu que coloquei cada tijolo do prédio, fui eu que preparei toda a massa usada no prédio, fui eu que pintei tudo etc. etc. etc. Nesse caso, sangue bom, tu acreditaria em mim?

— Ora, daí, não.

— Claro que não, mano. Tu tá entendendo o que eu quero dizer?

O novato arqueou os beiços e fez que não com a cabeça.

— Cara, é simples! Dá pra fazer uma camisa sozinho, mas não dá pra fazer um prédio inteiro sozinho.

— Ah, sim, isso eu entendi...

— Pois então!

— É que eu não sei o que que isso tem a ver com o que a gente tava falando. Tu disse que a gente também é dono dos bagulho tudo da loja...

— Calma. Eu já chego aí. Eu só tô tentando deixar uma coisa clara, tá ligado? É importante ter essa coisa bem clara na cabeça pra poder falar desse assunto. Então, ficou claro pra ti essa coisa? Ficou claro pra ti que dá pra fazer uma camisa sozinho, mas que não dá pra fazer um prédio inteiro sozinho?

— Ficou, ué. Na real, isso é óbvio.

— Pois é. É óbvio. Mas as pessoa bem que gosta de se esquecer disso, tá ligado? A gente tá falando de limite, sangue bom. Limite. As pessoa tudo gosta de esquecer que o ser humano é limitado, porque essa limitação, que é um fato muito fácil de demonstrar, ela é a prova de que tem gente com grana demais por aí. Tendeu? Tem gente que é dona de coisa demais. E isso tá errado. Porque quando tu tem grana demais, quando tu é dono de coisa demais, sem ter feito por merecer tudo o que tu tem, isso significa que os nego que fizero por merecer tão a ver navio, por culpa tua. Olha, o que eu tô tentando te explicar é que existe um limite até onde a gente pode fazer as coisa sozinho, Marques. *Existe um limite.* E esse limite, que varia de pessoa pra pessoa, esse limite é que devia definir o melhor padrão de vida possível pra cada pessoa. Será que tu tá me entendendo? Uns faz camisa, outros planta batata, outros varre rua, outros dá aula de matemática. Não importa: é tudo trabalho. Com o trabalho, as pessoa *contribui* na sociedade, tendeu? Com o trabalho, as pessoa *produz*, as pessoas *faz existir* coisa que até então não existia, coisa que as outras pessoa precisa. Só que cada um tem o seu limite. Se o nosso trabalho é fazer camisa, por exemplo, talvez eu consiga fazer umas cinco camisa por dia, mas pode ser que tu seja capaz de fazer seis, não é verdade? E se tu faz mais camisa do que eu, o teu padrão de vida *tem que ser* melhor que o meu. Afinal, tu tá contribuindo mais na sociedade com o teu trabalho pessoal do que eu com o meu, e por isso tu *merece* um padrão de vida melhor que o meu.

— Tá, e não é isso o que acontece?

Pedro arregalou os olhos e escancarou a boca.

— *O quê?* Meu Deus, em que mundo tu vive? Claro que não é isso o que acontece!

— Mas cumé que não?

— Mano, presta atenção! Se eu conseguisse fazer umas cinco camisa por dia, e tu, seis, beleza: isso tinha que causar uma diferença entre o meu padrão de vida e o teu, mas não tanta diferença assim. Talvez tu tivesse presunto pra botar no pão, no café da manhã, e eu, só aquela mortadela chinelona. Mas aí eu te pergunto: quantas camisa uma pessoa precisa fazer por dia pra ter um padrão de vida igual ao padrão de vida do dono desta porra desta rede de supermercado, por exemplo? Hem? Já pensou nisso? Quantas maldita camisa, Marques? Qual é a quantidade de trabalho necessária pra uma pessoa *merecer* um padrão de vida que nem o dele? Pensa bem, cupincha. Tenta calcular. O dono da rede tem várias casa espalhada por aí, até fora do país; só mansão, claro. Vários carro. Várias fazenda. Várias roupa cara. Gasta fácil o teu salário mais o meu numa refeição só. Uma joia que ele dá pra mulher dele compra a tua casa dez vez. Dinheiro que não acaba mais. Sei lá, se botar na ponta do lápis, todas as loja da rede deve fazer milhões e milhões pra ele, *todo santo mês.* Cara, eu não consigo sequer *imaginar* a quantidade de dinheiro que esse filho da puta já deve ter, nem a quantidade de dinheiro que ele continua ganhando e ganhando e ganhando, sem parar. Tu consegue ter noção do que eu tô falando? Na real, nem dá pra ter noção. Esse cara ganha, *num só mês,* mais do que todo o dinheiro que já passou na tua mão em toda a tua vida! E cumé que isso é possível, Marques? Será que ele é o Super-Homem? Ele tem três bola, por acaso? Será que agora tu tá entendendo o que eu quero dizer? Eu tô falando duma relação de causa e efeito que devia existir, e simplesmente não existe: uma relação direta entre o quanto as pessoa trabalha e o quanto de dinheiro elas ganha. É como eu disse: cada pessoa devia ter o padrão de vida que *merece*, ou seja, o melhor padrão de vida possível, de acordo com o tanto que cada pessoa trabalha. É o que seria justo. Tendeu? E daí, tu vem me dizer o quê? Tu vem me dizer que já existe essa justiça, que o mundo já é assim! Caralho, sangue bom! Se o mundo já é assim, cadê a nossa fortuna? Tu acha o quê? Tu acha mesmo que a gente não trabalha mais do que o dono desta rede de supermercado? Esse cara nem sequer trabalha, Marques! Mas, mesmo que ele trabalhasse, não ia poder trabalhar *tanto*, a ponto de merecer o mar de dinheiro que ele tem, enquanto a gente trabalha e trabalha só pra ganhar a quantidade de dinheiro *exata* pra não morrer de fome e continuar trabalhando e trabalhando. O direito de abrir a boca e dizer que alguma coisa te pertence, ou seja, o tal do direito à propriedade privada, esse direito devia andar de mão dada com o merecimento, e merecimento é sinônimo de trabalho. Merecimento é rosto suado e mão calejada. Não existe outro tipo de merecimento. O fiel da balança mais justa é o trabalho. E a balança mais justa mostra pra quem quiser ver que o dono desta rede de supermercado tá ganhando bem mais dinheiro do que merece, enquanto os funcionário, incluindo eu e tu, tamo ganhando bem menos dinheiro do que a gente merece.

Marques agora estava pensativo, por fim conseguindo vislumbrar o ponto de vista que Pedro lhe apresentava. E sentia um frio na barriga, pois chegava a assustá-lo aquela límpida e inesperada percepção de que, na vida inteira, nunca fora capaz de se dar conta de que havia coisas tão mal explicadas na natureza da pobreza e da riqueza. Confessou:

— Mano do céu, eu nunca tinha parado pra pensar nesse bagulho... — No entanto, a julgar pela sombra que lhe surgiu no semblante, havia algo que ainda não conseguia entender. Levou a mão ao queixo, pondo-se a esfregá-lo como se fosse uma lâmpada mágica. — Tá, só que, quando me contrataro, me mostraro um vídeo contando toda a história da rede Fênix e pá.

— É, eu sei. Também mostraro aquela porra pra mim, quando eu fui contratado.

— Então, mano! O dono da rede Fênix começou o negócio com uma loja pequena. Ele não nasceu rico. Abriu a loja, trabalhou pra caralho, e o bagulho não parou mais de crescer. Tu acha que aquilo tudo que mostraro no vídeo é mentira? Na real, eu não tenho motivo nenhum pra duvidar. Essas coisa acontece, cupincha. Se tu pensar bem, o cara construiu do nada tudo o que ele tem.

— Ah, é mesmo? Ele construiu, é? Esse império todo, com todas as dezena de loja, com todas as dezena de caminhão transportando tonelada e tonelada de carga pra lá e pra cá, com todo o maquinário, foi ele, *sozinho*, que construiu tudo, tudo, tudo? Se tu é capaz de acreditar nisso, então tu não ia ter motivo pra duvidar se eu dissesse que eu construí um prédio inteiro sozinho, como eu tava falando antes. Afinal, a rede Fênix é isso: uma pá de prédio, uma pá de caminhão, uma pá de máquina, uma pá de produto, uma pá de coisa, e tu tá me dizendo que o bosta do dono construiu tudo sozinho.

— Não, não; claro que ele não construiu a rede inteira sozinho. Ele empregou um montão de gente. Mas não obrigou ninguém a trabalhar.

Pedro suspirou, como quem se vê obrigado a explicar coisa óbvia.

— Olha, Marques, desde o começo, desde que o dono da rede Fênix abriu a primeira loja, todo o mundo que trabalhou na porra do negócio dele e ajudou a fazer esse negócio se tornar o império que é hoje, toda essa cambada trabalhou por obrigação, sim. Tudo bem, eu não digo que o culpado disso foi o dono da rede: não foi *ele* que impôs o trabalho pras pessoa. Mas isso não quer dizer que não teve imposição nenhuma. Na real, é assim que a banda toca, meu bruxo. É assim que o mundo foi ajeitado. *Ajeitado*, tendeu? *Ajeitado*. O mundo tá como tá, mas não precisava tá como tá. Ele foi *ajeitado* assim como tá. E eu te garanto que as pessoa que *ajeitaro* o mundo assim como tá tinha milhões — esfregou o polegar e o indicador, em sinal de dinheiro —, *milhões* de motivo pra querer que o mundo ficasse *ajeitado* exatamente assim como tá. Pensa comigo: se todas as pessoa que trabalharo na rede Fênix *não tivesse* trabalhado na rede Fênix, o que que iam fazer da vida? Ou iam morrer de fome, ou iam ter que trabalhar noutra rede de supermercado, ou noutro tipo de trampo. Não importa: as condição de trabalho ia ser parecida, o salário ia ser parecido. E tá aí a imposição que quase ninguém vê: ou tu te sujeita a uma das merda que tá aí, disponível pra ti, ou tu morre de fome, tá ligado? Beleza, não foi o dono da rede que obrigou as pessoa a trabalhar. Que diferença faz? As pessoa, mesmo assim, trabalharo na rede dele por obrigação, e ele tirou proveito disso. Ele é milionário hoje por causa disso. *Bilionário*, se ratiar. E tu sabe o que é mais assustador nisso tudo, Marques? De algum jeito, eu não sei como, fizero as pessoa acreditar que tá tudo certo. Fizero as pessoa acreditar que o mundo é assim mesmo. Fizero as pessoa acreditar que tudo isso é natural, como a chuva ou o vento. Fizero as pessoa esquecer que todo esse mecanismo não existe desde sempre. Fizero as pessoa esquecer que todo esse mecanismo precisou ser planejado nos mínimo detalhe. E repito: pode ter certeza que não foi um pé-rapado que nem eu ou que nem tu que planejou isso tudo.

Marques estava mais pensativo do que nunca, os olhos fixos num ponto, parecendo de vidro.

— Bah, é verdade...

— Mas claro que é verdade, mano! — Pedro adorava falar sobre aquele tipo de coisa, de modo que ia ficando mais e mais empolgado à medida que a prosa se desenvolvia. E o fato de o novo amigo aparentemente não se aborrecer com o tema, o que para ele era uma total surpresa, contribuía ainda mais para sua animação. — Te liga nessa viagem: eu vou te mostrar, *passo a passo*, o andamento do bagulho, e aí tu vai ver onde é que tá a falha trágica — anunciou, os olhos faiscando. — Imagina que tu abre o teu próprio negócio, que nem o dono da rede Fênix fez. Um mercadinho pequeninho. Na real, tu merece ficar com todo o lucro do negócio só enquanto for *tu mesmo* o único a trabalhar no negócio. E eu vou te dizer por quê: porque o certo, mano, é tu ser dono de tudo o que tu produz com as tuas próprias mão. *Tudo*, mano. Todo o dinheiro que é fruto do teu esforço pessoal, do trabalho que tu realiza, tudo tem que ser teu, e só teu. Esse é o certo. Então imagina: se, no começo, o teu mercadinho rende uns dois mil por mês, e só tu tá se fodendo ali dentro, com quem tu vai dividir esse dinheiro que vem só do teu trabalho? Beleza, até aí, tudo bem. Mas vamo dizer que, guardando algum dinheiro todo mês, depois dum tempo tu tenha juntado dez mil. É aí que começa a merda toda. Vamo imaginar que tu decide investir esse dinheiro no teu mercadinho, comprando uns forno pra assar pão, por exemplo. Sereno: agora o teu negócio vende pão quentinho. O lucro vai aumentar um monte, não só por causa da venda do pão em si, mas também por causa do aumento da clientela. Muita gente nova vai começar a aparecer no teu mercadinho só porque agora tem pão, mas esse pessoal, no fim das conta, vai comprar de tudo, e não só pão. Só que tem um problema: o teu investimento fez o negócio crescer. Tendeu? Tem mais *trabalho* pra fazer agora. Além de tudo o que tu já andava fazendo sozinho, agora também é necessário preparar os forno pra assar o pão, preparar a massa do próprio pão, assar o pão, limpar os forno e mais um monte de coisa. Resumindo, tu não dá mais conta do serviço sozinho. Tu não pode fazer tudo o que já fazia e ainda cuidar do pão. O que tu faz, então? Tu contrata dois padeiro, um pra trampar de manhã e outro pra trampar de tarde, enquanto tu continua fazendo tudo o que tu já fazia antes. Presta bastante atenção agora, Marques, porque é aí que o pecado se instala. Eu acabei de te falar: o certo é o cara ser dono de *tudo* o que o cara produz com as próprias mão. Isso significa que, pra pagar os padeiro, o certo é tu calcular a quantidade de dinheiro a mais que tá entrando no negócio por causa do trabalho deles e dar todo esse dinheiro pra eles. E não é difícil calcular isso, nesse caso que a gente tá imaginando. Pensa comigo: se antes o mercadinho tava rendendo uns dois mil por mês e agora tá rendendo, digamos, uns cinco mil por mês, sendo que, de lá pra cá, o teu esforço pessoal não aumentou, porque tu, pessoalmente, continua trabalhando igual, fazendo as mesma coisa que já fazia, isso significa que a diferença no lucro, mais ou menos três mil, esse dinheiro simplesmente não é teu. É um dinheiro que não é fruto do trabalho que tu desempenha com as tuas próprias mão. Esses três mil são dos dois padeiro, porque são fruto do trabalho que *eles* desempenha. E, assim como tu, eles também têm que ser dono de *tudo* o que eles produz com as próprias mão deles. Esse é o certo. O problema, mano, é que entre o certo e a lei, tem um abismo. Pela lei, existe o tal do salário mínimo. E tá aí como nasce um grande filho da puta: tu vai pagar um salário mínimo pra cada padeiro, mas quem foi que disse que esse salário mínimo é o justo, levando em conta o quanto o trabalho dos padeiro tem influência no dinheiro que tá entrando? Quem é que calcula essa porra? Qualquer idiota logo percebe que tem coisa errada aí. O salário é sempre muito, muito, muito abaixo do que vale o trabalho de fato. E tu, como tu fica nessa história? Tu vai dar esse salário de merda pros padeiro, e o que sobrar dos três mil é lucro a mais pra ti, *sem que tu tenha que trabalhar mais do que tu já trabalhava.* Isso é o que os nego chama de "empreendedorismo". Só que eu, sabe como é que eu prefiro chamar isso? Eu prefiro chamar de "roubo legal". É, "roubo legal". Eu chamo isso assim porque a *lei* permite isso, mas, quando tu age assim, tu tá pegando pra ti um dinheiro que, por direito lógico de produção, simplesmente não te pertence, ou seja, tu tá roubando sob a proteção da lei.

As sobrancelhas franzidas de Marques indicavam que ele não estava inteiramente convencido.

— Na real, tudo isso que tu diz até que faz sentido, Pedro. Só que, pensa bem: quando a gente junta uma grana pra investir no nosso negócio, porra, a gente espera poder ganhar mais dinheiro depois. Essa é a lógica da coisa. Se não for assim, nem vale a pena investir, então. Por que que eu vou querer que o meu negócio cresça, se o dinheiro que vier a mais, depois, não for meu, mas sim dos funcionário novo que eu contratar? Se eu tiver que dar esse dinheiro a mais pra eles, então eu prefiro que o meu negócio nunca cresça; prefiro não ter que contratar ninguém; prefiro ficar trabalhando sozinho no meu mercadinho, porque daí eu posso ficar com todo o lucro sempre.

— Bingo! Mas se tu fizer isso, o teu mercadinho vai ser sempre minúsculo, o teu mercadinho não vai ser suficiente pra atender toda a população, e assim tu abre espaço pra outras pessoa também abrir um mercadinho, e assim todo o mundo pode trabalhar em paz em seu próprio mercadinho e receber o dinheiro que de fato merece. Mas não é assim que pensa o tal do empreendedor. O que o tal do empreendedor quer é ganhar cada vez mais dinheiro e trabalhar cada vez menos, correto? Porra, presta atenção em tudo o que tu acabou de dizer, cara! Tu disse que ia preferir não contratar ninguém, pra não ter que dar pros funcionário o dinheiro que tá na cara que ia ser mais deles do que teu, porque ia ser fruto do trabalho deles, e não do teu. Veja! Se tu não pode enriquecer às custa do esforço dos outros, então tu dispensa na mesma hora o esforço dos outros. Tá vendo só? É claro como o dia! Esses empreendedor tudo aí, tão endeusados por, *olha só!*, tão endeusados por criar vaga de emprego, eles não passa de demônio, parasita, vagabundo, tudo filho da puta do caralho! Essa é que é a verdade. Não é pelo bem das pessoa que eles quer criar emprego, mano. Eles não se preocupa com as pessoa. As pessoa que se foda! Eles quer só se aproveitar da situação pra ganhar mais e mais dinheiro, sem precisar trabalhar mais e mais eles mesmo. O empreendedorismo é a grande mágica do capitalismo, Marques. Funciona assim: junta um bom dinheiro, compra uns maquinário, chama alguns trabalhador, cobre tudo com um pano negro, diz as palavra mágica e, depois dum tempo, tira o pano, e tá lá: os trabalhador tão mais abatido, mais cansado, mais revoltado, mais infeliz; só que o teu dinheiro, ah!, o teu dinheiro se multiplicou dez vez, quinze vez, vinte vez, *sem que tu tenha precisado mover uma palha!* Bonito, né? — Pedro deu um riso seco. — Não, mano. Não é nada bonito. O que acontece por baixo do pano negro, a gente sabe melhor do que ninguém. E não é nada bonito. É medonho, isto sim. É desesperador. É terrível. É ou não é? Caralho, tu é um trabalhador: tu sabe muito bem do que eu tô falando. Por acaso eu tô dizendo alguma bobagem? A gente não se mata de tanto trabalhar? E pra quê? O que tu acha disso que a gente passa? O que tu acha desse derramamento de suor, lágrima e às vez até sangue, que a gente já conhece faz tempo, que os nossos coroa já conhecia antes de nós, que os coroa deles já conhecia antes deles e que só serve pra fazer crescer a fortuna dessa gente nojenta que passa metade do ano em Torres e metade em Gramado, sem preocupação nenhuma com nada, enquanto a gente fica aqui, desperdiçando a vida nesse vaivém entre a casa e o trabalho? Hem? O que tu acha disso? — Calou-se por um momento, olhando nos olhos do novo amigo. Depois, sorriu e balançou a cabeça. — Pode acreditar, mano: esses bombom que a gente tá comendo neste exato momento é tudo nosso também. Pode comer sem culpa. Porque esses bombom, e todos os outros produto da loja, foro comprado com um dinheiro que é fruto do meu trabalho, do teu trabalho, do trabalho do pessoal da limpeza, do trabalho dos padeiro, do trabalho dos açougueiro. Tendeu? A verdade é que esse império todo tem muitos dono, Marques, incluindo eu e tu. Não importa quantos documento diga que a rede Fênix pertence a um cara só. Documento é só um papel: dá pra escrever qualquer coisa num documento, inclusive mentiras. Mas a *lógica*, mano, essa nunca falha! É só pensando e pensando e pensando por ti mesmo, com a tua própria cabeça, que tu pode descobrir quem de fato merece o que neste mundo; as lei e os documento não são, nem nunca foro, representante da verdade e da justiça. — Deu a entender que tinha terminado de falar, mas fez um acréscimo: — Ah, e pra não deixar nem uma dúvida, eu vou te falar uma coisinha sobre guardar dinheiro pra investir depois, irmão. Em primeiro lugar, se tu junta dez mil, tu tem direito, depois, a gastar dez mil. Só. Tendeu? Tu consegue botar na cabeça esse fato lógico simples? Juntou dez mil, tem direito a gastar dez mil, e mais nem um centavo. Tu não pode querer juntar dez mil com a esperança de que esses dez mil se multipliquem, sem que tu tenha que trabalhar pra isso acontecer. Se os dez mil que tu juntou se multiplica sem que tu trabalhe, *tem alguém trabalhando pra isso acontecer, caralho!* E, tirando fora os dez mil, que é teu, o resto do dinheiro é da pessoa que trabalhou, e não teu. Em segundo lugar, se tu investe dez mil comprando uns forno pra assar pão, por exemplo, eu quero que tu perceba que, na verdade, a tua justa propriedade sobre os forno é temporária. Porque, depois de contratar os padeiro e deixar eles trabalhando nos forno, rapidinho o trabalho *deles* vai devolver o investimento de dez mil pra dentro dos teus bolso, e a partir desse momento, meu amigo, os forno já não são mais realmente teus, tu já não tem mais o direito lógico de usar os forno pra ficar ganhando dinheiro através do trampo dos padeiro indefinidamente. Afinal, os dez mil que tu juntou e investiu já foro devolvido. Juntou dez mil? Então tu tem direito a gastar dez mil. Só. Vem cá: tu não ia achar estranho que dez mil fossem rendendo cada vez mais dinheiro, como se fosse um monte de bactéria se reproduzindo sozinha, sem que *tu* precisasse se esforçar mais e mais? Oh! É claro que tu não ia achar estranho! Ia ser conveniente, pra ti, acreditar nessa mágica. Ia ser conveniente, pra ti, acreditar que as coisa são assim mesmo. Só que não são, mano. Muito dinheiro significa sempre muito trabalho. E o maior pecado do nosso mundo, pro qual a lei tá cagando, o maior pecado, a injustiça mais terrível, a mãe de todos os problema social que tu puder imaginar, o maior pecado é tu dissociar o dinheiro do trabalho, é tu fazer um dinheiro produzido por um trabalho ir parar nos bolso de quem não participou desse trabalho. Se tu tem uma fortuna, e todo o trabalho necessário pra essa fortuna existir não foi realizado por ti, te garanto que foi realizado por alguém. E essa fortuna, portanto, não é tua, mas de quem trabalhou pra fazer ela existir.

Com o passar do tempo, muitas conversas desse mesmo naipe se desenrolaram entre Marques e Pedro, fazendo crescer mais e mais a admiração do primeiro pelo último. Pois Marques sempre via sua própria revolta interior espantosamente traduzida e justificada na eloquência do colega; ouvindo-o falar, sentia que suas próprias angústias de pé-rapado, afinal, tinham toda a razão de ser. Contudo, apesar de intimamente reconhecê-lo como a pessoa mais sábia e inteligente com quem já conversara, não gostou nada quando, certa tarde, foi chamado de "discípulo" por ele.

— Sabia que tu é o meu melhor discípulo, Marques?

— Ah, mas vai dar o cu! Na boa!

Pedro riu.

— Calma, mano, não tem por que se ofender. Se eu sou um mestre, e tu, um discípulo meu, isso não me faz melhor do que tu de maneira nenhuma. Na real, olha só: se tivesse só dez pessoa no mundo todo, isso significa que ia ter dez mestre e dez discípulo no mundo todo. Qualquer um pode ser mestre de qualquer um, Marques. Cada pessoa é um poço de conhecimento, tá ligado? Eu tenho certeza que tu sabe um monte de coisa que eu não sei. Tu sabe tanta coisa que eu não sei, que um de nós ia acabar morrendo antes que tu tivesse tempo de me ensinar tudo o que tu sabe e eu não sei. Então, olha, não é a quantidade de conhecimento duma pessoa que faz essa pessoa virar mestre de outra. O que faz uma pessoa virar mestre da outra é quando, de algum jeito, o que uma pessoa tem pra ensinar é importante pra outra aprender.

— Ah, sim, então tu acha importante que eu escute tudo o que tu fala?

— Não, *eu* não acho importante. É claro que eu gosto de ver que tu presta atenção no que eu digo, mas se tu não prestasse, bom, o que eu ia fazer? Um monte de gente não tá nem aí pro que eu digo. Tem gente que pensa até que eu sou louco por causa do que eu digo. Mas tu, não. Tu presta atenção. Ou seja, é *tu mesmo* que acha importante o que eu digo. E, na verdade, eu até imagino *por que* tu acha importante o que eu digo.

— Por quê?

— Bom, eu não sou psicólogo nem nada, mas eu te acho um cara que se cobra demais. Eu acho que tu é muito duro contigo mesmo. Sabe, tu consegue perceber que tu tem uma vida fodida, assim como eu também tenho uma vida fodida, enquanto outras pessoa por aí tão jogando dinheiro pra cima. Tu percebe isso, mas não consegue entender o verdadeiro motivo de as coisa ser assim. Daí, tu acaba acreditando numa coisa que simplesmente não existe, mas que a maioria das pessoa acredita que existe: meritocracia. Acontece que acreditar na meritocracia te faz mal. Afinal, se as pessoa que tão jogando dinheiro pra cima *merece* tudo o que têm, então tu, que não tem porra nenhuma, *merece* não ter porra nenhuma. E essa lógica simplista faz tu te sentir um fracassado. Isso coloca nos teus ombro um peso foda de aguentar. Tu passa a vida te perguntando onde foi que tu errou, o que é que tu fez de errado. Mas, quando eu abro a minha maldita boca e começo a falar, eu te mostro o mundo de outro ângulo. Não é verdade? Eu te dou um vilão pra tu poder mandar o teu ódio na direção correta. Eu te mostro que tu não é o vilão da tua própria vida. Eu te mostro que, enquanto tu faz força pra subir, tem uma pá de safado fazendo força pra tu ficar onde tu tá, pra tu morrer afogado na merda, porque tu tem que ficar na merda pra eles nunca cair na merda. Eles tão montado na gente, irmão. É isso o que eu te mostro. E quando eu te mostro isso, Marques, tu te sente melhor. Claro, tu continua sendo pobre do mesmo jeito, mas pelo menos a sensação de culpa e autodesprezo vai embora, e tu consegue ter noção do teu próprio valor, tu consegue ter admiração por ti mesmo, tu consegue perceber que é um verdadeiro milagre tu ter força pra pular da cama todo santo dia e vir enfrentar essa porra desse mundo que, do jeito que tá, só vai te comer de pancada até a tua morte e mais nada. É por isso que tu acha importante o que eu digo.

Marques não podia estar mais de acordo com a explicação do amigo.

— É, parece que tu tá certo, como sempre. Mas vem cá: se eu sou teu discípulo, tu é discípulo de quem? Quem é o teu mestre? Fala aí.

— Bah, mano, eu bebo num monte de fonte. Eu tenho uma pá de mestre. A maioria deles já morreu faz tempo, só que eu posso navegar na alma deles, lendo o que eles escrevero. Sei lá, eu acho que o cara que mais influenciou o meu pensamento foi um filósofo alemão. O nome dele era Marx. Inclusive, todo esse lance que a gente conversa, os nego chama isso de marxismo, por causa dele, tá ligado? Ele foi o primeiro a ver o mundo do ponto de vista que eu te mostro quando a gente conversa: o ponto de vista que nos interessa, o ponto de vista que favorece o trabalhador, e não o explorador do trabalho.

— O nome do cara era Marques, que nem o meu?

— Não. Era *Marx*, com xis.

— Hum... Tá, mas se esse bagulho que a gente conversa não é novidade, por que ninguém nunca botou em prática?

— Já tentaram. Mas não funcionou.

— Não funcionou?

— Não funcionou.

— Mas como assim? Não funcionou por quê?

Pedro riu.

— Não funcionou porque ainda é uma ideia elevada demais pro espírito da maioria das pessoa no mundo. Não funcionou porque é uma ideia que surgiu antes da hora. Não funcionou porque ninguém quer que funcione, mano. Os rico não quer que o mundo seja justo, mas os pobre também não quer. Pode acreditar: nem as pessoa que mais sofre neste mundo de injustiça, nem elas gosta da ideia dum mundo justo quando tu explica pra elas como ia ser um mundo justo. Sabe por quê? É porque num mundo justo, *justo de verdade*, ninguém ia conseguir ficar rico. Ia ser impossível enriquecer. E eu já te expliquei o motivo. A gente conversou sobre isso no dia que a gente se conheceu. Num mundo justo, o padrão de vida das pessoa ia depender do quanto elas trabalha. Mas tu ainda lembra do que eu te falei aquele dia? Existe um limite até onde a gente consegue fazer as coisa sozinho. Esse limite é a nossa capacidade máxima de trabalho, e varia um pouco de pessoa pra pessoa. Mas *nunca*, Marques, *nunca* a capacidade máxima de trabalho duma pessoa vai ser o suficiente pra que essa pessoa consiga acumular riqueza. Não tem como. Tendeu? Só com o teu trabalho, tu não vai ficar rico nunca. A única forma de tu acumular riqueza é aproveitando algum mecanismo social, legal ou ilegal, pra te adonar de mais dinheiro do que a tua capacidade máxima de trabalho diz que tu merece. Só que, se por um lado isso te faz mais rico do que o normal, mais rico do que tu merece, por outro lado isso também torna outras pessoa mais pobre do que o normal, mais pobre do que elas merece, porque o dinheiro que te sobra é o dinheiro que falta pra elas, sendo que elas fizero por merecer o dinheiro, e tu, não. Beleza: isso é uma merda. Mas não te engana, não, mano! Não pensa nos pobre só como uma pá de coitado. Pra um pobre virar um burguês filho da puta, não precisa muita coisa. Basta uma boa oportunidade. Os pobre tão na merda, trabalhando e trabalhando pra fazer crescer a fortuna dos burguês, mas tu sabe o que eles mais quer? O que eles mais quer é um dia virar burguês também. O que eles mais quer é uma chance de enriquecer às custa do trabalho alheio. O que eles mais quer, Marques, é fazer com os outros tudo aquilo que sempre foi feito com eles...

Nesse momento, uma estranha expressão apoderou-se do rosto de Pedro. Marques jamais esqueceria aquilo: foi como se o amigo tivesse sido atacado por uma dor de barriga súbita.

— Qualé, Pedro?

— Eu não tô falando só dos outros, mano. Eu tô falando de mim também. Às vez, quando a gente conversa, pode parecer que eu tô dando uma de juiz, querendo dizer quem tá certo e quem tá errado. Aliás, às vez eu *tô mesmo* dando uma de juiz. Mas eu não devia. Eu sei que eu não devia. Eu não tenho que julgar ninguém, na real. Eu não sou melhor do que ninguém. Ah, tudo isso é tão complicado, cara! Complicado pra caralho. E se pá tudo o que eu digo é um monte de besteira. Pode ser, sabia? Se pá as coisa são ainda mais complicada do que eu imagino, tá ligado? Se pá algum especialista nessas coisa, algum estudado de merda, pode vir aqui me provar por A mais B que eu tô enganado sobre tudo, tudo, tudo o que eu digo. Pode ser, sabia? Mas, olha, de uma coisa eu sei, com toda a certeza, e sem medo de erro: eu quero dinheiro. *Quero dinheiro!* Não te engana comigo, meu bruxo. Tu acha o quê? Tu acha que eu quero transformar o mundo? Sabe, eu já fui infantil a ponto de achar que o mundo pode ser transformado; não vou negar. Só que eu não sou mais tão infantil assim. Quando eu olho em volta e vejo que tudo é injustiça, e que ninguém tá nem aí pra justiça de verdade, eu me pergunto o que eu tô fazendo neste mundo de merda. Eu não queria ter vindo parar aqui. Eu sou como o Mefistófeles: eu também ia ter preferido o eterno vácuo. Mas já que eu tô aqui, não quero ficar de mão abanando. Eu quero dinheiro. Aliás, sabe o que que tudo isso me lembra, mano? Me lembra o tempo que o cara era piá, tá ligado? Nas brincadeira de antigamente, sempre tinha alguma coisa que ninguém queria fazer. No futebol, ninguém queria ser o cara que pega no gol; no pique-esconde, ninguém queria ser o cara que procura os outros; no pega-pega, ninguém queria ser o cara que corre atrás dos outros. O mundo é igual: a maioria das pessoa tá de acordo que um mundo justo de verdade não é uma boa ideia: o mundo tem que ter rico e pobre: é assim que a brincadeira tem que ser: essas são as regra do bagulho. E quem sou eu pra ir contra a maioria? Beleza, eu posso aceitar isso. Mas tem uma coisa que eu não aceito de jeito nenhum: *eu não aceito ser o pobre nessa porra dessa brincadeira!* Eu não vou aceitar isso nunca, Marques. Eu sou pobre, eu fui pobre a vida inteira, mas não tem um só dia da minha vida que eu me sinta conformado com isso. Não tem um só dia da minha vida que eu não passe horas e horas pensando num jeito de ganhar um tonel de dinheiro, e eu *vou* ganhar um tonel de dinheiro uma hora dessa, e não me importa o que eu tenha que fazer pra ganhar. Se eu tiver que roubar, eu vou roubar; se eu tiver que matar, eu vou matar. Eu não quero mais saber de ética, de moral, de lei, de certo ou errado. Foda-se tudo! Eu quero é ficar rico. Eu quero é dinheiro, dinheiro *afu!* E outra: eu quero logo. É só isso que eu quero. É só nisso que eu penso. Então, escreve o que eu tô te dizendo, Marques, anota aí: eu ainda não sei como vai ser, mas um dia, mano, um dia eu vou parar de comprar papel higiênico, porque eu vou usar *nota de cem* pra limpar o cu.

E hoje, vários meses após aquela profecia, Pedro tinha decidido tentar realizar o sonho de riqueza vendendo maconha em sua vizinhança, conforme contava agora a Marques, enquanto abasteciam uma prateleira de biscoitos. Empolgado, ia explicando seu plano pormenorizadamente ao amigo, gesticulando sem parar, expondo-lhe fabulosos prognósticos.

— Ah, na real, o tráfico é só um jogo — afirmou em dado momento, no falsete de quem comenta um fato amplamente conhecido. — E eu conheço bem as regra. Acho que eu vou ser um bom jogador.

— Não é *só* um jogo — contrapôs Marques. — É um jogo perigoso.

— Bom, isso é verdade. O perigo existe. Mas é osso do ofício, que nem dizem. Do mesmo jeito que um traficante pode ser preso ou tomar um monte de tiro, um eletricista pode levar um choque e cair duro, um motoboy pode perder a perna num acidente, um taxista pode ser assassinado num assalto. Quanto a mim, eu tô ligado nos risco que eu vou correr. Tô ciente. Mas acontece que eu já cansei de esperar, mano. Eu já passei tempo demais fazendo plano. Chega de planejar. Agora o negócio é colocar algum plano em prática, e eu escolhi esse: vou vender maconha na minha quebrada. É hora de começar a correr atrás da vida melhor que eu tanto quero. Eu não aguento mais ficar só imaginando essa vida melhor.

Marques ergueu as sobrancelhas.

— Coincidência: eu tava viajando nisso hoje, quando eu cheguei aqui pra trampar.

— Tu tava pensando em traficar também?

— Não. Eu tava pensando como ia ser se eu tivesse uma vida melhor. Eu tava imaginando eu mesmo tendo uma vida melhor, saca?

— É, tô ligado, sei como é. Todo o mundo fica imaginando uma vida melhor, sangue bom. É o que mantém todo o mundo vivo, com vontade de viver, na real. Mas te liga só: se a gente vacilar, um dia a gente acorda com noventa ano e ainda tá só imaginando uma vida melhor, e a vida de verdade tá como sempre foi: uma porra.

— É, pode crer.

5.
A Operação Bruxaria

No intervalo daquele dia de trabalho, Pedro e Marques subiram para o vestiário, como de costume, e lá, sozinhos, se puseram a fazer um banquete. Havia refrigerante gelado, bombons, barras de chocolate, biscoitos recheados, um pedaço grande de torta e uma porção de cuecas viradas: tudo por conta da rede Fênix de supermercados. Enquanto se empanturravam, Marques repentinamente falou:

— Tá, eu quero fazer a mão contigo.

— Hã? — Pedro estava distraído, as mandíbulas trabalhando. — Qual mão?

— A mão de vender maconha.

— Ué, por quê?

— A Angélica tá grávida.

Algo, talvez o fato de a notícia ter sido dada de maneira lacônica e insossa, desprovida de entusiasmo ou pesar, algo deixou Pedro meio confuso. Ele ficou sem saber se devia felicitar o amigo ou prestar-lhe condolências. Inseguro, arriscou sorrir:

— Porra, parabéns, meu bruxo!

Mas tinha feito a escolha errada.

— Ah, parabéns é um caralho! — impacientou-se Marques, fazendo o outro prontamente guardar os dentes. — Parabéns pelo quê? Eu vou comer o pão que o diabo amassou por causa dessa criança... se ela nascer, é claro...

— Cês tão pensando em abortar?

— Bom, na minha opinião, é o melhor a fazer. Mas eu não disse isso pra Angélica. Na real, a gente brigou feio hoje, e durante um bom tempo eu não vou querer puxar algum tipo de assunto capaz de fazer a gente ficar se matando de novo. Então, abortar vai ter que ser uma ideia dela. Se ela quiser abortar, eu vou concordar; mas se ela nem pensar nisso, fazer o quê? *Eu* é que não vou dar a ideia. Vou deixar assim. De qualquer forma, pode ser que vender maconha dê dinheiro pra nós, como tu tava explicando, mano. *Dinheiro de verdade.* Daí, se for assim, porra, eu vou ter o maior prazer em criar mais esse filho, na real. Gosto de criança pra caralho.

— Beleza, mano, vamos ser sócio, então. De boa. Mas vem cá: o teu irmão já mete um tráfico lá na Tuca, não mete? Por que tu nunca quis te juntar com ele, e agora quer te juntar comigo?

— Ah, na real, o meu irmão já foi preso, já tomou tiro, já matou gente… Não é isso aí que eu quero pra mim. Eu acho que o teu jeito de fazer as coisa vai ser mais sereno que o dele, na real. Tu é mais inteligente. — Marques fez uma pausa, empinando seu copo de refrigerante. Depois, juntou as sobrancelhas e perguntou: — Por que a gente não vende pedra e pó, em vez de maconha? A gente ia ganhar bem mais dinheiro. Além disso, se a polícia chega a pegar a gente com um quilo de maconha, acontece a mesma coisa que ia acontecer se a gente fosse pego com um quilo de pó ou de pedra: a gente vai preso do mesmo jeito. Então, se é pra correr risco, melhor ganhar mais dinheiro, não é?

— O problema é que, se a gente fosse vender pedra e pó, não ia dar pra gente ser dono do próprio negócio, vamos dizer assim. Tu sabe: Porto tá foda; os cara que vende pedra e pó tão disputando a cidade palmo a palmo; onde é que *a gente* ia vender? Em qualquer esquina tu acha alguém vendendo pedra e pó, e esses cara simplesmente explode a cabeça de quem aparece querendo concorrer. Se a gente fosse vender essas merda, não ia ter jeito: a gente ia ter que entrar pra uma facção qualquer: os Bala, os Manos, alguma facção. E isso não só significa ter um patrão, mas também significa comprar bronca à toa. Tipo, daí a gente tá na esquina, vendendo de boa, e do nada vem uma quadrilha rival e mete bala na gente? Bah, não era nada, sangue bom!

— Mas o bagulho é isso aí, meu. Quem sai na chuva é pra se molhar.

— Meu pau! Se tu quer tomar banho de chuva, então vai traficar lá com o teu irmão, caralho. Eu não gosto de chuva, e se eu tô saindo pra chuva, é por necessidade. É pra isso que serve a porra do guarda-chuva: eu tô saindo pra chuva, mas eu quero chegar o mais seco possível no meu destino, ora! Falando sério: se tu quer traficar comigo, beleza, mas tô te avisando que a gente não vai agir como todo o mundo costuma agir quando se mete a vender droga. Olha o teu irmão, por exemplo: por que tu acha que ele tá sempre metido em bronca? Pra gente que nem ele, o dinheiro não basta: precisa andar armado pra lá e pra cá, tem que matar, tem que ser temido, tem que se sentir poderoso. Beleza: cada um, cada um. Mas malandro, *malandro mesmo*, malandro sou eu: se eu tenho os miolo, é pra pensar, e não pra ver eles espalhado pelo chão. Eu só quero dinheiro; não quero confusão. Claro, se a confusão vier pro nosso lado, a gente tem que fazer alguma coisa, e a gente vai fazer o que tiver que fazer; agora, procurar confusão, isso a gente não vai fazer. A gente vai evitar conflito, Marques. Tendeu? E é por isso que a gente vai vender só maconha. Ninguém faz guerra por causa de maconha, mano. Lá na minha quebrada, por exemplo, ninguém nem vende maconha, apesar de ter um montão de nego querendo comprar. Falando nisso, diz aí: lá na Lupicínio, cumé que é lá? Alguém vende maconha lá?

— Não. Só pó e pedra.

— E tu te dá bem com o patrão?

— Claro, ele é meu bruxo às ganha. Às vez a gente até joga sinuca.

— Porra, massa! Então é de boa, tu vai poder vender maconha lá sereno.

Marques refletiu por um momento, tornando a encher o copo de refrigerante. Depois, indagou:

— Onde é que a gente vai arranjar a maconha? Tu tem os contato?

— Hum, hum — negou Pedro, mastigando uma cueca virada. — Mas, na real, tô preocupado com outra coisa no momento.

— O quê?

— O capital inicial. Dinheiro. Money. Não sei de onde tirar dinheiro pra comprar a primeira remessa.

— De quanto a gente precisa?

— Nem sei... Se pá, uns mil já dá pra começar a brincar.

Aí calaram-se, pensativos. O calor no vestiário era quase insuportável, e os jovens já se desmanchavam em suor. Ali permaneciam bravamente, no entanto, porque alhures seria arriscado comer as guloseimas e beber o refrigerante furtados: tinha "dedo-de-seta adoidado, todos eles a fim de entregar os irmãos".

— Bah, já sei! — Era Marques quem quebrava o silêncio. — A Operação Bruxaria!

Pedro deu um tapa na testa.

— Porra, claro! Cumé que eu não pensei nisso?

"Operação Bruxaria" era o codinome de um esquema secreto que a dupla tinha bolado e já vinha praticando havia algum tempo, em conjunto com outros empregados do supermercado. Pedro fora quem escolhera esse codinome, após vê-lo no livro *O espião que sabia demais*, que estava lendo na época; a designação soava absolutamente ridícula, por isso mesmo caíra no gosto dos participantes do esquema. A falcatrua consistia em furtar produtos da loja, mas em grande quantidade, para levá-los embora e vendê-los em algum lugar, ou consumi-los depois. E foram justamente esses desfalques pesados possibilitados pela Operação Bruxaria que tinham feito o sr. Geraldo atentar para as discrepâncias cada vez maiores entre os registros do estoque e os produtos efetivamente estocados.

Para algo de natureza tão sigilosa, o esquema havia se tornado um tanto popular. Hoje em dia, quase metade dos empregados não só sabia perfeitamente do que se tratava a Operação Bruxaria, como dela participava ativamente. Era gente de todo setor: seguranças, açougueiros, padeiros, verdureiros, supridores, faxineiros, operadoras de caixa, empacotadores. Mesmo Paulo, o chefe de loja, de vez em quando participava; mas só levava picanha e costela para fazer churrasco, nos fins de semana. O resto do pessoal levava de tudo: biscoitos recheados, desodorantes, bebidas, brinquedos, tudo. E agora, nos últimos dias, um mistério vinha intrigando os funcionários que ignoravam o esquema: a pichação "OPERAÇÃO BRUXARIA", feita à caneta, tinha começado a aparecer por todos os cantos do supermercado.

— Mas que viagem é essa de "Operação Bruxaria"? — perguntavam uns.

— Quem será que anda escrevendo esse bagulho? — perguntavam outros.

Nem mesmo os idealizadores do esquema, Marques e Pedro, sabiam quem havia começado com as pichações, mas agora eles mesmos pichavam também, e com certeza não foram os únicos contagiados pela atitude, pois a inscrição tinha ido parar até no interior do banheiro feminino.

Quando o intervalo acabou, os dois desceram para voltar a trabalhar, os estômagos reclamando ruidosamente da exacerbada ingestão de doces. Seria possível levantar mil reais através da Operação Bruxaria? Em silêncio, abastecendo uma prateleira de detergentes, eles tentavam imaginar um modo de realizar o feito. Parecia não haver nenhum.

Para além das portas da loja, na rua, os matizes do crepúsculo já começavam a surgir. O azul do céu escurecia, a leste, e alaranjava-se, a oeste. Era horário de grande movimento: centenas de milhares de trabalhadores retornavam esfalfados para casa, esvaziando áreas nobres da cidade e abarrotando as vilas. Logo cairia a noite, logo o supermercado fecharia; o tempo corria contra Marques e Pedro. Ansiosos para pôr em prática o plano que a longo prazo talvez os tornasse ricos, eles nem cogitavam a possibilidade de juntar aos poucos os mil reais de que precisavam: tinha que ser tudo de uma vez só, tinha que ser tudo hoje. E estavam prestes a descobrir que, na verdade, depois de hoje, não haveria outro ensejo para valerem-se da Operação Bruxaria.

— Marques, Pedro, bah, cês nem imaginam! — Era Jorge, um dos seguranças do supermercado. E, a julgar por seu tom de voz, não parecia trazer notícia boa. — A Operação Bruxaria já era, mano, já era — informou.

— O quê? Por quê? — quis saber Marques.

— Acabei de falar com o seu Geraldo. Ele disse que almoçou com o Cara de Cavalo hoje, e os dois decidiro reforçar a segurança. Daí, agora há pouco, o Cara de Cavalo ligou e confirmou o reforço: parece que seis segurança emprestado de outras loja vão começar a trampar aqui, já a partir de amanhã, pra acabar com os furto. Tô dizendo, mano, já era, acabou a palhaçada.

Pedro demonstrou indiferença:

— Bom, isso não é uma surpresa, na real. E até demorou pra acontecer. A Operação Bruxaria foi longe demais, mano. Não era pra ter virado isso aí que virou. Todo o mundo tava pegando pesado demais no bagulho. Mas, sereno: hoje eu e o

Marques vamo encerrar as atividade com chave de ouro. Não é, Marques?

Marques confirmou com a cabeça. E Jorge perguntou:

— Cês vão pegar alguma coisa hoje? Vão pegar o quê?

— É esse o problema. A gente precisa levar alguma coisa que dê pra fazer mil lá na rua.

— *Mil?* — espantou-se o segurança. — Cês tão é louco! Vão precisar dum caminhão pra levar o que cês roubar. A não ser que...

Pedro e Marques olharam de chofre para o homem, esperançosos.

— Bom, cês já pensaro naquele uísque que custa os olho da cara?

A decepção dos supridores foi visível.

— Claro que já, mano — respondeu Marques. — Foi a primeira coisa que a gente pensou. Mas tá em falta, aquele uísque.

— Não, mesmo — contrapôs Jorge. — Veio no caminhão de hoje. Dez unidade.

— Que caminhão, sangue bom? Hoje nem veio caminhão nenhum.

— Meu pau que não veio! Claro que veio, rapaz. Veio mais cedo que de costume, só isso. Veio de manhã, antes de a gente chegar pra trabalhar. Eu até vi a porra do uísque lá no Cemitério.

O Cemitério era o setor do depósito onde se guardavam as bebidas e tinha esse apelido porque lá se achava amiúde cadáveres de ratazanas gigantescas.

— Caralho, é isso, então! — disse Pedro, empolgado. — Vamo levar as dez garrafa, não tem boi. Se pá, dá pra arrumar os mil com elas.

— Mas pra que cês quer esse dinheiro, afinal? — indagou o segurança.

— A gente vai comprar maconha pra vender.

Jorge sorriu.

— Oia... — falou em tom de advertência. — O bagulho é de verdade, mano. Não dá pra ir molezinho no bagulho. É quente. Não pode se atrapalhar. Se vacilar, o bicho pega, tá ligado?

Foi a vez de Pedro de sorrir.

— Ninguém é bobalhão. Claro que o bagulho é foda. Mas, na real, os traficante que vai preso ou morre, é por burrice pura.

— Ah, e tu é o inteligentão, no caso? Então diz aí: cumé que alguém assim, tão inteligentão, acabou trampando de supridor nesta porra deste supermercado?

Como de hábito, Pedro filosofou:

— Se pá a pergunta é ao contrário: cumé que alguém que trampa de supridor nesta porra deste supermercado acabou ficando tão inteligentão?

Mas, ao contrário de Marques, Jorge não tinha a menor paciência para os comentários enigmáticos do rapaz e achava bobagem tudo que saía de sua boca.

— Ah, vai chupar um pau com essas tuas conversa! Era só o que me faltava!

Os três riram. Depois, o segurança sacou uma caneta, rasgou um pedacinho do cartaz de preço que estava pendurado numa gôndola próxima, anotou nele um número de telefone e o entregou a Pedro.

— Seguinte: se cês quer mesmo vender maconha, liga pra esse número e fala com o Fabrício. É só dizer que fui eu que dei o número.

— Quem é esse cara? — perguntou Marques.

— Ah, é só um policial amigo meu — ironizou Jorge. — Claro que é um traficante, cabeçudo! Ele busca droga fora do Brasil e distribui aqui em Porto. Gente fina, o Fabrício: me dá cem conto toda vez que eu arranjo um cliente novo pra ele. Se pá, ele faz uma promoção procês, na primeira remessa.

Curioso como às vezes as coisas fluem com surpreendente facilidade, dissolvendo obstáculo após obstáculo. De uma hora para a outra, levantar o capital inicial tinha deixado de ser um problema para Marques e Pedro, e havia surgido ainda um fornecedor de maconha. Quando a sorte sorri dessa maneira, tem-se a impressão de que finalmente tomou-se o rumo certo na vida e de que, dali para a frente, as coisas só podem dar certo.

Já era noite quando Marques atravessou a loja ainda cheia de clientes e aproximou-se do caixa número seis.

— Fabiana, me consegue cinco sacola aí.

— Operação Bruxaria? — perguntou a caixa, perspicaz.

— Se pá sim, se pá não — brincou o supridor. — Só o tempo dirá.

De posse das sacolas, dirigiu-se rapidamente ao portal largo que dava acesso ao depósito do supermercado. Ali achava-se parado um empacotador, de mãos enfiadas nos bolsos. Era um adolescente baixinho, cabeça arredondada, cabelo raspado, muito amigo de Marques e Pedro, que encontrara na ingrata função de ensacolar compras durante horas a fio o seu todo-sagrado primeiro emprego. Chamava-se Luan, e, nos últimos tempos, todos chamavam-no assim mesmo, de Luan: seu apelido de Chokito perdera o sentido e vinha caindo em desuso, porque as dezenas de espinhas que antigamente cobriam-lhe o rosto tinham desaparecido.

— Te liga, Luan: é agora — disse Marques. — Olha lá: o Jorge tá lá, do outro lado da loja; se alguém vier pra cá, ele vai te fazer um sinal, então fica esperto nele, certo? E se ele fizer o sinal, vai correndo avisar eu e o Pedro.

— De boa, mano — aquiesceu o adolescente. — Só não se amarra lá, pra não embaçar.

Para evitar duas câmeras de segurança, Marques não entrou no depósito por ali. Em vez disso, foi até o açougue e contornou o balcão, acenando com a cabeça para os açougueiros, que já sabiam o que se passava. Atravessou, então, a sala fétida onde as peças de carne eram desossadas, penetrando em um corredor mal iluminado; no final desse corredor, virou à esquerda. Estava agora no fundo do depósito; a luz ali também era escassa, e só o que se ouvia eram os passos apressados do rapaz ecoando. Novamente para evitar um par de câmeras, passou por baixo da escada que conduzia ao vestiário e se esgueirou por entre pilhas de caixas de sabão em pó, surgindo na porta do Cemitério e ali entrando. Naquele setor do depósito, a escuridão era completa: as lâmpadas do lugar estavam queimadas desde sabia-se lá quando, e ninguém jamais cogitara de trocá-las. Mão à frente, tateando, o jovem caminhava com cuidado, para não esbarrar nas pilhas de caixas de cerveja e fardos de refrigerante.

Subitamente, a voz de Pedro se fez ouvir num sussurro, atravessando o negrume:

— Aqui, Marques! — Ele já tinha tirado as garrafas de uísque das caixas. — Vem, vem, vem; vamo logo com isso.

A dupla colocou as garrafas nas sacolas trazidas por Marques e depois subiu para o vestiário.

No fundo do vestiário, havia uma ampla janela basculante. E apenas os participantes da Operação Bruxaria sabiam de uma coisa sobre essa janela: por alguma razão, ela não tinha sido fixada com argamassa, ficando, portanto, apenas encaixada em seu buraco na parede, mas com firmeza tal que era impossível apenas um vento deslocá-la, por mais forte que fosse, e mesmo retirá-la com as mãos não era fácil. Contudo, foi justamente isso o que Pedro fez: retirou a janela com as mãos, enquanto Marques, na ponta dos pés, esticava-se todo, tentando pegar algo em cima dos armários. De repente, puxou dali o que procurava: era um rolo de fio de varal, que tinha sido subtraído do corredor de higiene e limpeza do supermercado e que os participantes da Operação Bruxaria usavam — não para estender roupas, claro. Ele desenrolou o fio e passou uma das pontas pelas alças das sacolas em que estavam as garrafas de uísque; no momento seguinte, debruçado no amplo buraco quadrado da parede, onde havia pouco a janela estava firmemente encaixada, segurava o fio em U, usando-o para descer as sacolas com cuidado pelo lado de fora do prédio, sendo a luz pálida do luar a única testemunha do que fazia. Quando as sacolas aterrissaram suavemente no pátio vizinho, puxou o fio de volta e tornou a enrolá-lo e escondê-lo em cima dos armários, enquanto Pedro reencaixava a janela no buraco.

— Pronto. Agora, vamo trocar de roupa e ir embora, Marques.

— Ir embora? Como assim? São só oito hora...

— A gente ainda tem que ir vender o uísque. Quanto antes a gente ir embora, melhor. Não quero chegar tarde da noite em casa, sangue bom.

— Tá na mão. Vamo embora, então.

Trocaram de roupa, ajeitaram as mochilas às costas e tornaram ao pavimento inferior.

— Já era, Luan, pode ir — avisou Pedro, dando dois tapinhas no ombro do empacotador que tinha ficado na entrada do depósito. E, para Jorge, que estava do outro lado da loja, exibiu o polegar, em sinal positivo.

Havia na rede Fênix de supermercados um certo procedimento de segurança: antes de ir embora, os funcionários tinham que abrir a mochila para o gerente inspecionar. Por essa razão, Marques e Pedro bateram na porta da salinha do sr. Geraldo — aquela que mais parecia um almoxarifado improvisado do que a gerência do supermercado.

— Pode entrar! — trovejou a voz grave e possante do gerente.

A dupla entrou.

— Mas o que é isso? — foi logo dizendo o sr. Geraldo, ao ver os funcionários sem uniforme. — Já tão indo embora?

— Já, sim — respondeu Pedro.

— Mas não podem! Por acaso vocês não leram o contrato que assinaram? Lá diz claramente: "da uma da tarde às nove e vinte da noite".

— Não vai acontecer todo dia, seu Geraldo; é só hoje. Além disso, tem vez que a gente entra mais cedo, pra ajudar os guri da manhã, quando tem muito serviço, e mesmo assim a gente fica até o fechamento da loja, trabalhando mais do que isso que tá escrito no contrato, não é verdade?

— Isso não interessa, Pedro. Vocês não podem fazer o que bem entendem, tchê! Pombas!

Conversas como aquela, que seriam constrangedoras para a maioria das pessoas, não tinham esse efeito sobre Marques e Pedro. Pedro parecia até se divertir um pouco com elas, argumentando sem parar; Marques, por outro lado, tinha pavio curto e ficava profundamente aborrecido. Foi ele quem interrompeu a lenga-lenga que o sr. Geraldo iniciava:

— Tá, o senhor vai olhar as mochila, ou não vai olhar?

— Mas, Marques, ainda não tá na hora de vocês irem embora, homem...

— Bom, não vai olhar, então? Porque se o senhor não olhar, a gente vai embora do mesmo jeito; não faz diferença.

Vencido, o gerente torceu os beiços e inspecionou as mochilas, balançando a cabeça.

— Podem ir — resmungou, resgatando um pouco de sua autoridade.

Os dois saíram do ambiente artificialmente refrigerado da loja para o ar quente da rua, virando à direita e seguindo pela calçada da General Jacinto Osório. Caminharam, no entanto, apenas uns poucos metros e tornaram a virar à direita, cruzando os portões abertos da escola Luciana de Abreu, que ficava ao lado do supermercado. Naquele ano não houve férias no colégio, porque os professores dali participaram de uma greve no ano anterior: as aulas daquele longo período ainda estavam sendo recuperadas.

— Vocês dois são alunos? — indagou uma professora que ia passando pelo saguão principal e viu a dupla chegar. Era a primeira vez que eles davam o azar de serem vistos entrando no colégio: geralmente, o saguão estava deserto.

Pedro conhecia o poder da simpatia; sorrindo e simulando timidez, respondeu:

— Na verdade, não, tia; a gente não é aluno. A gente tá indo falar com a minha irmã, que estuda aqui. É assunto importante, mas prometo que a gente não demora.

— Tá bom, podem ir. Sabem qual é a sala?

— Sabemo, sim, tia. Obrigado.

Contudo, sem que a mulher visse, atravessaram o saguão e saíram para o pátio dos fundos, que de noite jamais era frequentado por sequer um único aluno, professor ou funcionário do colégio, em primeiro lugar porque ali não havia iluminação e, em segundo, porque nas aulas noturnas não havia recreio ou atividades externas. Avançaram despreocupadamente pelas sombras, contornando um extenso pavilhão; lá atrás, à direita, num canto particularmente escuro, junto à parede do prédio do supermercado, encontraram as cinco sacolas que tinham descido com o fio de varal, cada qual contendo duas garrafas de uísque. Transferiram as garrafas para as mochilas e foram embora.

Era preciso vender aquele uísque, e os pés de Marques e Pedro já sabiam para onde levá-los. Não houve, portanto, a necessidade de combinarem o destino verbalmente: eles apenas foram até o ponto de ônibus da avenida João Pessoa mais próximo e embarcaram no primeiro ônibus da linha 346 — São José que passou no sentido Centro-bairro.

Estavam animados, como se fossem jovens burgueses recém-saídos duma faculdade, tentando captar recursos para abrir um site de relacionamentos, uma clínica veterinária ou um escritório de advocacia. Será que conseguiriam mil reais pelo uísque? E será que esse dinheiro seria o suficiente para começarem seu negócio? Por quanto venderiam a maconha? Será que ganhariam bastante dinheiro? Mal podiam esperar para ver o desenrolar das coisas.

6.
Circunstâncias ameaçadoras

Com os cotovelos apoiados no balcão, o rosto enterrado nas mãos, a mulher distraía-se com uma dessas revistas que falam tudo sobre as celebridades. Depois de passar os olhos rapidamente pelos textos das páginas — apenas um desencargo de consciência —, ficava um longo tempo avaliando as roupas das mulheres e os músculos dos homens, suspirando. De vez em quando, alguém vinha pedir mais uma garrafa de cerveja, ou mais uma dose de cachaça, ou mais um cigarro avulso. Era apenas então, ao emergir de sonhos analgésicos para atender algum cliente do bar, que ela dava-se conta do falatório que preenchia o estabelecimento, misturado com a música alta e com os sons das máquinas caça-níqueis funcionando.

Mais um ônibus acabava de chegar à Vila Campo da Tuca, parando no ponto que ficava em frente ao bar; a mulher só percebeu isso porque estava atendendo um cliente naquele momento. E abriu um largo sorriso quando viu dois jovens desembarcarem do ônibus, pedindo licença a um grupo de bêbados e entrando no estabelecimento.

— Marques, Pedro!

— E aí, Catarina, sereno?

— Qual vai ser, mana?

Catarina, a irmã mais velha de Marques, não estava surpresa em vê-los. Nos últimos tempos, eles tinham aparecido juntos por ali algumas vezes, sempre mais ou menos àquela hora da noite, e ela fazia uma ideia do que queriam.

— Cês têm alguma coisa pra mim?

— Alguma coisa, não — disse Pedro. — A gente tem é uma maravilha!

— Ah, é? Vamo ver, então.

Uma a uma, as garrafas de uísque foram tiradas das mochilas e colocadas sobre o balcão.

— Tá aí. Dez garrafa de uísque do bom.

— Não posso pagar — apressou-se a falar Catarina, abanando a cabeça.

— Ah, qualé, mana? — queixou-se Marques. — Tu nem sabe quanto a gente quer.

— Beleza. Quanto cês quer?

— Mil.

— Não posso pagar — repetiu a mulher, sem emoção.

Pedro suspirou.

— Não pode pagar, hem?

— Não, não posso. Eu posso pagar só uns seiscentos, e olhe lá.

Marques fez um muxoxo.

— Ah, tu sabe que elas vale bem mais do que isso. Cada garrafa dessa porra chega a custar trezentos nos inferninho do centro...

O rapaz ia continuar chiando, mas a irmã ergueu uma mão, interrompendo-o com autoridade.

— Escuta, escuta, *escuta*, cacete! O preço tá bom, certo? Não sou louca nem nada; eu sei que o preço tá bom. Eu vou ganhar mais de dois mil vendendo esse uísque em dose...

— "Mas..." — antecipou Pedro.

— ... mas eu não tô em condição de me desfazer de mil assim, duma hora pra outra. Eu tenho quatro filho, eu tenho conta pra pagar. Se eu tivesse mil sobrando, beleza, eu pagava mil; mas eu não tenho. O que eu tenho são seiscentos; isso, sim, eu posso pagar. E vamo falar a verdade: procês tá mais do que bom: trezentos pra cada um, sem fazer esforço nenhum... Quer mais o quê?

— O problema é que a gente precisa de mil. Menos do que isso não serve.

Catarina enrugou as sobrancelhas finas e inclinou a cabeça.

— O que cês vão fazer com esse dinheiro?

— Comprar maconha pra vender — respondeu o irmão, sem rodeios.

— Ótimo: mais um traficante na família — ironizou ela.

— Tá, tá, tá, mana, olha aqui, não precisa criar caso, meu, não precisa criar caso! Tu pode ou não pode pagar os mil?

Catarina abriu um sorriso. Adorava ver o irmão mais novo de mau humor. Isso a transportava para tempos mais felizes, quando toda a família morava junto e cabia a ela cuidar dos cinco irmãos mais novos. Marques, que era o mais novo de todos, sempre fora o mais revoltado também. Ela tinha passado a vida toda pensando que se algum deles se tornasse bandido, seria Marques. No entanto, fora exatamente o contrário. Marques era o único que tinha ido procurar trabalho; os demais tornaram-se assaltantes, com exceção de um, que tinha preferido fazer carreira no tráfico de drogas. De qualquer forma, o caçula, agora, também estava prestes a entrar na vida do crime... Que Deus o protegesse.

— Eu já disse que não posso pagar mil, caralho! Por acaso tu é surdo?

— Tá bom, então. Vamo nessa, Pedro. Vamo vender o uísque lá no baile.

— Calma aí, Marques — disse Pedro, pousando uma mão no ombro do amigo, que já se preparava para reembolsar as garrafas de uísque. — Olha só: a tua irmã vai dar os mil, sim. Fica frio.

— Como é que é? — quis saber Catarina, intrigada. — Eu vou dar, é? Como assim?

— É o seguinte, minha linda: a gente pode devolver quatrocentos pra ti. De boa. Tu paga mil agora, e assim que a gente vender maconha o suficiente, a gente volta aqui e te devolve quatrocentos. Vai ser jogo rápido. Tô te dando a minha palavra, e a minha palavra — Pedro fez um L com o polegar e o indicador, simulando um revólver, e apontou esse revólver para a testa da mulher — a minha palavra é um tiro, tu sabe. — E piscou para ela, dobrando o polegar, como se fosse o martelo do revólver batendo. — O que que tu acha?

— O que eu acho? Eu acho que alguém, algum dia, deve ter mentido que tu tinha charme, e que tu acabou acreditando nisso — zombou Catarina. — Espera, olho do cu; eu vou pegar o dinheiro. — Girou nos calcanhares e foi pelo corredor que ligava o bar à casa em que ela vivia com o marido e os quatro filhos. Depois voltou, entregando a Pedro vinte notas de cinquenta reais amarrotadas. — Eu quero os quatrocentos de volta em no máximo um mês. Tá bom?

O rapaz meteu o dinheiro no bolso de trás da calça.

— Tu que manda. — Olhou, então, para Marques, que ainda estava meio emburrado. — Vamo tomar um gelo antes de saltar fora, cupincha? — Mas não esperou a resposta. — Dá um pra gente aí, Catarina.

— É bom mesmo — disse a mulher. — Só assim o Marques desamarra essa cara.

Marques tornou a estalar os beiços.

— Ah, vai se foder, nunca vi, um cu doce, um cu doce, um cu doce pra soltar os mil... — resmungou, bem baixinho, para que a irmã não o escutasse. Ela pertencia a um pequeníssimo grupo de pessoas contra as quais o jovem não se atrevia a proferir desaforos em alto e bom som.

Enquanto Catarina punha os copos sobre o balcão e abria a cerveja, Pedro sorriu:

— Se é pra alegrar esse puto do teu irmão, vamo fazer direito. Tem um veneno aí pra deixar a gente legal?

A mulher bufou, revirando os olhos.

— Eu tenho, praga, eu tenho! Porra, cês não quer a minha boceta também? — Tornou a dar as costas e desaparecer, indo pelo corredor. Quando voltou, trazia uma nota de dez reais, enrolada em forma de canudo, e sua própria carteira de identidade, com três linhas de cocaína em cima.

Marques mostrou a palma da mão.

— Eu tô sereno, não tô pelo raio.

A irmã ficou indignada.

— Ah, então tô louca, então! Por que tu não disse antes que tu não ia querer, pau no cu? Por que tu deixou eu ir lá e fazer as três?

— Não começa, Marques, não começa, cheira aí — incentivou Pedro. — Vamo ficar de boa.

— Mas se eu não quero, sangue bom! Caralho, sou obrigado a cheirar agora?

— Ah, meu, por que tu tá sempre fazendo coisa pra gerar estresse? — perguntou Catarina. — Não, não, não! Quer saber? Toma, cheira isso aí. — Colocou a carteira de identidade e a nota em forma de canudo bem na frente do irmão. — Vamo lá, tô falando sério contigo, Marques, cheira logo essa porra!

A autoridade da mulher sobre o caçula era espantosa. Marques não era Marques quando enfrentando — ou *tentando* enfrentar — a irmã.

— Eu vou cheirar, mas é porque eu quero — amoleceu ele, por fim fazendo o que Catarina mandava.

Pedro começou a rir.

— Porque tu quer! — debochou. — Tu vai cheirar é porque, se não, a Catarina ia fazer tu comer pó, canudo, carteira de identidade, tudo!

Cerca de meia hora depois, os jovens se despediram da mulher e pegaram o ônibus de volta, em direção ao Centro.

Marques desceria em frente ao Julinho e então percorreria o restante do caminho até a Vila Lupicínio Rodrigues a pé; Pedro, porém, ainda precisava pegar um segundo ônibus que o levasse até a Lomba do Pinheiro. Apearia, portanto, em frente ao ruinoso Hospital Psiquiátrico São Pedro, o qual, diga-se de passagem, nada devia aos mais assustadores cenários dos mais assustadores filmes de terror, especialmente àquela hora da noite.

No momento em que Pedro se preparava para saltar do ônibus, Marques, acomodado num banco do fundo, próximo à porta, disse-lhe, à guisa de despedida:

— Amanhã, então, a gente vê se consegue ligar pro tal de Fabrício, valeu, mano?

Eles não tinham ligado para o homem ainda porque não tinham créditos em seus celulares.

— *Très bien!* — foi a resposta de Pedro, que tinha lido muitas das aventuras de Hercule Poirot.

Por algum motivo, Marques detestava ouvir o amigo usando aquela expressão.

— Ah, *très bien* é o teu cu!

Depois, já no interior do outro ônibus, em pé, apertado entre trabalhadores cansados, Pedro perdeu-se em pensamentos, contemplando a noite pela janela. À medida que o veículo avançava em direção ao extremo leste da cidade pela avenida Bento Gonçalves, a paisagem ia se tornando mais hostil e miserável diante de seus olhos. Às vezes, quando aparecia um semáforo fechado pelo caminho, um ou outro carro parava lado a lado com o coletivo. O jovem, então, ficava olhando-o, lembrando o quanto quisera ter um carro, quando menino... Uma criança de família pobre, pensava, tinha tantos sonhos quanto uma criança de família rica, mas, ao contrário desta, ia sepultando-os um a um ao longo dos anos, conforme ia amadurecendo e percebendo que apenas fazer por onde não passar fome já era uma tarefa bastante difícil, que a luta constante para não cruzar a fronteira de sua classe social com a dos mendigos já era árdua e desgastante. Na infância, ele não só sonhava em ter um carro, como sonhava em presentear com um carro cada um de seus familiares. Por alguma razão, achava que seria muito rico quando crescesse, e fora grande sua decepção com o desenrolar da própria vida. Não tinha podido dar um sítio para a mãe, como o prometido, nem viajar para a China, como o planejado, e assim muitas outras coisas tinham ficado apenas na vontade. Depois, até mesmo a vontade se fora: vendo que não realizava sonho algum, Pedro abandonara o hábito de sonhar.

Agora, no entanto, sentia dentro de si a esperança renascendo aos poucos, realçando antigos devaneios. Sim, ele dirigindo um carro, ele morando em uma casa decente... Não que estivesse perto de realizar esses ou quaisquer outros sonhos: sabia que não estava. Porém, naquele momento, ciente da própria determinação, começava a acreditar, de novo, que era capaz de realizar qualquer coisa, como costumava acreditar antigamente, antes de tantas e tão duras desilusões. Pois até podia ser que nada desse certo para Pedro; sim, podia ser; mas de uma coisa ele tinha absoluta certeza: a partir de hoje, faria o que fosse possível fazer neste mundo para se tornar um homem rico, abandonando escrúpulo por escrúpulo, até que não restasse mais nenhum, se fosse necessário, e não deixaria que nada nem ninguém o dissuadisse.

Na terça-feira que se seguiu, 3 de fevereiro de 2009, a primeira coisa que Marques e Pedro fizeram, quando se encontraram no supermercado, foi procurar alguém que ainda possuísse créditos em seu celular e estivesse disposto a emprestá-lo para uma rápida ligação. Jorge, o segurança que na véspera tinha dado o número do tal Fabrício para a dupla, estava passando e viu quando os jovens pediram emprestado o telefone de um funcionário.

— É pra ligar pro Fabrício? — perguntou ele, se aproximando e tirando o próprio celular do bolso.

— Isso mesmo.

— Aqui. Liga a cobrar do meu.

Jorge já tinha batido o cartão para começar a trabalhar e estava indo para a reunião em que os seis seguranças vindos de outras filiais seriam apresentados aos seguranças dali. Pedro e Marques, porém, ainda não tinham batido o cartão, de modo que pegaram o telefone do segurança e subiram para o vestiário. Lá, Pedro digitou 9090, seguido do número anotado no pedaço de papel. Ouviu a melodia de sempre das chamadas a cobrar e, depois, a mensagem gravada: "Chamada a cobrar. Após o sinal, diga o seu nome e a cidade de onde está falando".

— Fala aí, Jorge.

— Não, não é o Jorge que tá falando. Aqui é o Pedro, um brother dele.

— Hum...

— Tô ligando porque, segundo o Jorge, tu pode me arranjar um barato.

— E o Jorge tá por aí?

— Tá, mas não pode falar agora.

— Por quê?

— Porque ele tá trampando. Eu sou colega dele, trabalho no mesmo supermercado que ele, e é daqui, do supermercado, que eu tô ligando. Pedi emprestado o celular dele pra poder ligar pra ti; ele disse que eu podia ligar a cobrar e tal...

— Sei... E o que tu queria?

— Não tem problema? Posso falar por telefone mesmo?

— Pode.

— Beleza. Eu quero maconha.

— O mínimo é dois quilos.

— E quanto custa cada quilo?

— Setecentos. Maconha boa.

— Se for boa mesmo, o preço tá ótimo. Mas escuta: eu tenho só mil, e não tenho de onde tirar mais. Será que eu posso ficar devendo quatrocentos, pra poder comprar os dois quilo? Ou, de repente, tu abre uma exceção e me vende só um quilo, pra eu começar?

— Bom, tu é camarada do Jorge, não é? Vou deixar tu pendurar quatrocentos.

— Beleza... Dois quilo, então. Bom. E eu vou buscar, ou cumé que funciona?

— Não. Eu mando entregar pra ti.

— Ah, sim. E pode ser hoje mesmo?

— Não. Maconha, eu só entrego sexta-feira; se fosse pedra ou pó...

— Tendi. Pode ser na próxima sexta, então?

— Pode. Onde tu quer que eu mande entregar?

— Tu sabe onde que fica o supermercado que a gente trampa?

— Sei.

— Tem uma praça bem na frente. Pode ser ali, nove e meia da noite.

— Olha, não sei se eu posso mandar entregar num horário específico. O entregador tem um monte de entregas pra fazer. Entregas que têm mais prioridade que a tua.

— Ah, isso vai ser um problema, na real.

— Por quê?

— Porque eu saio do trampo nove e vinte da noite e não moro perto daqui, tá ligado? Daí, pra mim é ruim ficar esperando na praça até muito tarde.

— Eu posso mandar entregar na tua casa. Onde tu mora?

— Eu moro no Pinheiro, mas não quero receber o bagulho na baia.

— Qual é o problema?

— Eu quero fazer a mão de canto, tá ligado? Uma coisa é eu chegar do trampo com a mochila de sempre um pouco mais pesada que o normal e entrar na baia; outra coisa é chegar um entregador na minha baia, me dar um pacote e ir embora, depois de contar um monte de dinheiro. Os vizinho lá são fofoqueiro pra caralho. E todo o mundo sabe que eu não curto pizza. Tendeu? Enfim, quanto menos atenção eu puder chamar, melhor. O ideal é que só o pessoal que for me comprar a maconha saiba que eu tô vendendo. Por isso, não acho uma boa ideia receber o bagulho na baia.

— Entendi. Olha, eu posso falar pro entregador tentar levar a maconha nove e meia, como tu quer, mas não garanto nada. Talvez ele acabe se atrasando.

— Vamos fazer o seguinte: se o entregador não chegar até as dez, então eu ligo pra ti pra gente ver o que a gente faz: se a gente adia a entrega ou se eu espero um pouco mais. Pode ser assim?

— Pode, pode. Mas me dá o teu número, caso eu precise te ligar.

— Beleza. — Pedro ditou o número de seu celular. — Tudo certo, então?

— Sim. Dois quilos de maconha, sexta-feira que vem, nove e meia da noite, na praça que fica na frente do supermercado. É isso aí. Fica esperando na praça, com os mil e quatrocentos.

— Espera, espera, espera. Tu não ia deixar eu pendurar quatrocentos?

— Ah, é verdade. Bom, leva os mil, então. E tu tem um mês pra pagar o resto, tá bom assim?

Não havia tom de ameaça na voz de Fabrício. E nem precisava: Pedro já se sentia ameaçado pelas próprias circunstâncias que se desenhavam à sua volta. Não conhecia o homem do outro lado da linha, mas seu palpite era que ele não iria lhe mandar flores caso a dívida não fosse paga no prazo de um mês.

— Pode ser.

— Beleza. Até mais, então.

Fabrício desligou. E o rapaz ficou pensativo, calado, batendo de leve o celular de Jorge no joelho.

Marques impacientou-se.

— E aí, caralho, qual vai ser?

— Sereno... — murmurou Pedro, os olhos vazios, perdidos nos azulejos do vestiário. — A gente vai receber a maconha na próxima sexta-feira, na praça aí da frente, depois que a gente bater o cartão e sair daqui. Dois quilo. E vamo ficar devendo quatrocentos, pra pagar num mês. — Olhou para Marques e comentou pausadamente: — Se alguma coisa der errado e a gente não conseguir pagar esse cara, se pá ele vai tentar nos matar.

Marques de pronto enrugou a testa e ficou encarando o amigo, procurando em seus olhos algum vestígio de medo ou hesitação, desconfiado de que aquele comentário talvez tivesse raiz em solo pouco firme. Mas não foi medo nem hesitação o que encontrou nos olhos castanhos de Pedro. Naqueles olhos, só o que havia era determinação: uma determinação dura, talvez indestrutível; uma determinação fria, gélida, como a superfície de um lago congelado, e mais gélidos ainda deviam ser os pensamentos por trás daquela determinação. *Sombria* determinação! Não: Pedro não estava com medo e tampouco hesitava. Seu comentário, concluiu Marques, tinha sido uma advertência, uma forma sutil de lhe oferecer uma última oportunidade de cair fora daquilo enquanto ainda havia tempo. Contudo, Marques também não era de se assustar com facilidade; talvez fosse até mais destemido do que Pedro, inclusive. Ademais, seu senso de lealdade lhe murmurava que não seria correto deixar o amigo enfrentar aquela perigosa empreitada sozinho; sua plena confiança em Pedro lhe sussurrava a garantia de que ele certamente sabia muito bem o que estava fazendo; e suas eternas dificuldades financeiras, somadas ao recém-tomado conhecimento de que Angélica estava grávida de novo, sopravam em seus ouvidos que aquela oportunidade de ganhar dinheiro não podia ser desperdiçada de jeito nenhum. Tudo isso contribuiu para que Marques se deixasse contagiar pela determinação encontrada nos olhos de Pedro: um acréscimo de firmeza muito bem-vindo em sua própria vontade de levar tudo aquilo adiante.

— Sereno, sangue bom — respondeu por fim. — Vamo nessa. Se alguma coisa der errado e a gente não conseguir pagar o dinheiro desse cara, deixa ele tentar matar a gente. Na real, ninguém fica pra semente. Não tem essa, tá todo o mundo programado pra morrer. Só que a gente não é poste. A gente tem mão, a gente tem perna e a gente se mexe. Se esse cara quiser matar a gente, vamo ver quem é que mata quem.

7.
O velho

Era mesmo impressionante a facilidade com que Marques perdia a paciência. Ele bateu na porta apenas duas vezes, sem obter resposta, e isso já foi o suficiente para que enrugasse a testa, enchesse os pulmões de ar, colocasse as mãos em concha em volta da boca e berrasse, o mais alto que podia:

— VÉIOOO!!!

— Ai, meu saco, já tô indo, já vou, já vou! — resmungou uma voz rouca e sonolenta no interior da casa, e no momento seguinte houve um ruído abafado, de algum objeto caindo no chão. — Ah, olha que merda! Que caralho mesmo!

Eram só dez horas da manhã de quarta-feira, 4 de fevereiro de 2009, mas já estava quente como se fosse meio-dia. E o sol incidia em Marques diretamente enquanto ele esperava plantado junto à porta fechada da residência, o suor escorrendo-lhe pela testa e pela nuca.

— Puta que pariu, cumé que consegue dormir até essa hora com esse calor fodido? — murmurou de si para si.

Quando a porta finalmente foi aberta, um forte cheiro de bebida tomou conta do ar e uma figura impagável apareceu. Era um homem robusto, já bastante atacado pelas rugas, e sua pele tinha a cor do trigo maduro. Os cabelos lisos e grisalhos estavam muito bagunçados e caíam-lhe pelo rosto todo, conferindo-lhe um aspecto selvagem e cômico ao mesmo tempo. Sua idade podia andar entre cinquenta e sessenta anos, mas algo, talvez sua boa postura ou a força que se adivinhava pela grossura de seus braços, algo fazia com que ele não parecesse um homem tão velho. Estava sem camisa, com um belo crucifixo de ouro pendurado no pescoço; o crucifixo, entretanto, não chamava tanta atenção como as duas marcas horríveis em sua barriga. Eram, sem dúvida, cicatrizes de ferimentos a bala.

— *Pora*, Marques, o que é que tu quer, hem, meu gurizinho? — perguntou o chefe do tráfico de drogas na Vila Lupicínio Rodrigues.

Marques riu. Achava engraçada a incapacidade do homem de pronunciar o erre forte.

— "Pora" digo eu, Véio! Tu não vai nem me convidar pra entrar?

O velho suspirou e balançou a cabeça, abrindo espaço para o rapaz passar, e depois fechou a porta.

O visitante correu os olhos em volta: de modo geral, a casa estava muito organizada, como sempre, mas ele reparou que havia uma pequena bagunça num canto da sala e achou aquilo estranho. O sofá estava meio fora do lugar, e o tapete, enrugado; sobre a mesinha, havia três copos, um deles tombado, além de uma garrafa de uísque já esvaziada, um cartão de crédito e um prato com cocaína.

— Caralho, mano, o que que aconteceu aqui?

— Eu vou te contar o que que aconteceu — sorriu o dono da casa, movendo a cabeça teatralmente para lançar os cabelos para trás e colocando as mãos nos quadris. Fez uma pausa de efeito, umedecendo os lábios com a língua. Depois, explicou: — Eu comecei a me divertir bem aí — apontou para o sofá com o indicador — e terminei de me divertir lá dentro — apontou para a porta fechada do quarto com o polegar.

— Ah, tá, saquei. — Marques caminhou em direção ao quarto, abriu a porta e espiou lá para dentro, vendo que havia duas mulheres nuas dormindo na cama. — Nada mal!

— Quer comer elas?

— Não, valeu. Eu vim só te convidar pra jogar — informou o rapaz, tornando a fechar a porta.

— Tu prefere jogar sinuca com um véio fodido que nem eu do que comer essas gostosa aí?

— Eu... bom, é que eu não tô com fome agora, saca?

— Ah, já fez o desjejum. Eu vou te dizer que Angélica é uma mulher de sorte, então. É sério. Se a mulher já acorda tomando *fero*, vai querer mais o quê?

— Olha, Véio, para de dizer bobagem, tá bom? Vamo jogar ou não vamo?

— Marques, não faz *nem uma hora* que eu me deitei pra dormir! — explicou o homem, em tom queixoso.

— Foda-se. Aquela vez tu bateu lá em casa era meia-noite pra me chamar pra jogar. Eu tinha acabado de deitar pra dormir, mas mesmo assim eu levantei e fui contigo.

— É, mas eu tava podre de bêbado aquela vez; tu sabia que eu não ia te deixar dormir em paz se tu não fosse jogar comigo. — O velho pareceu gostar da lembrança, pois ficou sorridente. — Ah, eu não ia *mesmo* te deixar dormir em paz aquela vez! Tu fez bem em levantar e ir comigo! Eu ia ficar batendo na porta e te gritando até de manhã, se tu não tivesse saído. — E deu uma risadinha marota.

Marques ergueu as sobrancelhas e arqueou os lábios, sentando-se no sofá e abrindo os braços para acomodá-los no encosto. Ficou olhando em silêncio para o dono da casa, balançando a cabeça de modo sugestivo.

O velho captou a mensagem. De uma hora para a outra, ficou muito sério. Em seguida, suspirou:

— Entendi. Tu também não vai deixar eu dormir em paz se eu não for contigo, não é?

— Só três ou quatro partida, mano. Não posso passar o dia jogando, na real. Tenho que trampar. Depois tu volta e dorme à vontade.

Balançando a cabeça, o homem atravessou a sala e sentou-se na poltrona, diante de Marques.

— Tá bom, eu vou. Mas fica sabendo que isso tá *erado*, hem, Marques. Eu já sou um homem véio, cacete! — Pegou o cartão de crédito que estava sobre a mesinha e, usando-o, separou uma pequena quantidade da cocaína que estava no prato, ajeitando-a até formar uma carreira. Nesse meio-tempo, Marques apanhou uma agenda ao lado do telefone e cortou, com cuidado, um pedaço de uma página, com o qual fez um canudo; entregou, então, esse canudo ao velho, que o usou para sugar a linha de cocaína por uma narina.

Depois o dono da casa foi até o quarto e acordou as prostitutas, dando-lhes dinheiro e mandando que se vestissem e fossem embora. Elas obedeceram, e ele entrou no banheiro para jogar uma água no rosto e pentear o cabelo. Voltando ao quarto, vestiu uma camisa de botões, deixando-a desabotoada de cima a baixo, como era de seu costume, e contemplou-se por um momento no espelho. Satisfeito, saiu do quarto e falou:

— Vamo.

— Ah, finalmente, Bill!

O nome do velho não era Bill, mas Marques às vezes o chamava assim, porque o achava parecido com o personagem Bill, de *Kill Bill*.

— Espera aí. É melhor eu levar isto aqui. — O traficante apanhou o prato com cocaína.

— Mano, tu vai acabar morrendo um dia!

— Claro que eu vou, Marques. Todo o mundo vai. A verdade é uma só, meu gurizinho: o final, todo o mundo já conhece; o único mistério é o caminho que cada um vai trilhar até lá. Tu pode ir por aqui, e eu, por ali, só que, mais cedo ou mais tarde, a gente vai cair todo o mundo no mesmo penhasco.

Eles saíram para o dia ensolarado, o velho levando o prato cheio de cocaína despreocupadamente pelas vielas, junto ao ombro, como um garçom levando uma bandeja.

— Eu quero só ver se bate um vento agora — brincou Marques.

— Ah, mas vai te foder! Vira essa boca pra lá!

Dirigiram-se para o boteco em que costumavam jogar sinuca. O estabelecimento ficava aberto quase vinte e quatro horas por dia; era difícil ver-lhe as portas fechadas. O dono se revezava com os filhos no atendimento, e ocasionalmente até sua mulher atendia a clientela, mas hoje era ele próprio quem estava atrás do balcão.

Marques e o velho cumprimentaram o comerciante, que, mesmo sem nada haver sido pedido, foi logo pegando algumas fichas para a gaveta da mesa de sinuca. Depois de entregá-las na mão em concha do velho, ele tornou a se afastar, voltando em seguida com a cerveja mais gelada da casa e dois copos, deixando tudo sobre uma mesa próxima.

— Posso botar o pó aqui? — Era o traficante quem perguntava, já largando o prato com cocaína sobre o balcão, antes mesmo de ouvir a resposta.

— Pode, claro.

— Se quiser cheirar uma linha, fica à vontade aí.

O dono do bar não se fez de rogado.

Marques e o velho abriram a gaveta da mesa de sinuca, retiraram as bolas, ajeitaram-nas sobre o feltro, apanharam os tacos e começaram a jogar.

Enquanto o traficante dava a primeira tacada, Marques tomou um gole de cerveja e perguntou:

— Vem cá, Véio, por que tu não vende maconha na vila, hem?

A pergunta pareceu surpreender o homem. Ele pensou por um momento e respondeu assim:

— A maconha é muito... muito volumosa.

— *Volumosa?* — O rapaz definitivamente não esperava aquela resposta.

— Volumosa.

— Mas como assim?

— *Pora*, Marques, tu não sabe o que que é uma coisa volumosa? É uma coisa que tem muito volume.

— E qualé o problema de a maconha ter muito volume?

— Qualé o problema? *Qualé o problema?* Eu vou te dizer qualé o problema. Olha, imagina que eu tô chegando aqui na vila no meu *caro*, com o porta-mala cheio de pedra e pó. Atrás de mim vem outro *caro*, e quem tá dirigindo esse outro *caro* é um idiota qualquer, assim como tu. Esse outro *caro* tá com o porta-mala cheio de maconha. Daí eu te pergunto: qual *caro* tá transportando mais dinheiro em droga?

— O teu, claro.

— Por quê?

— Porque pedra e pó vale mais que maconha.

— É. Mas, olha só, eu bem que podia transportar uma quantidade tão grande de maconha que valesse tanto quanto vale a carga de pedra e pó que cabe no porta-mala do meu *caro*, só que, pra fazer isso, eu ia precisar dum caminhão. Adivinha por quê.

Marques revirou os olhos.

— Tá, já saquei, já saquei. Porque a maconha é muito volumosa.

— Isso aí. E se eu tivesse um caminhão, eu ia usar ele pra transportar ainda mais pó e pedra; não pra transportar maconha.

Fizeram uma pausa. Era a vez de Marques jogar, e ele encaçapou a bola de número 2. Já na tacada seguinte, não encaçapou bola nenhuma. Então comentou:

— Mas tu vendia maconha na antiga.

— Vendia. Mas era outro tempo. O pó não vendia tanto que nem vende hoje. E também não tinha tanto britânico em Porto.

O termo "britânico" nada tinha a ver com a Grã-Bretanha, naturalmente. É que o crack era vendido em pequenas pedras, também chamadas de britas, e por isso os viciados na droga eram conhecidos como britânicos.

Depois de dar sua tacada, o velho perguntou:

— Por que tu tá tão interessado nos meus negócio hoje?

— Não é isso. É que eu vou vender maconha aqui na vila, tá ligado? Tu não te importa, não é?

O traficante encarou o rapaz.

— Tu tá falando sério?

— Tô, claro. Por quê? Tem problema?

— Não. Problema nenhum. Mas, *pora*, eu te convidei um monte de vez pra trabalhar pra mim e tu nunca quis. Sempre preferiu trabalhar naquele supermercado de merda.

— Tu é muito louco, Véio. É por isso que eu nunca quis trabalhar pra ti.

— Louco, *eu*? — perguntou o velho, espalmando uma mão no peito, chocado.

— E não é? Aquela vez tu deu um monte de tiro no porco que entrou fardado na vila. Foi bem na frente deste bar, inclusive. Depois tu ainda arrastou o infeliz pelos pé pra fora da vila; não te lembra mais disso? Eu não duvido nada que tu fizesse a mesma coisa comigo se eu trabalhasse pra ti e desse o azar de te causar algum prejuízo.

— Eu nunca ia fazer uma coisa dessa contigo, Marques. Quantas vez eu já te disse que tu é que nem um filho pra mim, meu gurizinho?

— O problema é que tu sempre tá bêbado quando diz essa merda.

— Bom, eu não tô bêbado agora, tô? A gente tá só tomando o primeiro gelo...

— É, mas eu vi uma garrafa de uísque vazia lá na tua baia.

— Foi aquelas vagabunda, te juro! Era dois camelo, Marques! *Pora*, te dou a minha palavra: foi elas que bebeu tudo! Dois camelo!

— Ah, Véio, vai te foder! Que louco bem desgraçado, esse Bill!

Os dois começaram a rir. Depois, Marques disse:

— Não, olha, falando sério: eu vou mesmo vender maconha na vila. Só maconha, pode ficar tranquilo. A ideia é voar abaixo do radar, tá ligado? — Ilustrou deslizando uma mão pelo ar.

— Como assim "voar abaixo do radar"? — perguntou o traficante.

— Tu sabe, ganhar dinheiro sem chamar atenção, sem se meter em confusão.

— Sai dessa, Marques. Maconha não dá dinheiro.

— Tô ligado. É muito volumosa, não é?

O velho riu. E, em seguida, reafirmou:

— Olha, se tu quer vender, pode vender. Por mim, tudo bem.

— O plano é bom. Tu vai ver.

— Ah, o plano é bom, é? Tu não é capaz de bolar um plano bom nem pra assaltar a geladeira.

— Na real, não fui eu que bolei o plano.

— E quem foi o idiota?

— Foi o Pedro, um parça meu lá do supermercado. Mas ele não é idiota. Na real, vou te dizer que o cara é um gênio.

— Gênio não trabalha em supermercado.

— Sabe o que ele me disse sobre isso? Ele me disse que não é verdade que as pessoa que tão nesses trampo fodido só consegue trampo fodido porque são idiota. Ele acha que é o contrário: ele acha que esses trampo fodido é que acaba fazendo as pessoa ficar idiota, depois dum tempo.

— Mesmo assim, ele deve ser um idiota, porque, segundo a teoria dele mesmo, esse trampo fodido de vocês deve ter feito ele ficar idiota.

— Foi o que eu disse pra ele. Daí, sabe o que ele me respondeu?

O velho já estava ficando de saco cheio.

— Nem imagino — suspirou, erguendo as sobrancelhas.

— Ele disse que isso aí era... Bah, não vou lembrar a palavra agora... Era uma palavra esquisita pra caralho... — O termo que Marques não lembrava era "paradoxo". — Ah, foda-se, não lembro. Mas era tipo um bagulho que dá um nó nas ideia, tá ligado? Porque se a teoria dele tá certa, ele é um idiota, mas, se ele é um idiota, a teoria dele tá errada, saca? Ah, enfim, ele explicou melhor. Mas foi só uma brincadeira que ele fez, tá ligado? Depois ele deu uma risada e disse que não se considera um idiota. Na real, ele se considera uma... Porra, não vou lembrar dessa palavra também... — "anomalia". — Tipo, ele acha que aconteceu alguma coisa com ele, alguma coisa que normalmente não acontece com as pessoa, tipo um acidente, um bagulho que não era pra acontecer, e que esse bagulho acabou fazendo ele ficar inteligente, mesmo sendo pobre, mesmo saindo da escola cedo pra caralho e mesmo trampando só em trampo fodido a vida toda. Daí, ele disse que na real nem queria ser inteligente. Ele disse que preferia ser um idiota, porque daí ele ia ser um cara feliz, porque ia ficar satisfeito com a vida fodida que ele tem.

— Marques, esse cara só pode ser um louco.

Marques estava muito sério.

— Te liga, Véio, eu já conheço o Pedro faz tempo e, na real, toda vez que eu converso com ele, eu penso a mesma coisa que tu: que ele só pode ser um louco. Ele vai falando, falando, e dá pra perceber que a cabeça dele funciona dum jeito estranho, porque ele tira umas conclusão absurda sobre as coisa. Tu tem que ver, é uma viagem. Só que eu sempre presto atenção nos bagulho que ele diz, e te juro: tudo o que ele vai falando sempre faz sentido pra caralho. E isso aí me assusta, Véio. Sabe por quê?

— Por quê?

— Porque daí eu me ligo que o louco da história pode ser eu, e não ele.

Jogaram algumas partidas e beberam algumas cervejas, o velho de vez em quando frequentando o prato com cocaína deixado sobre o balcão, sempre oferecendo uma linha para o dono do boteco, que sempre aceitava. Então, quando Marques falou que precisava almoçar e tomar banho para ir trabalhar, o traficante pediu que o comerciante pusesse as fichas e as cervejas em sua conta, pegando o prato já vazio e saindo para a rua com o rapaz.

— Olha só, Marques: antes de tu ir almoçar e tomar o teu banho, vamo dar uma passadinha lá em casa. Eu vou te dar um presente.

Marques não conseguia imaginar o que poderia ser, e pensou consigo mesmo, ressabiado, que era bom ter um pé atrás com aquele velho maluco. Não duvidava que o homem estivesse planejando matá-lo por causa de seu plano de vender maconha na Lupicínio Rodrigues, apesar de ter dito que não havia problema nenhum.

Quando chegaram na casa, Marques ficou na sala, esperando, enquanto o traficante ia ao quarto buscar o tal presente. E o coração do rapaz deu um pulo quando ele voltou, pois trazia um revólver na mão. Na mesma hora, porém, o visitante percebeu que o dono da casa segurava a arma pelo cano, de modo que não pretendia alvejá-lo.

— Toma essa *pora* — disse o velho, estendendo o revólver a Marques. — Cuidado: tá *caregado*.

— Por que tu tá me dando isso?

— Porque tu pode precisar um dia desses, meu gurizinho.

8.
Preservação da paz

A Vila Viçosa e a Vila Nova São Carlos atravessavam um período de paz. Claro, de vez em quando morria um pobre-diabo aqui e outro acolá por causa de briga de bar, por causa de mulher ou por causa de dívida, mas já fazia tempo que as quadrilhas rivais da região não promoviam tiroteios constantes por ali. Isso porque, ultimamente, o tráfico de drogas vinha dando tanto dinheiro que as partes interessadas andavam satisfeitas com as coisas como estavam. Havia muita demanda, havia viciados para todo o mundo: a guerra tinha ficado fora de moda. No entanto, a pergunta era: até quando? A história sempre se repete: tréguas vêm, tréguas vão. Os mais espertos sabiam que cada dia tranquilo que passava era um novo passo em direção a tempos mais conturbados.

E aconteceu que, por uma infeliz peripécia do destino, a paz tornou a ficar ameaçada naquele par de vilas. Dirigindo uma moto, bêbado até o último fio de cabelo, um adolescente atropelou uma menina de cinco anos na estrada João de Oliveira Remião, e ela morreu na hora. Como se isso já não fosse tragédia que bastasse, o pai da menina, um traficante da quadrilha que atuava na Nova São Carlos, chamado Jair, porém mais conhecido pela sugestiva alcunha de Rasga-Bucho, como o vilão do *Chapolin Colorado*, o pai da menina a acompanhava no exato momento do acidente, de mãos dadas, fazendo uso do falsete e dos dizeres bobos que se costuma empregar com crianças, e nem viu quando a moto passou ao seu lado, rápida como um raio, zumbindo como uma abelha gigante; tudo o que esse homem viu foi a filha indo pelos ares como uma boneca de trapo, depois de sentir a mãozinha dela desprender-se da sua. O adolescente que guiava a moto saiu ileso do acidente, tombando do veículo poucos metros adiante e pondo-se de pé num pulo, como se nada tivesse acontecido; mas não resistiu aos dezesseis tiros de pistola .40 que Rasga-Bucho lhe deu em seguida, todos na cabeça. E, por incrível que possa parecer, esse episódio bem que poderia passar por banal, sem causar muito espanto ou preocupação, porque, afinal de contas, tudo aconteceu na Lomba do Pinheiro, onde não era fácil causar espanto ou preocupação. Contudo, a história levantou de pronto grande fedor, porque o motociclista morto pelo traficante da quadrilha da Nova São Carlos era irmão mais novo de Fernando, vulgo Bison, como o personagem do *Street Fighter*, e esse Bison pertencia à quadrilha rival, que atuava na Viçosa.

De noite, quando chegou do trabalho, Pedro ficou sabendo do ocorrido. E encontrou dificuldades para dormir naquela noite. "Porra, cara, logo agora!", pensava, rolando de um lado para o outro na cama.

Se a guerra se instalasse novamente na região, como estava parecendo que ia acontecer, o rapaz teria problemas. Com tiroteios diários e mortes semanais, choveria polícia na Viçosa e na Nova São Carlos, e todos os que estivessem nas ruas seriam revistados a cada cinco minutos, sem falar que os policiais passariam a promover suas desmandadas buscas, metendo o pé na porta da casa de todo o mundo, aleatoriamente, de surpresa, a qualquer hora do dia ou da noite, bagunçando tudo e enchendo de bolachas qualquer um que ousasse dizer um "ai"; isso significava que Pedro teria que adiar seus planos de vender maconha na vizinhança, por tempo indeterminado... Não! A paz tinha que ser mantida! A polícia tinha que continuar longe! Mas o que o jovem poderia fazer?

No dia seguinte, quinta-feira, 5 de fevereiro de 2009, acordou um pouco mais cedo que de costume e foi se encontrar com o chefe do tráfico na Nova São Carlos, um homem chamado Valdir. Assim como Marques falara com o velho da Lupicínio Rodrigues na véspera, também ele queria avisar a Valdir que venderia maconha na baixada entre a Nova São Carlos e a Viçosa, isto é, na futura Vila Sapo. E depois iria, ainda, dar o mesmo aviso ao chefe do tráfico na Viçosa.

A casa de Valdir ficava no fundo de um beco, no ponto mais alto da Nova São Carlos. Era uma casa grande e bonita, contrastando com os barracos ao redor. À medida que Pedro ia avançando em direção a ela, percebia uma estranha movimentação por ali. Logo na entrada da viela, tinha passado por um grupo de amigos seus, todos traficantes, e agora passava por alguns sujeitos que conhecia só de vista, mas que sabia não serem moradores dali, e também via homens que nunca tinha visto antes, todos mal-encarados e aparentemente observando-o com suspeitas. Como se isso não bastasse para que ele se sentisse pouco à vontade, da metade do beco em diante começou a ver armas. Quando não era uma submetralhadora na mão de um, era um revólver na mão de outro, ou era uma pistola na cintura de alguém sem camisa, ou era um fuzil no colo de alguém sentado, ou era uma espingarda escorada num muro.

Pela janela aberta da casa de Valdir, um rapaz viu Pedro chegando e saiu para recebê-lo no portão do pátio. Trazia uma pistola prateada na mão esquerda, mas o largo sorriso estampado em seu rosto não deixava dúvidas quanto à sua hospitalidade.

— E aí, Pedro, sereno, vagabundo?

— Sereno, Lucas. Vem cá: que porra tá acontecendo aqui? Esse beco parece um quartel.

— Ah, mano, o clima ficou estranho depois da merda toda que aconteceu ontem, tá ligado? Não ficou sabendo?

— Fiquei.

— Pois é, mano, aí que eu te falava. O pai tá esperto, sabe cumé que é. A bala vai pegar uma hora dessa, é só questão de tempo. O Bison não vai querer deixar barato o que o Rasga-Bucho fez com pau no cu do irmão dele, mas na real a gente vai comprar a bronca. O Rasga-Bucho é dos nosso e tava com a razão no bagulho.

— Onde é que tá o teu pai?

— Tá lá nos fundo. Tu quer falar com ele?

— Quero.

— Entra aí, vamo lá.

Pedro entrou no pátio e seguiu o rapaz, contornando a casa. Lá nos fundos, o terreno descia um pouco, mas em seguida tornava-se plano novamente, uns metros à frente. Havia um pessoal reunido ali (homens, mulheres e crianças), e um churrasco era preparado. Ao perceber que Rasga-Bucho achava-se presente na alegre confraternização, inclusive dando risada com uma lata de cerveja na mão, o rapaz ficou chocado, se perguntando que tipo de monstro conseguia superar a perda de uma filha pequena assim, de um dia para o outro, sobretudo da forma trágica que tinha sido.

— Tá aí o pai, Pedro; pode falar. — Entretanto, depois de trazer o visitante à presença de seu pai, Lucas não se retirou.

— Cumé que tá, seu Valdir? — cumprimentou Pedro.

Valdir estava sentado numa cadeira de praia, meio isolado dos outros, e, como todo o mundo, empunhava uma lata de cerveja. Era um homem de meia-idade, careca, cavanhaque. Pareceu estranhar profundamente a visita de Pedro, como se o rapaz fosse um extraterrestre.

— Tô bem, tô bem — respondeu, com a testa enrugada.

O jovem achou que o traficante talvez estivesse pensando que sua visita tivesse algo a ver com a tragédia da véspera, e, no intuito de esclarecer que não era nada disso, sentiu necessidade de ir direto ao assunto.

— Eu vim aqui porque vou começar a vender maconha ali embaixo e achei que era bom falar com o senhor antes.

— Ué, por mim pode vender, eu não vendo maconha.

A resposta foi um tanto seca, e Pedro ficou ressabiado. Pareceu-lhe que Valdir estava bravo por algum motivo. O que estaria passando pela cabeça daquele cara? Estaria pensando que ele, Pedro, tinha sido mandado pelos inimigos, para espionar? Era só o que faltava...

— Vim por questão de respeito.

— Sei.

Valdir agora sorria ironicamente, sem tirar os olhos do rapaz, que já estava ficando assustado.

— O senhor... quer me dizer alguma coisa?

— Se eu quero te dizer alguma coisa? Como assim?

— Sei lá. O senhor tá... me olhando dum jeito estranho... Parece até que não gostou de eu ter aparecido aqui, por algum motivo...

— Impressão tua. Não tenho porra nenhuma pra te falar. Se eu tivesse, te falava. E tu? Tu tem alguma coisa pra me falar?

— Tinha, mas já falei. Eu vou vender maconha ali embaixo.

— Veio aqui só pra falar isso aí?

— Claro. Vim por questão de respeito, que nem eu disse.

— E aonde tu vai agora, saindo daqui?

Pedro não tinha mais nenhuma dúvida das suspeitas de Valdir.

— Na real, saindo daqui, eu vou falar com o Renato.

Renato era o chefe do tráfico na Viçosa, principal inimigo de Valdir. E Bison, o irmão do motociclista morto pelo ali presente Rasga-Bucho, fazia parte da quadrilha de Renato.

— Ah, então tu vai falar com o Renato?

— Claro. Eu vou lá pelo mesmo motivo que eu vim aqui. Vou avisar pro Renato que eu vou vender maconha ali embaixo.

Valdir se irritou e jogou a lata de cerveja no chão, mas não se levantou. Pedro olhou em volta e ficou aliviado ao perceber que ninguém prestava atenção na conversa, com exceção de Lucas, que estava bem ao lado do pai.

— Eu devia meter uma bala na tua cara, Pedro — disse o traficante. — Mas quer saber? Vou deixar tu ir. Vai lá. Porque eu não me importo que tu diga pro Renato tudo o que tu viu aqui. Vai lá. Diz pra ele quantos cara armado tu viu aqui.

Pedro pensou em virar as costas e ir embora, mas concluiu que isso seria confirmar as suspeitas de Valdir e, portanto, decidiu agir diferente. Puxou uma cadeira de praia que estava próxima e sentou-se, o que surpreendeu o homem.

— Olha, seu Valdir, na real, eu vim aqui pensando em ter uma conversa bem curta com o senhor e ir embora, mas não vai dar. Eu não posso ir embora e deixar o senhor pensando um montão de merda. Não foi o Renato que me mandou aqui. Eu não sou fechado com ninguém, o senhor sabe. Se ele tivesse pedido pra eu vir aqui, eu não vinha, nem se ele quisesse me dar um caminhão de dinheiro. Porque eu não me meto em confusão, o senhor sabe. Porra, o senhor sabe, o senhor me conhece! Eu vim aqui só pra avisar que eu vou vender maconha ali embaixo. Só isso. Na real, que culpa eu tenho desse clima cabuloso que tá? É só o senhor pensar: qualquer um que aparecer aqui sem um *bom motivo* vai parecer suspeito pro senhor, não é verdade? Mas olha bem pra mim, seu Valdir. Sou eu, o Pedro, o cara que mora ali embaixo e nunca se mete em confusão com ninguém.

Valdir escutou tudo com seu sorriso irônico, que foi se ampliando cada vez mais. Depois, inclinou-se um pouco para a frente, coçando o nariz, e disse:

— Beleza, Pedro, beleza. Tu me convenceu. Eu acredito em ti. Eu... até peço desculpa por toda essa minha... paranoia! — Estava para nascer homem mais sarcástico do que aquele ali. Pedro, entretanto, sentiu que o traficante realmente se convencera de sua inocência e atribuiu toda aquela mordacidade a puro orgulho: não devia ser fácil para um cara como ele dar o braço a torcer totalmente, sobretudo diante do próprio filho. — Mas, de qualquer forma — continuou Valdir —, tu vai falar com o Renato agora, não vai? Aproveita, então, e me faz um favor: avisa que ele e o Bison tão convidado pro churrasco.

Pedro suspirou.

— É claro que eu não vou fazer isso. Não vou dar essa alfinetada pelo senhor. Na real, se eu puder, eu vou é tentar convencer o Renato e o Bison a esquecer essa porra dessa história. O senhor pode até considerar isso um favor, se quiser. Afinal, se eu conseguir fazer isso, vou livrar o senhor de uma dor de cabeça fodida.

Valdir fechou o sorriso.

— Tu acha que eu tô com medo, por acaso? Deixa eles vir, se eles quiser!

— Não, eu não disse que o senhor tá com medo. Eu sei que o senhor não tá com medo. Ninguém é bobo. Até o Renato sabe que o senhor não tá com medo. Na real, o senhor deve até gostar desse clima pesado.

— É. Eu gosto mesmo. Eu já tava sentindo falta disso.

— Pois é. O problema é que o senhor tem muito mais a perder do que a ganhar com tudo isso. E o Renato também. Quando a bala começar a pegar e os corpo começar a cair, a polícia vai tomar conta dessa porra desse lugar, e aí eu quero ver. Vão apreender arma, droga, dinheiro, um monte de nego vai ser preso.

— Nisso ele tem razão, pai. — Foi a primeira intervenção de Lucas, que obviamente não herdara a coragem do pai.

— Ah, cala essa boca, guri!

— Olha, seu Valdir — prosseguiu Pedro —, pensa no seguinte: tá tudo certo, não é? Pelo menos é assim que eu penso. Tá tudo certo. Então, qualé a bronca?

— Como assim? Eu não entendi.

— O irmão do Bison atropelou a filhinha do Rasga-Bucho, cara. E o Rasga-Bucho matou ele. Ponto-final. Quem é que teria agido diferente no lugar do Rasga-Bucho? É isso, e deu. O enterro da guriazinha vai ser hoje, o enterro do guri vai ser hoje, e essa história toda também tem que ser enterrada hoje. Acabou. Caso encerrado. Bola pra frente. Ninguém pode se queixar de nada. O senhor entendeu? Eu posso dizer isso pro Renato e pro Bison quando eu for lá. Eles nem precisa saber que eu tive aqui, na real. Se eles não me der bola, bom, problema deles. Mas, enfim, vai saber. Quando vê, eles me escuta. E daí, se pá, eles deixa quieto. Se isso acontecer, vai ser melhor pra todo o mundo, na real. Todo o mundo vai sair ganhando: o senhor, o Renato, todo o mundo. Até *eu* vou sair ganhando.

Valdir prontamente enrugou a testa.

— *Tu?* O que tu tem a ganhar com essa história toda?

— É que se vocês não começar essa guerra fodida, a polícia vai continuar sem aparecer aqui, e eu vou poder vender a minha maconha em paz.

Mas Pedro sabia que eram poucas as suas chances de convencer Bison a desistir de vingar a morte do irmão. E se o infeliz quisesse mesmo ir à forra, então com certeza Renato e todos os traficantes da Viçosa o apoiariam. A guerra tinha tudo para estourar. Na verdade, estava até demorando para estourar, tendo em vista que o pavio já tinha sido aceso havia várias horas.

Ao contrário da Nova São Carlos, a Viçosa não tinha uma composição homogênea. As famílias fundadoras tinham se concentrado na metade sudoeste da vila, onde até hoje vigorava a atmosfera afável, tranquila e civilizada semeada na década de 1970. Já a metade nordeste, fruto de sucessivas e irregulares invasões coletivas ocorridas ao longo dos anos, a metade nordeste nada tinha de afável, tranquila ou civilizada. Carinhosamente apelidada de Vilinha, aquela porção da Viçosa, que nem mesmo era reconhecida como tal pela Associação dos Moradores, resumia-se a um deplorável conjunto de habitações permeado por ruas de terra esburacadas, vielas estreitas e valas de esgoto a céu aberto, tudo derramado desordenadamente pela encosta, desde a estrada João de Oliveira Remião, lá em cima, até a futura Vila Sapo, cá embaixo.

E foi a caminho dessa parte nada afável, tranquila ou civilizada da Vila Viçosa que Pedro se pôs, andando devagar, mas com a cabeça funcionando a todo o vapor. Depois, já no interior da Vilinha, encontrou Bison, que estava escorado numa moto, fumando maconha e conversando com outro sujeito. Cumprimentou os dois e, em seguida, comentou:

— Aí, Bison, fiquei sabendo do lance lá do teu irmão. Lamentável.

Bison limitou-se a torcer os lábios e balançar a cabeça, olhando para o chão.

— Onde tá o Renato? — quis saber Pedro. — Tá na baia?

— Não. Tá lá no Cortiço.

O jovem acenou com a cabeça e seguiu em frente. Mas parou no meio do caminho e virou-se:

— Te liga, Bison: eu tenho dois bagulho pra falar pro Renato, e um deles se pá tu vai querer ouvir. Chega aí, vamo junto.

— O que que é?

— É sobre o Rasga-Bucho.

"Cortiço" era como tinha ficado conhecido o canto da Vilinha que fazia fronteira com um matagal, onde, por elementares razões estratégicas, tinha se estabelecido a boca de tráfico comandada por Renato. Ali não havia o mesmo clima bélico do beco de Valdir. Afinal, era a quadrilha da Viçosa que tinha motivos para atacar, e não o contrário, de modo que ficar em estado de alerta fazia sentido apenas para a quadrilha da Nova São Carlos.

Pedro tomou um susto quando chegou ao Cortiço: Renato e outros quatro homens estavam espancando alguém. A vítima, conforme o rapaz percebeu mais tarde, era um viciado em crack que morava, ou pelo menos tinha morado, na Serra Verde, uma vila situada do outro lado da estrada João de Oliveira Remião. Pedro o conhecia apenas de vista; de uns tempos para cá, ele tinha passado a comprar crack ali, porque já devia muito dinheiro para os traficantes da Serra Verde e não tinha como pagar.

Enquanto o jovem esperava para poder falar com Renato, mais um homem apareceu, caminhando rápido, trazendo uma sacola.

— Pronto, Renato, tá na mão!

— Traz aqui, traz aqui!

Pedro ficou se perguntando qual seria o conteúdo da sacola, mas não demorou a descobrir: pegando-a pelas alças, Renato começou a bater no infeliz com ela, e o ruído que soava a cada pancada não deixava dúvida de que estava recheada de cacos de vidro.

O viciado implorava por sua vida, chorando, suando, babando, sangrando. De tanto que apanhara, já não tinha mais forças para se proteger ou se esquivar das sacoladas, que iam acertando-o em cheio, nas costas, no peito, na barriga, onde Renato decidisse bater, e a cada golpe o homem soltava um urro animalesco, esganiçado, rouco. Mas sua voz desapareceu subitamente quando Renato lhe bateu com particular violência, bem no meio do rosto. Ele, então, amontoou-se no chão, desacordado.

— Leva esse bosta daqui! — ordenou o traficante.

— É pra matar? — perguntou um dos capangas que juntavam o pobre-coitado.

— Não precisa. Larga ele em qualquer canto, longe daqui.

Quando Renato percebeu a presença de Pedro, pareceu ficar meio sem jeito. O rapaz pensou consigo mesmo que ele talvez não gostasse de ser visto naquelas práticas por quem não pertencesse ao mundo do crime, assim como um adulto não gosta de ser visto nu por uma criança ingênua.

— Olha aí o que a gente acaba tendo que fazer na vida, não é, Pedro? — brincou o traficante, aproximando-se.

— O Pedro disse que tem um bagulho pra falar sobre o Rasga-Bucho — apressou-se a informar Bison.

— Hum... — fez Renato. — Beleza, vamo trovar lá na minha baia.

A sala da residência era ampla, mas a quantidade de móveis, todos de mau gosto, fazia parecer o contrário. Pedro sentou-se em uma poltrona; Renato e Bison, no sofá, de frente para ele.

— Bom... — começou o rapaz, mas deteve-se de súbito. Vinda da cozinha, a filha de Renato, uma adolescente, acabava de aparecer no recinto, com cara de sono, comendo uma maçã.

— VAI PRO TEU QUARTO!!! — berrou-lhe o pai.

A jovem tornou a desaparecer, correndo para seu quarto e batendo a porta. Pedro continuou, como se não tivesse havido interrupção:

— Bom, Renato, em primeiro lugar, eu vim te avisar que eu vou começar a vender maconha ali embaixo. Tu não vende maconha, então acho que não tem problema, não é? Sereno?

— Bah, isso depende — disse Renato. — Se tu vai trabalhar pro seu Valdir...

Pedro teve vontade de rir. Achava engraçado ouvir Renato falar *"seu* Valdir", cheio de respeito, sendo que mataria o inimigo se tivesse oportunidade.

— Não vou trabalhar pra ele. A maconha vai ser minha, tá ligado? Eu vou comprar e depois vender.

— Beleza, mas o que que isso tem a ver com o Rasga-Bucho?

— Bom, esse já é um outro assunto. É o seguinte: eu fui falar com o seu Valdir agora há pouco...

— O filho da puta do Rasga-Bucho tava lá? — atalhou Bison.

Pedro o encarou, sem esconder o desagrado por ter sido interrompido.

— Tava. Tava, sim. Ele e a torcida do Flamengo, se tu quer saber. Todo o mundo armado até os dente.

— O que tu foi falar com o seu Valdir? — perguntou Renato.

— A mesma coisa que eu vim falar contigo: eu fui avisar que eu vou vender maconha ali embaixo.

— E o que que ele falou?

— Ele disse que tá sereno, claro. Ele também não vende maconha. Ele só vende pedra e pó, que nem tu. Mas ele me disse pra eu vir falar contigo antes de eu começar a vender a maconha. Na real, olha, na real *mesmo*, eu não ia vir aqui falar contigo. Porque a baixada tá mais pra lá do que pra cá. Tipo, da praça pra lá já é território dele, e não teu. Sempre foi assim, não é? Mas, enfim, ele achou que era melhor eu vir te avisar, e é por isso que eu tô aqui.

— Cumé que é? — sorriu Renato, incrédulo. — O *seu Valdir* mandou tu vir me avisar? A troco de quê?

— Bom, ele disse que era questão de respeito, na real. Eu também não entendi direito. Ele disse que ele manda lá faz tempo, que tu manda aqui faz tempo, que eu tô começando a fazer a minha mão agora, no meio de vocês, e que eu tinha que mostrar respeito e pá. Daí ele mandou eu vir aqui avisar.

— Caralho, tu tá falando sério?

— Tô, porra.

— Veja! O seu Valdir mudou um monte, então!

— Ah, ele é malandro da antiga, Renato. Coisa de véio, tá ligado? Ele gosta dos bagulho sendo feito certinho, só isso. Claro, já teve guerra entre vocês, mas olha quanto tempo faz isso. É tempo de paz agora, graças a Deus. É tempo de ganhar dinheiro e ficar de boa, na real.

Bison impacientou-se.

— Porra, Pedro, o que tu ia falar sobre o Rasga-Bucho, afinal?

Pedro fez um muxoxo.

— Então: se tu deixar eu falar, eu falo. Eu tinha começado a falar, e tu te atravessou.

— Então fala de uma vez, caralho.

— Beleza. É o seguinte, Bison: o seu Valdir sabe que tu tá puto com o Rasga-Bucho. Daí ele pediu pra eu dar um recado pro Renato. — O rapaz, então, dirigiu-se ao dono da casa: — Ele perguntou se tu vai segurar o Bison, Renato. Tipo, ele disse que as coisa tão indo bem pra todo o mundo, que todo o mundo tá ganhando dinheiro pra caralho, que ninguém tem preocupação nenhuma com nada e que tudo isso pode continuar assim, se tu quiser. É tu que decide. Se tu segurar o Bison, fica tudo como tá. Mas se tu deixar o Bison tentar se vingar, bom, daí... Enfim.

Bison se levantou e começou a gargalhar, porém visivelmente enfurecido.

— Beleza, Pedro. Já deu o recado. Agora volta lá e diz praquele saco de cocô que eu vou matar o Rasga-Bucho. Fim de papo.

Renato deu duas batidinhas no joelho de Bison.

— Te acalma, caralho! Te senta aí!

O homem tornou a se sentar, bufando.

— Aquele pau no cu matou o meu irmão, Renato!

— Eu sei, porra, eu sei! Mas vamo ouvir o que mais o Pedro tem pra falar.

Pedro percebeu que Renato tinha interesse na preservação da paz. Só o que precisava, agora, era insinuar, de maneira mais aguda, que impedir Bison de ir à forra era um preço pequeno a se pagar para fazer com que tudo continuasse como estava. Mas como sugerir isso, estando o próprio Bison ali presente, sedento por vingança? Se arrependeu de tê-lo convidado para participar da conversa. Não obstante, foi justamente a ele que se dirigiu:

— Bom, eu também tenho um recado pra ti, Bison. Um recado do Rasga-Bucho. Ele mandou te dizer que tem coisa pra caralho em jogo, coisa bem maior que tu, e que tu tem que te conformar. Tipo, ele falou que os negócio tão indo bem pra todo o mundo, lá e aqui, que tá todo mundo de boa, lá e aqui, e que não é certo tu querer começar toda uma puta duma guerra que vai foder todo mundo só pra poder tentar se vingar e se sentir um pouco melhor, até porque, na real, isso nem ia trazer o teu irmão de volta, de qualquer jeito. Vai ser só uma porra duma bola de neve: tu mata ele, aí alguém vai querer te matar, e assim vai indo. — Desnecessário dizer que, num sutil jogo psicológico, o rapaz, embora falasse com Bison, queria mesmo era que *Renato* ouvisse tudo aquilo e pensasse a respeito. E, lembrando de súbito que o dono da casa tinha uma filha (a adolescente que havia pouco surgira na sala), acrescentou, ainda se dirigindo a Bison: — No fim, o Rasga-Bucho pediu pra tu lembrar como foi a bronca toda, porque se tu tá inconformado por ter perdido o teu irmão, é muito pior perder uma *filha*, como ele perdeu. Ele pediu pra tu tentar imaginar isso. Pediu pra tu tentar te colocar no lugar dele. Ele tava segurando na mão da guriazinha quando o teu irmão, cagado de bêbado, bateu nela com a moto e atirou ela longe. Enfim, ele pediu pra tu tentar imaginar como ele se sentiu naquela hora.

Bison se levantou novamente, explodindo:

— Tu acha que eu tô aí pro que aconteceu com a filha dele? Foda-se a filha dele! Entendeu? Foda-se! Eu não vou ficar aqui ouvindo essa porra! Tu pode voltar lá, Pedro, e dizer pro Rasga-Bucho que eu vou matar ele! Entendeu? Eu vou matar ele! — E saiu para a rua, batendo a porta. Mas ficou por perto, pois era possível ouvir sua voz resmungando coisas como "aquele filho da puta!", ou então "não vai escapar de mim!", ou ainda "ah, quando eu pegar ele!".

Vendo que Renato estava muito pensativo, Pedro deu um riso seco e disse:

— Rebelde ele, hem? Sabe o que é que a minha vó dizia? Que quem deita com cachorro levanta com pulga. O Bison ainda vai te trazer muita dor de cabeça. — Suspirou e se levantou para ir embora. — Bom, eu vou nessa. Falou, Renato, até mais.

O dono da casa, contudo, mostrou a palma da mão ao rapaz.

— Espera, Pedro. Eu quero que tu me faça um favor.

— Beleza, fala aí.

— É o seguinte: volta lá e diz pro seu Valdir e pro Rasga-Bucho que não vai ter guerra. Diz que vai ficar tudo como tá.

— Ué, como assim? O Bison...

— Deixa que eu cuido do Bison. Só vai e diz isso pra eles lá. Valeu?

— Valeu. Vou lá, então.

— Valeu. Deixa a porta aberta aí, quando tu passar.

O jovem obedeceu: saiu para a rua e deixou a porta aberta. A voz de Renato, então, chamou:

— Bison, chega aí!

Mas Bison, que naquele momento tentava acender um cigarro, a uns poucos metros da entrada da casa, se fingiu de surdo, enquanto Pedro, indo embora, passava ao lado dele.

Renato insistiu:

— Bison, eu tô te chamando, caralho!

Desta vez, o homem levou o chamado em consideração: dirigiu-se para dentro da residência, ainda tentando acender o cigarro. De repente, dois tiros, e os pássaros que estavam em uma árvore próxima saíram voando, assustados. Pedro, talvez até mais assustado do que os pássaros, girou de pronto nos calcanhares, a tempo de ver Bison cambaleando para fora da casa, desesperado e ferido. Em seguida, Renato também saiu, efetuando mais vários disparos contra o infeliz, pelas costas, até que ele se esparramou pelo chão, de bruços, se contorcendo todo, em convulsão.

— Pai?! — O chamado, cheio de preocupação, vinha de dentro da residência, e pertencia à filha de Renato.

— Tá tudo bem, meu anjo! — respondeu o traficante. — Fica aí dentro, não vem pra cá! — ordenou, recarregando a arma com toda a tranquilidade, para, em seguida, tornar a descarregá-la, atirando ainda mais vezes contra o já crivado de balas Bison.

9.
O primeiro par de quilos

Alemão: assim era conhecido Jéferson Almeida de Carvalho. Seria difícil imaginar figura mais suspeita do que a desse homem. Uma corrente de ouro puro ornava-lhe o pescoço e um diamante reluzia-lhe em cada uma das orelhas: joias totalmente incompatíveis com suas maneiras periféricas. Ele gostava de usar camisetas de clubes de futebol, debaixo das quais ocultava suas inseparáveis ferramentas de trabalho: Ruth e Raquel, conforme costumava chamar as duas pistolas 9 mm.

Passava das nove da noite de sexta-feira, 6 de fevereiro de 2009, quando Alemão estacionou sua moto, apeando e retirando o capacete, em frente a uma casa respeitável, num bairro sossegado do município de Canoas, região metropolitana de Porto Alegre. Seu rosto plácido e branco brilhava ao luar; a rua, asfaltada e ladeada por árvores pequenas e arbustos podados, estava deserta já àquela hora. Ele apertou o botão do interfone junto ao portão, identificando-se, e no momento seguinte já passava para dentro da residência, cujo interior era ainda mais vistoso do que a fachada. O homem que lhe abriu a porta pediu que esperasse na sala luxuosamente mobiliada e desapareceu por alguns instantes, retornando em seguida com dois copos de uísque. Era, obviamente, o dono da casa, e notava-se uma grande intimidade entre ele e o visitante: este até se permitiu desabar no sofá de couro, depois de largar a um canto o capacete e a mochila vazia que trouxera às costas. E essa não era a única mochila presente no aposento: havia uma outra, bastante cheia, sobre a mesa de vidro. Foi observando-a e aceitando o copo que lhe era oferecido que Alemão perguntou, animado:

— As última entrega de hoje, não é, Fabrício?

— Quatro, ao todo — confirmou o dono da casa. — Duas de crack, uma de cocaína e uma de maconha. Os endereços tão anotados aqui. — Retirou do bolso uma folha de papel dobrada e entregou-a a Alemão. — Tem dez mil reais em droga aí; isso significa que a tua parte é quinhentos. Somando isso ao que eu já te devo pelas outras entregas de hoje, a gente chega num total de... deixa eu ver... cinco mil e duzentos reais. Enfim, quando tu voltar, a gente acerta tudo direitinho.

— Bom, eu vou correr, então — disse o entregador, secando seu copo de uísque com um só gole e se levantando. — Quero ir no baile hoje — explicou, desdobrando o papel e percorrendo os olhos pela caligrafia caprichada. De repente, enrugou a testa, estranhando: — Quem é esse tal de Pedro, Fabrício?

— Cliente novo. A erva é pra ele.

— Hum... Não gosto de cliente novo. E se o cara tá com sangue no olho? E se quiser levar a maconha sem pagar? Sempre fico viajando nessa noia, tá ligado?

Fabrício riu.

— Ué, e pra que é que servem a Ruth e a Raquel? Mas não te preocupa: esse cara não vai criar problema. Foi o Jorge que me indicou pra ele. Eu já falei com o Jorge, e ele me garantiu que o cara é de confiança. Tá tudo certo.

— Sereno, então — disse Alemão, ajeitando às costas a mochila cheia e pegando de volta o capacete. Apontou, então, para a mochila vazia que tinha trazido. — O dinheiro dessas última entrega que eu fiz agora, tá aí, no bolsinho de trás: quinze mil. Tu quer que eu espere tu contar?

— Não precisa. Pode ir. Aliás, tu tá com pouco tempo. Tu viu aí no papel que o tal de Pedro pediu pra pegar a maconha nove e meia.

— É, eu vi. Vou lá, então. Até daqui a pouco.

Alemão tornou a sair para a noite quente de verão com as quatro últimas entregas do dia por fazer. Assim que as concluísse, estaria livre para torrar mais de cinco mil reais: o dia tinha sido lucrativo. E só voltaria a trabalhar na segunda-feira, a menos que surgisse uma entrega extraordinária no fim de semana. Estava feliz e satisfeito com a própria vida: sua dignidade e sua autoestima iam num patamar que o trabalhador honesto infelizmente desconhece no Brasil.

Vinte minutos depois ele chegava a Porto Alegre, pela avenida Castelo Branco. Isto é, pela avenida que *naquele ano de 2009* ainda se chamava assim. O nome, diga-se de passagem, era em homenagem a uma figura histórica, dona de um currículo admirável, para uns, e lastimável, para outros: Humberto de Alencar Castelo Branco, veterano da Segunda Guerra Mundial, ativo anticomunista, articulador da intervenção militar estabelecida em 1964 e primeiro presidente do Regime Militar no Brasil. No futuro, em 2014, com a aprovação de uma lei proposta por dois vereadores de esquerda, a via seria rebatizada de avenida da Legalidade e da Democracia, em homenagem à Campanha da Legalidade, movimento que tinha apoiado a posse de João Goulart como presidente da República, antes da intervenção militar de 1961. Em meados de 2017, porém, o Tribunal de Justiça do Rio Grande do Sul, num revés inesperado, aceitaria um recurso promovido por cinco vereadores de direita, anulando a lei de rebatismo, e, por fim, em 2019, a grande maioria dos porto-alegrenses nem mesmo saberia o nome oficial da via.

Mas foi através dela que Alemão chegou à capital gaúcha, seguindo pressuroso pela Mauá. Depois, já na Loureiro da Silva, contornou o Edel Trade Center para entrar na João Pessoa e foi reto até a esquina com a Doutor Sebastião Leão; ali, subindo por cima da calçada, estacionou a moto junto a uma banca de revistas, apeou e retirou o capacete. Em seguida, atravessou a João Pessoa e foi caminhando pela Jerônimo de Ornelas, contemplando à distância o prédio iluminado do Hospital de Clínicas.

Não era à toa que Alemão deixava a moto tão longe do local a que se dirigia. Sim, Fabrício dissera que o tal de Pedro não causaria problemas; no entanto, era sempre bom ter um pé atrás com clientes novos. Se acaso precisasse matar o infeliz por algum motivo, seria melhor que as eventuais testemunhas do assassinato não o vissem indo embora na moto.

Passou rente ao Boteco Imperial, que estava abarrotado de gente, e atravessou a rua Santana, chegando ao lugar indicado no papel que trazia no bolso. A praça em que se achava agora, porém, era extensa e mal-iluminada, de modo que não visualizou imediatamente alguém que pudesse ser o desconhecido do qual ia ao encontro, o que o deixou ainda mais em estado de alerta. Devia haver um colégio por perto, pensou, percebendo que grupos de alunos com mochilas às costas reuniam-se aos bancos da praça. Tranquilizou-se um pouco: aquele não parecia um ambiente que alguém escolheria para armar uma emboscada. Além disso, o tal de Pedro também não o conhecia, e portanto não tinha como pegá-lo de surpresa.

A última coisa que poderia passar pela cabeça de Pedro, contudo, era querer surpreender Alemão de alguma forma. Ele apenas esperava o entregador, sentado ao lado de Marques num dos bancos da praça.

— Esse cara tá demorando — comentou o amigo pela centésima vez, olhando ao redor com impaciência.

— Tá — tornou a concordar Pedro.

— Até que hora a gente vai esperar?

— Até as dez hora. Se o cara não aparecer, a gente liga pro Fabrício.

O que não foi necessário: nem bem Pedro terminou de falar, seu celular tocou.

— Alô?

— Pedro?

— Sim. Quem é que tá falando?

— Eu tenho uma entrega pra ti. Cheguei na praça agora.

— Ah, beleza. Eu tô mais ou menos na metade da praça, bem na frente do supermercado. Tá me vendo?

— Espera, deixa eu ver... Sim, eu tô te vendo. Tu tá acompanhado.

Pedro compreendeu o significado da observação.

— Não te preocupa, é só o meu sócio.

— Sereno... E cês tão armado?

— *Quê?* Não! Claro que a gente não tá armado, sangue bom. Tirou isso de onde?

— Sereno, vou chegar aí, então. — Com isso, o homem desligou.

Enquanto Pedro devolvia o celular ao bolso, Marques sussurrou, meio alarmado:

— Tu não devia ter dito que a gente tá desarmado, Pedro. E se esse cara nos matar pra levar o dinheiro?

— Porra, Marques, fica calmo! Tu acha que é bom negócio pra esses maluco sair matando os cliente assim, logo na primeira transação, por qualquer trocado? Mil real não é nada pra essa gente, mano, te liga. — Nesse momento, Pedro percebeu que um homem de mochila às costas e capacete debaixo do braço vinha a passos largos pela beirada da praça. — Olha: deve ser esse aí.

E era. O desconhecido contornou o gramado cercado por correntes que ficavam na altura das canelas, sem tirar os olhos da dupla nem por um segundo, e aproximou-se.

— Então, qual vai ser?

— E aí, mano, sereno? Eu sou o Pedro, e este aqui é o Marques.

— Alemão — apresentou-se o recém-chegado, apertando a mão dos jovens. — Dois quilo de maconha, não é?

— É isso aí.

Foi tudo muito rápido. Num piscar de olhos, um dos quilos tinha ido parar na mochila de Marques; o outro, na de Pedro; e os mil reais da dupla — as vinte notas de cinquenta dadas por Catarina — estavam agora nas mãos de Alemão, sendo devidamente contados.

— Que porra é essa? — perguntou o entregador de repente, as sobrancelhas se unindo num V ameaçador.

— O que que foi?

— Aqui só tem mil. Era pra ser mil e quatrocentos. Cada quilo é setecentos.

— Beleza, mas o Fabrício disse que a gente podia pagar mil agora e quatrocentos mais além, na continuação.

— E por que é que eu não tô sabendo de nada? Vem cá: cês tão querendo me enrolar?

— Claro que não...

— Cumé que vou voltar só com mil pro homem lá, se ele não me falou nada disso aí de ficar devendo? É o seguinte, meu: se vocês só têm mil, pode devolver um quilo agora mesmo, e eu devolvo trezentos procês. Vamo, vamo, vamo, mano, ligeirinho, ligeirinho, ligeirinho... — Alemão já ia metendo a mão no fecho da mochila de Pedro.

Marques revoltou-se.

— Ei, ei, ei, mas o que que é isso aí, caralho? — E, num movimento brusco, puxou da cintura o revólver que o velho da Vila Lupicínio Rodrigues tinha lhe dado, apontando-o para o entregador.

Imediatamente um silêncio pesado envolveu o trio. Pedro, com os olhos arregalados e cravados na arma, ficou momentaneamente incapacitado de respirar, por causa do susto. Alemão, por outro lado, embora mostrasse a palma das mãos, parecia mais irritado do que mesmo assustado, com os lábios comprimidos, olhando de Marques para Pedro e de Pedro para

Marques. Este o mantinha sob a mira, sem mover um único músculo sequer, sem nem mesmo piscar.

— Que merda é essa? — disse o entregador para Pedro, depois de um instante. — Tu falou que cês não tava armado, porra!

— Eu não sabia que ele tava com essa merda! — Pedro olhou em volta; os grupos de alunos da escola Luciana de Abreu reunidos aos bancos da praça estavam entretidos em conversas animadas, sem perceber a tensão entre ele, Marques e Alemão. — Caralho, Marques, guarda isso!

— Meu pau! Esse filho da puta deve tá armado também! Ou tu acha que não?

— Eu sei que ele tá armado, Marques, mas ele não vai atirar na gente, então *guarda essa porra de uma vez!*

— Por que tu acha que ele não vai atirar na gente?

— Porque ninguém veio aqui matar ninguém, animal! Tendeu?

Marques refletiu por um momento e balançou a cabeça.

— Merda! — resmungou, tornando a enfiar o revólver na cintura. Depois apontou o dedo para Alemão e disse: — Olha bem o jeito que tu fala com a gente, mano! Tu tá louco? Aqui ninguém é guri! Como é que tu vai ir metendo as mão na mochila do cara? Não paga essa, que não rola! Faz o seguinte: liga pro Fabrício. Liga e pergunta se ele não deixou a gente ficar devendo essa porra.

Sem dizer palavra, mas fuzilando Marques com o olhar, Alemão tirou o celular do bolso e ligou para Fabrício.

— Alô? É o seguinte, Fabrício: eu tô com o tal de Pedro aqui, e mais um amigo esquentadinho dele. Eles tão dizendo que eles tinha combinado contigo de pendurar quatrocentos... Hum... Tá na mão, então... Não, não; tudo certo... Não, não; tudo certo... Falou; até.

Marques foi logo perguntando, desafiador:

— E aí?

— É, ele confirmou — respondeu o entregador. — Só tinha esquecido de me avisar. Bom, enfim, tá tudo certo. Desculpa qualquer coisa. — Real ou simulada, a volubilidade de humor que Alemão demonstrava era impressionante. Um segundo atrás ele parecia o diabo em pessoa, sem dúvida capaz de fazer o que de pior lhe ocorresse, e agora um largo sorriso estava escancarado embaixo de seu nariz pontudo, exibindo dentes estragados.

— Sereno, foi só um mal-entendido — comentou Pedro, apaziguador, porque Marques ainda estava de semblante fechado. — Só vamo tentar evitar esse tipo de coisa daqui pra frente, beleza? A gente não quer confusão, Alemão, e tu também não quer confusão. Então, porra, é só a gente não criar confusão, e vai ficar tudo certo.

Naquela noite, Marques e Pedro chegaram cada qual em sua casa com uma mesma tarefa enfadonha pela frente: picar a maconha em porçõezinhas de um grama e embalar porçãozinha por porçãozinha em plástico. Cada uma seria vendida por um real.

Marques teria a ajuda de Angélica, que já estava a par de tudo e apoiava a decisão do marido de começar a vender maconha. A moça até surrupiara, da pizzaria onde trabalhava, uma balança de precisão, para empenhar na tarefa daquela noite.

Pedro também contava com uma balança de precisão: no caminho do ponto de ônibus até sua residência, passara no bazar de um amigo e pedira o instrumento emprestado. Mas, ao contrário de Marques e Angélica, não dispunha de privacidade para trabalhar, porque seu quarto não possuía porta. E sua mãe não poderia sequer sonhar que ele passaria a noite picando e embalando maconha ali dentro, do contrário sem dúvida pô-lo-ia para fora de casa. Só restava ao jovem, portanto, fazer justamente o que fazia agora: esperar que a mulher ficasse com sono e resolvesse ir dormir.

Ela estava rodeada de chaves de fenda e pequenos parafusos, sentada no chão da sala-cozinha, tentando consertar a fechadura da porta, que tinha estragado na segunda-feira. Passara a semana inteira empenhada nisso, catando as ferramentas assim que chegava do trabalho e debruçando-se por horas a fio sobre a fechadura desmontada: aquilo até parecia ter se tornado um hobby. Pedro achava que ela não teria sucesso, e, por isso, foi com surpresa que a ouviu dizer, animada:

— Terminei! Vem ver, vem ver!

— Tu conseguiu consertar essa porra, mãe? — perguntou ele, se aproximando.

— Mais ou menos. Olha só: é um tipo de fechadura dupla. O miolo é dividido em dois. E só o lado de fora tinha estragado. O que eu fiz foi desmontar a fechadura e montar ela ao contrário. Agora vou colocar ela na porta de novo, e a gente vai poder trancar a porta quando a gente sair. O único problema é que não vai dar pra trancar quando a gente estiver dentro de casa. — Ela sorriu triunfante para o filho. — Viu como vale a pena o esforço da gente?

Pedro gostava da mãe, claro, mas a humildade dela era tal que muitas vezes acabava por deprimi-lo, como agora.

— Parabéns, mãe. Mas sabe de uma coisa? Eu e tu, a gente trabalha tanto! Todo santo dia, a gente trabalha. Aí, quando estraga a fechadura, uma simples fechadura, a gente não tem dinheiro pra comprar outra... Tu entende o que eu quero dizer? Claro que é bom tu ter consertado a fechadura, mas... tá errado. Tendeu?

— O que que tá errado, meu filho?

O rapaz não achava fácil explicar as coisas quando conversava com ela.

— Não sei... Não acho certo que a gente tenha tão pouco dinheiro... Caralho, olha o tanto que a gente trabalha... Tu não te sente humilhada?

— Não.

— Porra, mãe, mas como não? É só isso o que existe pra gente neste mundo? Ficar reparando as coisas, remendando tudo? Desculpa, mas eu não entendo como tu consegue te conformar com o jeito que a gente vive. Pra que que a gente trabalha, então? Olha bem, mãe: a gente trabalha só pra não morrer de fome! Isso não te chateia?

— Um dia tudo melhora, Pedro. Se Deus quiser.

Ele ouvia aquela frase desde que se entendia por gente, e nunca nada melhorava.

— Claro, mãe, claro... — Nesse momento, surgiu-lhe um brilho nos olhos castanhos. — Na real, eu vou dizer pra ti que eu acho que já tá mesmo na hora de as coisa melhorar. Eu tô sentindo.

A mulher não percebeu a nota enigmática contida na voz do filho.

— Pois que Deus te ouça — rogou, juntando a palma das mãos diante do peito e revirando os olhos com devoção para o forro de madeira da casa, completamente apodrecido e esburacado desde sabe-se lá quando.

10.
O homem da maconha

Fazia já algum tempo que o calor não dava trégua, e no sábado, 7 de fevereiro de 2009, não foi diferente. Não havia uma única nuvem no céu de Porto Alegre, e todos tentavam escapar do sol como podiam. No Centro, a multidão se acotovelava por baixo das marquises, e a faixa central das ruas era desprezada, como se estivesse a cair o pior dos temporais. Mas havia muita animação no ar; afinal, era sábado, e muita gente não ia trabalhar no domingo.

Foi naquele dia que Marques e Pedro começaram a vender maconha — num ritmo não muito animador, diga-se de passagem. É que, por incrível que pareça, embora os dois tivessem passado a semana inteira planejando tudo, não tinham previsto uma coisa bem óbvia: eles próprios não teriam como se dedicar à venda da droga, porque passavam a maior parte do dia enfurnados no supermercado. E hoje, quando ali chegaram para começar a trabalhar, por volta da uma da tarde, Pedro tinha no bolso tristes dez reais: todo o rendimento do esquema até então, e talvez o único rendimento do dia inteiro, porque a dupla ficaria impossibilitada de vender maconha até a hora de bater o cartão e ir embora, às nove e vinte da noite, sem contar a caminhada de quase meia hora até a Lupicínio Rodrigues e a viagem de ônibus de quase uma hora até a Lomba do Pinheiro.

Tristes dez reais. Na opinião alarmada de Marques, era muito pouco, sobretudo levando em conta os quatrocentos reais devidos à sua irmã e mais os quatrocentos reais devidos a Fabrício, tudo para ser pago em no máximo um mês. Já na opinião tranquila de Pedro, aquele dinheiro não servia como parâmetro, porque não tinha sido obtido no modelo de operação idealizado: correspondia a uma venda feita por acaso, no curto caminho de sua casa até o ponto de ônibus. Ele topara com um amigo, numa esquina da Nova São Carlos, e este, à guisa de comentário, se queixara da dificuldade de encontrar maconha boa ultimamente; isso fora o bastante para o rapaz lembrar que trazia alguns gramas da droga consigo; sacara do bolso uma porção de buchinhas, exibindo-as na mão em concha ao amigo, que, constatando a ótima qualidade do produto pelo cheiro forte e pela dureza dos pedaços, prontamente comprara dez gramas. E agora, era até com certo otimismo que o jovem tentava calcular: se em questão de minutos tinha conseguido vender dez gramas de maconha por acaso, quanto tempo levaria para vender o resto todo, se tivesse disponibilidade para se dedicar à venda durante horas a fio, todos os dias?

Para Marques, não fora possível vender nem mesmo um único grama, apesar de a Lupicínio Rodrigues de fato ser tão promissora para o esquema quanto a Viçosa e a Nova São Carlos somadas, conforme ele tinha explicado a Pedro. Na verdade, a vila era minúscula, de modo que a demanda por maconha correspondente a seus moradores não tinha tanto peso assim; no entanto, sua localização privilegiada fazia com que todo santo dia centenas de pessoas dessem um pulinho ali, procurando a droga. Havia os milhares e milhares de playboyzinhos das redondezas, que normalmente obtinham maconha através de outros playboyzinhos — rebeldes sem causa conhecidos nas faculdades ou nos barzinhos da Lima e Silva —, e, de tempos em tempos, quando esses fornecedores oficiais ficavam sem maconha, seus amiguinhos do Menino Deus e da Cidade Baixa se viam obrigados a remunerar mendigos para irem ver se, por acaso, havia maconha na Lupicínio Rodrigues, porque eles próprios, claro, não tinham coragem nem de passar perto da vila. Também havia o mar de pessoas que diariamente vinham de todos os cantos da cidade para a decadente orla do Guaíba, pertinho da Lupicínio, e boa parte dessa gente perguntava por maconha na vila antes de ir caminhar, ou pedalar, ou andar de skate, ou namorar, ou apenas assistir ao pôr do sol.

— A gente tem que parar de trampar aqui pra poder vender a maconha — comentou Marques, enquanto ajudava Pedro a organizar o depósito do supermercado. Essa era uma tarefa que sempre realizavam aos sábados.

— Não, a gente não pode parar de trampar aqui, mano — contrapôs Pedro, bocejando. Tinha dormido muito pouco. Já era tarde da noite quando sua mãe decidira ir se deitar, na véspera, e só então ele pudera começar a picar e embalar a maconha, o que ficara fazendo até amanhecer.

Marques, por outro lado, estava bem disposto: pusera mãos à obra assim que chegara em casa, na noite anterior, sem precisar esperar nada, e além disso tivera a ajuda de Angélica; os dois levaram pouco tempo para picar e embalar tudo, de modo que ele pudera dormir bastante.

— Ué, por que que a gente não pode parar de trampar aqui?

— Porque a gente ainda precisa do dinheiro que a gente ganha trampando aqui. E, olha, a gente ainda vai precisar por um bom tempo, na real. Te liga: no começo, todo o dinheiro da maconha que a gente vender, a gente vai precisar usar pra comprar mais e mais maconha. Vai demorar um pouco pra sobrar dinheiro pra gente gastar como quiser, tá ligado? Primeiro nós temo que expandir o bagulho, até equilibrar a oferta com a demanda.

"Expandir", "equilibrar", "oferta", "demanda": Marques não entendeu muito bem.

— Hã?

— Eu vou... — Pedro tornou a bocejar: — Aaahhh... Eu vou te explicar. Tipo, a gente pegou a maconha ontem, que era sexta-feira, não foi? Beleza. Daí, vamo supor que, por algum milagre, a gente consegue vender tudo até segunda. Bom, a gente só vai poder pegar outra remessa na outra sexta. Isso significa que a gente vai passar a semana inteira chupando bala, tá ligado, perdendo de ganhar dinheiro. Por isso, a gente precisa comprar cada vez mais maconha, pra passar a semana toda vendendo. Cada remessa tem que acabar na sexta, que é o dia que a gente pega outra remessa. Quando a gente já tiver assim, vendendo o máximo que dá pra vender por semana, o dinheiro que sobrar depois que a gente comprar cada remessa vai ser o dinheiro que a gente vai dividir, tá ligado? Vai ser o nosso lucro.

— E quanto tu acha que a gente consegue vender por semana?

— Bah, não faço ideia. Mas agora a gente tem que se preocupar em dar um jeito de vender essa porra, sem parar de trampar aqui.

— O único jeito é botar alguém vendendo pra gente.

— E é o que a gente vai fazer. Olha só: amanhã é domingo, e a gente não vem trampar aqui, mas mesmo assim o dia vai ser cheio pra gente. Eu vou passar o dia vendendo maconha na minha quebrada, e tu, na tua. Mas a gente também tem que achar gente de confiança pra ficar vendendo no nosso lugar a partir de segunda, enquanto a gente tiver aqui. Acha um braço postiço pra ti, e eu acho um pra mim. Vamo deixar eles fazendo a mão, e a gente vai só administrando o bagulho.

— Eles vão ser, tipo, nossos funcionário? — riu Marques.

— Não. Funcionário, não. Vão tá mais pra sócio.

Marques teve um péssimo pressentimento.

— Ué, ué, ué, como assim?

— As duas pessoa que a gente chamar pra vender a maconha pra gente têm que ganhar a mesma coisa que nós, mano. A gente vai dividir todo o lucro sempre em quatro parte igual.

— Puta que pariu! Não acredito que tu vai cagar tudo com essas tuas ideia fodida!

Pedro suspirou.

— Caralho, Marques, não é só ideologia, sangue bom. Quando tu disse que queria vender maconha comigo, o que tu ia achar se eu quisesse ganhar mais dinheiro que tu? Porra, mano, eu tô tentando melhorar a minha vida, porque eu preciso melhorar a minha vida, mas tu também precisa melhorar a tua, então, tipo, cumé que eu ia te oferecer menos grana? Com que cara eu ia te propor uma coisa dessa?

— Na real, se tu quisesse que eu ganhasse menos que tu, sereno, de boa, eu não ia fazer choradeira. Eu só não ia querer participar do bagulho. Só isso.

— Ah, então tu não ia querer uma parte menor, mas oferecer uma parte menor pra outro, daí tudo bem? Se um bagulho não é bom pra ti, Marques, então não espera que seja bom pra outro, meu bruxo. Olha só: vamo supor que a gente acha alguém que aceita vender maconha pra nós, ganhando menos dinheiro do que nós: até que ponto a gente vai poder confiar nessa pessoa? Ligeirinho essa pessoa vai querer passar a perna na gente pra ganhar mais grana, e com razão, na real. Daqui a pouco, a gente não confia mais nessa pessoa, essa pessoa não confia mais na gente, e, porra, isso é a maior merda. *Confiança*, mano. *Confiança*, tá ligado? Isso aí não tem preço. Tu saber que o outro não tá tentando te foder pelas costa. Tem que ser assim. É assim entre eu e tu, não é assim? Então. Tem que ser assim entre todo o mundo.

— Tô ligado, Pedro, mas a ideia não era ganhar dinheiro bom? Mudar de vida e pá? Porra, eu não quero me meter nessa merda pra ganhar trocadinho.

— Mas nem eu, meu! A meta é dinheiro bom. Nada mudou. Eu tô te falando que vai ter dinheiro pra todo o mundo ficar legal. Porra, acredita em mim, mano. Te liga só: tu nunca quis traficar com o teu próprio irmão lá na Tuca, mas quis traficar comigo, porque tu sabe que eu vou fazer o bagulho direito, tu sabe que as minhas ideia são boa. Então relaxa, sangue bom, deixa comigo. A gente vai ganhar dinheiro pra caralho, tu vai ver, fica frio.

— Sereno, então. Vamo fazer do teu jeito. Mas nunca te esquece, mano: dinheiro em primeiro lugar. A gente tá fazendo isso pra ganhar dinheiro.

— Claro... — Mais um bocejo de Pedro. — Aaahhh... Claro, claro, dinheiro em primeiro lugar, com certeza.

O rapaz passou aquele dia inteiro mole que nem manteiga, se arrastando de tanto sono, pensando apenas em sua cama. Cada minuto parecia durar uma hora, e ele não achava ânimo sequer para fingir que gostava das palhaçadas sem graça dos colegas do supermercado. Pior ainda era quando apareciam aqueles clientes cheios de energia, que faziam questão de bater longos papos com cada funcionário da loja, só para dormirem à noite sem se sentirem pessoas esnobes. *Burgueses malditos!* Que fossem para o inferno, pensava Pedro, sorrindo para cada um deles com a mais profunda má vontade. Lamentava não exercer uma profissão daquelas em que o chefe chegava e dizia amigavelmente: "Tira o resto do fim de semana de folga, homem, vai pra casa descansar e volta aqui só na segunda". Aliás, existiriam mesmo profissões assim, ou seria coisa de filme? Deviam existir. E deviam existir, inclusive, aquelas outras, ainda melhores, nas quais a pessoa podia simplesmente dar folga a si própria: "Vou tirar o resto do fim de semana de folga e volto pra trabalhar só na segunda". Mas nenhum dos dois casos era o seu, infelizmente. O máximo que podia fazer era bater boca com o sr. Geraldo e ir embora para casa antes da hora, como tantas outras vezes. O problema era que, se fizesse isso, as horas de trabalho faltantes daquele dia seriam devidamente descontadas de seu salário, no final do mês, e ele já estava devendo muitas horas. Aguentou, pois, o sono, o trabalho cansativo, os colegas palhaços e os clientes tagarelas; quando finalmente chegou a hora de bater o cartão e ir embora, mal conseguia acreditar.

No ônibus lotado em que embarcou para ir para casa, cochilando em pé entre outros trabalhadores cansados, foi levado pela força do hábito a imaginar o prazer que seria dormir sem freio, até não aguentar mais, já que amanhã era domingo. Quase que instantaneamente, entretanto, se lembrou: era no dia seguinte que teria a primeiríssima oportunidade de se dedicar à venda de maconha, e portanto não poderia ficar atirado na cama até tão tarde; na verdade, quanto antes levantasse para ir fazer as coisas acontecerem, melhor. Mas a ideia de passar o dia todo empenhado naquilo o agradava. Não seria como trabalhar no supermercado: seria o início de um processo por meio do qual, esperava, em breve ganharia dinheiro — *dinheiro de verdade*. Estava ansioso, queria começar de uma vez, queria ver os primeiros resultados logo, para poder fazer projeções, estimativas, planejamentos, replanejamentos...

Como de costume, desceu do ônibus já metendo um cigarro nos beiços e ateando-lhe fogo. Agora faltava pouco: em dez minutos chegaria em casa, em quinze entraria no banho, em trinta jantaria, em quarenta deitaria para dormir. Diante dele, as ruas da Nova São Carlos estendiam-se penumbrosas, cheias de gente transitando, cheias de crianças sentadas no meio-fio, cheias de cachorros e gatos correndo soltos para lá e para cá, cheias de carros estacionados em frente aos bares; as casas estavam todas de portas e janelas escancaradas, tomando ar, e dentro de algumas era até possível ver alguém na cozinha, preparando a janta, ou na sala, assistindo à televisão, ou ainda no quarto, penteando o cabelo diante dum espelho. Pedro seguia seu rumo, cumprimentando conhecidos por quem ia passando. Então, ao virar numa esquina, viu se formar um burburinho à sua frente, o que lhe causou um pequeno susto.

— Olha aí, gurizada, é ele!

— Veja! Chega aí, Pedro, chega aí!

— Bah, o homem da maconha!

— Tem dez grama aí, mano? Eu vou querer dez.

— Eu também vou querer dez.

Os cinco homens estavam na ponta dum beco, poucos metros adiante. Desnecessário dizer que tinham se reunido ali para esperar Pedro chegar.

O rapaz foi caminhando em direção ao grupo, sorrindo, mas com as sobrancelhas enrugadas. De que forma ficaram sabendo que ele estava vendendo maconha? Só podia ter sido pelo homem que comprara dez gramas mais cedo... Sim, só podia ter sido assim; nenhuma outra possibilidade ocorria a Pedro. O homem era o único que sabia e devia ter comentado com eles... Não, não, não; não era bem assim... Valdir também sabia que o jovem começaria a vender maconha nas redondezas, assim como seu filho Lucas, além de Renato. Enfim, qualquer um dos quatro poderia ter espalhado a notícia.

Mas não tinha sido nenhum deles: conversando com os homens que acabavam de abordá-lo, Pedro descobriu que a informação lhes tinha sido dada pelo dono do bazar, de quem o rapaz pegara emprestada a balança de precisão, na véspera.

Após vender um total de quarenta gramas de maconha ao grupo, o jovem seguiu para casa, descendo a Guaíba. Dali, do alto da Nova São Carlos, tinha uma visão privilegiada da vizinhança: lá embaixo, na futura Vila Sapo, barracos e mais barracos se amontoavam, e logo adiante erguia-se a Viçosa, outro bolo de casebres: as luzes das casas brilhavam por toda parte, incontáveis, parecendo querer fazer inveja às estrelas.

O sono e o cansaço tinham ido embora. Pedro estava se sentindo... *importante*...

"Bah, o homem da maconha!"

Percebeu, com inesperado acréscimo de autoestima, que estava assumindo um papel cujo desempenho era esperado por muita gente. Graças a ele, diversos maconheiros da região não precisariam mais bater coxa atrás de maconha. Claro, podia não ser a história mais bonita em que já se metera, mas, de todas as histórias em que se metera, era a primeira a permitir que figurasse como protagonista, e não apenas como mero coadjuvante.

Naquele momento, não se sentia inferior, como sempre acabava acontecendo na rotina estafante do supermercado, em cujo depósito se matava desmontando as montanhas de caixas, pacotes e fardos, para catar os produtos que estivessem acabando nas prateleiras, para depois tornar a montar as montanhas de caixas, pacotes e fardos, para em seguida ir colocar os produtos em seus respectivos lugares nas prateleiras, para que então os clientes viessem e comodamente os pegassem e os jogassem nos carrinhos de compras, sem imaginar a enorme quantidade de suor derramado, a enorme quantidade de energia gasta para que tudo estivesse ali, à mão, e sem imaginar, muito menos, que a remuneração obscena correspondente àquele trabalho todo não supria muitas vezes as necessidades mais básicas de um ser humano, mas sempre prontos a enchê-lo dos mais baixos desaforos se *uma única* etiqueta de preço estivesse fora do lugar, se *um único* produto estivesse em falta, ao que ele só podia baixar a cabeça, porque, afinal, o cliente tinha sempre razão.

Não; naquele momento, não se sentia inferior. Naquele momento, nem mesmo pensava em tudo de ruim que o supermercado representava. Naquele momento, não era Pedro, o supridor suado e calejado que doando sua alma não fazia mais do que a obrigação, mas sim Pedro, o comerciante que via diante de si um leque de boas possibilidades, que via diante de si um presente melhor do que o passado, que via diante de si um futuro melhor do que o presente. Naquele momento, era Pedro, o homem da maconha.

II.
Formação de quadrilha

Quando Pedro acordou, pouco faltava para as dez horas da manhã de domingo, 8 de fevereiro de 2009. Ele não conseguia se lembrar da última vez em que acordara tão cedo assim num domingo. Sentou-se na beirada da cama, acendendo um cigarro.

E eis que ali estava, com o cotovelo escorado na perna, a cabeça escorada na mão e os olhos perdidos no nada, queimando o primeiro branco do dia, como costumava dizer, e pensando na vida, como costumava fazer. Quem o visse, naquele momento, com o cabelo todo bagunçado e a preguiça estampada no rosto amassado, talvez se sentisse inclinado a defini-lo como a própria imagem do fracasso. Mas isso seria até um elogio, porque, a bem da verdade, Pedro era menos do que um fracassado: era alguém que nunca tinha tentado alguma coisa. E, sendo justamente isso o que resvalava em sua mente naquela manhã, o jovem prometia a si mesmo que ia mudar. Sentia a necessidade de transformar-se, de assumir uma outra postura diante do mundo, sendo talvez um pouco mais cego, um pouco mais ignorante, tendo um pouco mais de fé em si mesmo e simplesmente levando a cabo qualquer coisa que planejasse, passando por cima de *tudo* o que se pusesse em seu caminho, passando por cima de *todos* os que se pusessem em seu caminho, sem jamais duvidar da própria razão. Era isso. Porque, pensando bem, seu problema era pensar demais. Pensar tinha se tornado um vício, que o mantinha num permanente estado de dúvida sobre tudo, impedindo-o de agir em qualquer esfera. A iniciativa de vender maconha não podia ser apenas um ato isolado em sua vida: tinha que ser um divisor de águas, tinha que ser a faísca inicial de um incêndio, tinha que ser a mãe de uma forma de ser inteiramente nova. Ele começava uma guerra interna, contra si mesmo, para se tornar *gente que fazia*, para abandonar, de uma vez por todas, os caminhos sem rumo da indecisão.

Seu desjejum foi o de sempre: café preto, acompanhado do segundo branco do dia. Depois o rapaz deu de mão na sacola de papel pardo em que estava a maconha, já toda devidamente picada e embalada em buchinhas de plástico. Quando saía para a rua, entretanto, estacou bruscamente à porta aberta: a mãe o chamava.

— Qual vai ser, mãe?

— Aonde tu vai?

— Vou na casa dum parça.

Não era mentira: ia mesmo à casa de um amigo, que se chamava Guilherme. E apressou-se a retirar-se, antes que ela acabasse perguntando o que havia na sacola. Em seguida, porém, tornou a deter-se, para conversar brevemente com Roberto, o marido de sua prima. O homem estava em pé na porta de casa, sem camisa, todo sujo de graxa, com um prato de comida numa mão e um garfo na outra, as mandíbulas trabalhando, os olhos pousados na moto velha que usava para trabalhar. Ao que parecia, estivera fuçando no veículo desde cedo e agora parara para almoçar, apesar de ainda faltar mais de uma hora para o meio-dia.

— Que que deu na moto, Roberto?

— É o que eu tô tentando descobrir, na real. Não pega de jeito nenhum, tá ligado?

— Leva no mecânico.

— É, parece que não tem outro jeito. Só que, se o mecânico cobrar mais de cinquenta centavos pra arrumar, daí já não vou poder pagar.

— Que merda, hem?

— É, que merda.

Pedro não sabia o número do celular de Guilherme e temia não encontrar o amigo: ele era do tipo rueiro, desses que só frequentam o lar para fazer as refeições ou para dormir. Se não estivesse em casa, seria difícil imaginar em que canto da cidade poderia andar. Mas Pedro teve sorte: Guilherme, que aparentemente tinha acabado de saltar da cama, estava sentado no meio-fio da Guaíba, em frente ao próprio pátio, comendo um pão.

Era um rapaz baixo, de rosto quadrado e orelhas de abano. Roubava carros para sobreviver. Mas, como todo o mundo, tinha sua história, claro. O pai, com quem morava antigamente, naquele mesmo endereço, fora preso por estelionato quando ele contava apenas catorze anos e terminara morto poucos meses depois, esfaqueado dezenas de vezes por alguém, dentro do Presídio Central de Porto Alegre. Contudo, antes ainda do assassinato, em virtude da prisão do pai, o adolescente já tinha ido viver com a mãe, em Viamão, e só Deus sabe o que aquela pobre mulher sofrera por causa da rebeldia do filho. O colégio estava para Guilherme assim como a igreja está para o Diabo: não havia quem o convencesse a frequentar as aulas. Ele passava o dia inteiro fumando maconha nas esquinas da Martinica, vivia envolvido em brigas e às vezes simplesmente desaparecia, voltando para casa só três ou quatro dias depois. Não podia deitar os olhos na mãe, que já se punha a atormentá-la sem parar, implorando pelo tal do "meu espaço"; queria independência; queria voltar a morar na Lomba do Pinheiro, desta vez sozinho, na mesma residência que coabitava com o pai antes de este ser preso. Alguém precisava cuidar da casa, não sucedesse de invadirem-na, argumentava. A princípio a mulher achara a ideia um absurdo, evidentemente, mas, com o tempo, pensando melhor, terminara por concordar. Sim, um pouco de independência faria bem a Guilherme: o filho perceberia o quanto a vida era dura e talvez entendesse o valor da disciplina, passara a ponderar a mãe, repetindo esse pensamento diariamente, como um mantra, até de fato acreditar nele, até esquecer que, no fundo, só o que queria era se ver livre do guri. De volta, então, a seu antigo lar, Guilherme começara a trabalhar em uma churrascaria: um emprego arranjado de boa vontade por um vizinho. No entanto, incapaz de aturar desaforos, logo na primeira semana o adolescente espancara um cliente com um espeto de maminha malpassada, e assim acabava para sempre sua carreira de garçom. A mãe, porém, telefonava de vez em quando, perguntando como andava o trabalho. Se Guilherme estivesse apertado, precisando de dinheiro, ela podia lhe mandar alguma coisa, dizia. Mas não precisava, estava tudo bem, o rapaz respondia sempre. E mesmo hoje em dia a mulher pensava que o filho era garçom em uma churrascaria, quando na verdade ele mudara de ramo havia tempos, tendo encontrado um revólver .38 entre as coisas do finado pai.

— E então, Pedro, qual vai ser, vagabundo?

— Qual vai ser, Gui, tudo certo?

— Sereno, mano. E a maconha?

Guilherme perguntava pela força do hábito; não fazia a menor ideia de que Pedro estava vendendo maconha.

— Então, sangue bom, a maconha tá aqui. — Pedro largou a sacola de papel pardo diante do amigo. — Baseado massa — garantiu. — Cinquenta, cinquenta — informou.

A expressão "cinquenta, cinquenta" significava "cinquenta gramas por cinquenta reais". Mas o comprador não precisava necessariamente adquirir cinquenta gramas; era apenas uma forma de informar o preço, equivalente a dizer que cada grama custava um real.

— Bah, não creio! — exultou Guilherme, abrindo a sacola para dar uma olhada. — Cara, tu caiu do céu. Eu tava pensando em dar um rolê lá na Conceição pra comprar um baseado, mas na real tô assim, olha... azul de preguiça! — Pareceu gostar da própria tirada, pois riu gostosamente e repetiu: — *Azul de preguiça!*

— Quanto tu quer, filho da puta? — perguntou Pedro, também rindo.

— Eu quero cem. Vem, vamo entrar ali na baia.

— Vamo, vamo ali.

Uma vez dentro do casebre, Pedro deixou-se desabar no sofá da sala e começou a separar as cem buchinhas solicitadas, enquanto Guilherme ia buscar o dinheiro no quarto. Instantes depois o dono da casa voltava, jogando no colo do visitante duas notas de cinquenta dobradas uma por cima da outra e dizendo:

— Toma aí. Agora, deixa eu ver isto aqui... — Pegou uma das buchinhas e apertou-a entre os dedos para sentir a dureza da maconha, e em seguida aproximou-a das narinas para cheirá-la. — Caralho, é a boa mesmo!

Pedro estalou os beiços e emendou:

— Claro que é a boa, mano, porra, tô falando! — E, vendo que Guilherme sacava o celular do bolso, perguntou: — O que tu vai fazer?

— Vou espalhar a notícia, claro.

Ele ligou para pelo menos uma dúzia de amigos, informando que Pedro tinha maconha para vender na baixada. Maconha boa e preço bom, repetiu a todos. E alguns deles responderam que estavam descendo à baixada imediatamente para comprar alguns gramas.

— Tu é o cara, Guilherme — agradeceu Pedro. — Mas te liga só: sempre que tu for falar pra alguém que eu tô vendendo maconha, avisa pra nunca me procurarem em casa. Diz que eu vou tá pela rua: na praça, no campo ou na frente dum beco... Se bem que...

— O quê?

— É que eu vou vender só hoje, na real. Depois vou deixar alguém vendendo no meu lugar.

— E quem tu vai deixar vendendo pra ti?

— Não sei ainda. Podia ser tu, não é?

Guilherme riu.

— Essa aí não é a minha praia, sangue bom. Mas não te preocupa: tu vai achar alguém. O que não falta é boneco querendo fazer essa mão aí. Tem de tonel.

O problema, explicou Pedro, era que não podia ser qualquer um: tinha que ser alguém em quem pudesse confiar, alguém que não fosse tentar passá-lo para trás na primeira oportunidade. Mas, acrescentou, era melhor ir por partes, como diria Jack, o Estripador: primeiro aproveitaria o dia de folga para vender o máximo de maconha que conseguisse; só depois tentaria encontrar um bom vendedor.

Um a um, os amigos de Guilherme que tinham prometido descer à baixada foram aparecendo, e Pedro estava na praça para recebê-los. Só a eles, o rapaz vendeu mais de duzentos gramas de maconha. E permaneceu por ali até cerca de quatro horas da tarde, chamando cada um dos maconheiros conhecidos que via passar na Guaíba, para contar-lhes que estava vendendo a erva. Uns tiravam dinheiro do bolso e adquiriam alguns gramas na mesma hora, outros iam buscar dinheiro em casa e voltavam em seguida para comprar. Também havia os que, alegando não terem como pagar no momento, pediam fiado; em resposta, contudo, ouviam um "não" mais obstinado do que o outro, à medida que insistiam, até que por fim iam embora, resmungando.

Depois o jovem foi ao campo de futebol, que ficava no sopé da Viçosa. Sempre havia pelada daquela hora até o anoitecer, e sempre havia também muita gente assistindo. Ele achava que poderia vender bastante maconha para a plateia, o que de fato aconteceu, mas não contava com o evento bizarro que se seguiu: em determinado momento, o jogo se interrompeu, porque vários dos jogadores, vendo Pedro distribuir maconha ao redor do campo, abandonaram a pelada e foram correndo buscar dinheiro em casa, antes que a droga terminasse. E realmente tudo acabou com incrível rapidez: menos de uma hora após ir ao campo, o rapaz tinha vendido seu último grama de erva e voltava para casa, com a sacola de papel pardo vazia e os bolsos cheios.

Tornou a encontrar Roberto no pátio. O homem já não estava mais sujo de graxa e a moto havia desaparecido.

— Vamo que vamo, Roberto! — cumprimentou o jovem, exalando toda sua animação.

— Bah, tu mesmo, Pedro! Chega aí, eu quero trocar uma ideia contigo.

— Sereno, fala aí.

— Te liga: será que tem uma vaga lá no supermercado que tu trampa? Qualquer coisa serve.

Pedro comprimiu os lábios.

— Bah, Roberto, pior que não. Por quê? Que que deu?

— Ah, aquela porra daquela moto já era, cara. E eu não tenho como trampar sem ela, tá ligado? Seguinte: eu tô oficialmente desempregado. O mecânico me cobrou trezentos pra arrumar. E eu não tenho como pagar, lógico. Tô fodido, mano. Mas na real já decidi o que que eu vou fazer: vou vender a moto pra segurar as ponta na baia por um tempo. Se pá até vendo pro mecânico mesmo: ele disse que tá interessado. De qualquer forma, tenho que arranjar outro trampo ligeirinho. O dinheiro da moto não vai durar pra sempre.

Desnecessário dizer o que passava pela cabeça de Pedro.

— Roberto, tu tá sozinho na baia?

O homem estranhou a pergunta. Mas respondeu:

— Tô. A tua prima levou as criança pra visitar a Paula.

— Beleza. Vamo trocar uma ideia ali dentro, então.

— Sereno, vamo lá.

Uma vez dentro do barraco, o rapaz suspirou e disse, em voz baixa:

— Olha, mano, é assim: vaga no supermercado não tem mesmo. Mas tem outra coisa... — E convidou Roberto a participar do esquema da maconha, explicando toda a situação detalhadamente: contou que tinha concebido a ideia para tentar melhorar de vida; falou sobre Marques, o colega do supermercado que tinha pedido para entrar no negócio e que devia estar vendendo maconha na Lupicínio Rodrigues naquele exato momento; por fim, disse que um outro vendedor, escolhido por Marques, também entraria na história: se ele, Roberto, quisesse participar, seria um dos quatro integrantes do grupo, sendo que todos dividiriam os lucros igualmente.

— Não sei, não, Pedro... E vender maconha dá dinheiro, mano?

Pedro inclinou a cabeça e ergueu as sobrancelhas.

— Te liga, Roberto: é como eu te expliquei: durante algum tempo, a gente vai usar o lucro pra comprar cada vez mais maconha. Depois, quando a gente já tiver vendendo o máximo que der, tudo o que entrar de dinheiro a gente divide. Vamo fazer umas conta aqui, rapidinho. Pelo que eu vi hoje, te digo: dá pra vender um quilo por dia tranquilo aqui na quebrada. Daí, vamo imaginar que na Lupicínio também dá pra vender um quilo por dia. Isso significa que a gente vai vender catorze quilo por semana, certo? Cada quilo, depois de picado, embalado e vendido em buchinha de uma grama, cada quilo rende mil real. Então, toda semana a gente vai botar a mão em catorze mil. Mas a gente precisa comprar a remessa da próxima semana, tá ligado, a gente precisa pagar mais catorze quilo. Como cada quilo custa setecentos, significa que a gente vai gastar... deixa eu pensar... vamo ver... Nove mil e oitocentos:

pronto, isso é o que a gente vai gastar, toda semana. Tirando isso dos catorze mil, sobra quatro mil e duzentos pra gente dividir entre os quatro. *Por semana.* É mais de mil pra cada um, mano. *Por semana.*

— Bah, é um bom dinheiro...

— Mas claro que é! Imagina! Pra ganhar isso aí de outro jeito, tu vai ter que jogar uns ano da tua vida fora, fazendo uma faculdade. E, olha, pode ser que nem assim tu consiga.

Roberto refletiu longamente, alisando o queixo, e por fim decidiu aceitar o convite:

— Sereno, então. Pode contar comigo.

— Aí, sim! Porra, irmão, tu não vai te arrepender!

Pedro despediu-se do homem e foi para casa, cantarolando. Depois, debaixo do chuveiro, sentiu seus últimos receios escorrerem pelo ralo junto com a água. "Mas como é simples!", pensava. "Tudo tão simples! O primeiro passo, na real, é o único, e daí as coisa vão acontecendo sozinha, naturalmente, bem de boa... Qual era a dificuldade, afinal? Por que não comecei isso antes? O que eu temia? Bom, não importa! Nada mais importa agora! Em breve vou ser rico!"

Como era bom espiar o futuro e apreciar a visão! O que o jovem sentia naquele momento, aquela vontade de ir adiante, aquela ansiedade pelo porvir, aquela fé transformada em certeza de que tudo daria certo, aquela gratidão imensa e antecipada pelo curso inevitável que, logo mais, faria de sua vida uma *boa* vida, aquilo era felicidade: felicidade pura. No entanto, o sentimento lhe parecia ligeiramente familiar, como se já o tivesse experimentado antes... Já tinha sido feliz? Agora achava que sim, mas não conseguia se lembrar exatamente quando.

Saiu do banho e consultou o relógio da parede da sala-cozinha. Considerando que ainda era cedo, decidiu ir até a Vila Campo da Tuca pagar os quatrocentos reais de Catarina. Ao chegar no bar da mulher, surpreendeu-se: Marques estava ali, sentado ao balcão. Também tinha vendido todo seu quilo de maconha e tivera a mesma ideia de ir dar o dinheiro devido à irmã.

— Mas quem diria, hem? O esquema dos bostinha tá fluindo — comentou Catarina, sorrindo.

— E é só o começo — disse Pedro.

— Com certeza — concordou Marques. — Logo, logo, a gente tá montado na grana!

Os dois bebiam cerveja: uma cortesia de Catarina pelo pagamento dos quatrocentos reais bem antes de findar o prazo combinado.

— Agora é só ligar pro Fabrício — falou Pedro. — Vamo pedir dois quilo de novo. Mas, nessa remessa, a gente não vai ficar devendo nada pra ele, porque os dois quilo custa mil e quatrocentos, e como a gente já pagou a Catarina, nos sobrou mil e seiscentos, certo? Então: a gente pega essa segunda remessa de dois quilo com os mil e seiscentos, e os duzentos que vão sobrar, a gente abate dos quatrocentos que a gente tá devendo pra ele da primeira remessa.

Marques pigarreou.

— Escuta, Pedro: eu tenho uma ideia melhor. Vamo pagar os quatrocentos, tudo de uma vez, e vamo pedir logo mais seis quilo de maconha.

— Ah, mano, tu tá é louco! É claro que o Fabrício não vai deixar a gente ficar devendo tanto dinheiro.

— E quem falou em ficar devendo?

Pedro encarou o amigo. Sem dizer palavra, ficou esperando um esclarecimento. E não demorou a obtê-lo:

— É que agora, na próxima quarta-feira, *eu vou botar as mão em três mil, mano!* — revelou Marques, numa exclamação toda animada, dando um tapa no balcão. — Três mil, caralho! Três mil, e não é totó! Escuta, escuta: eu já até fiz as conta, sangue bom. Juntando esses três mil que eu vou pegar com os mil e seiscentos que a gente tem, dá quatro mil e seiscentos. Depois que a gente pagar os quatrocentos do Fabrício, sobra quatro mil e duzentos, não é isso aí? Agora faz as conta: como cada quilo custa setecentos, a gente vai poder comprar seis quilo certinho com esse dinheiro. Pode fazer as conta, porra! — Um largo sorriso distorcia seu rosto, e sua voz tinha ficado mais esganiçada a cada palavra. Era evidente o grande esforço que ele fazia para controlar o entusiasmo de dar uma notícia como aquela.

Maior ainda, porém, era o esforço que Pedro, cauteloso, fazia, para não se deixar contagiar pela empolgação do amigo precipitadamente. De qualquer forma, já sentia as próprias faces se abrindo num sorriso bobo, como se mãos invisíveis lhe puxassem as bochechas.

— É sério, isso, Marques?

— Claro, meu!

— Caralho! Mas de onde tu vai tirar esses três mil, irmão?

— É a rescisão do trampo da Angélica, na real. Demitiro ela da pizzaria ontem e mandaro ela ir pegar o dinheiro quarta. Já fazia um tempão que ela tava tentando fazer demitirem ela, e ontem isso finalmente aconteceu, graças a Deus! E foi na melhor hora, tá ligado, porque ela achou um trampo bem melhor agora.

— Veja! Só notícia boa! Que trampo ela arranjou, mano?

— Bah, essa é a melhor parte da história! — A voz de Marques agora soava como uma rabeca, sufocada pelo riso. — Ela vai vender maconha na Lupicínio!

Pedro não se conteve: soltou uma sonora gargalhada.

— Caralho, véio, tu é muito filho da puta!

— Olha o jeito que tu fala da minha coroa, olho do cu! — brincou Catarina, também rindo.

Marques tomou um gole de cerveja. Depois, perguntou:

— E tu, Pedro? Conseguiu arranjar alguém pra vender na tua quebrada lá?

Pedro falou sobre Roberto.

— Ah, tu também botou um parente na jogada, então? O que tu quer falando de mim? Tu é tão filho da puta quanto eu.

— Mas o Roberto não é meu parente. Ele só casou com a minha prima. Ele não tem o meu sangue.

— Se é por isso, a Angélica também não tem o meu sangue. Se ela tivesse o meu sangue, cumé que eu ia casar com ela?

Os três tornaram a rir.

— Olha, guris — disse Catarina —, só por vocês me fazer rir, eu vou deixar vocês tomar outro gelo, por conta da casa.

— Olha aí, Marques, tá vendo? Tu nem precisava vender maconha pra ficar rico, mano; tu podia ficar rico só animando as pessoa com as baboseira que tu diz! Se tu cobrasse por quilo, já tava milionário!

12.
Expansão

Falta de dinheiro trocado: coisa temida em qualquer estabelecimento comercial. Mas isso começava a deixar de ser problema numa certa filial da rede Fênix de supermercados. Pois na segunda-feira, 9 de fevereiro de 2009, realizando pela primeira vez uma transação que se repetiria com valores cada vez maiores, Marques e Pedro deram aos caixas do supermercado os seus mil e seiscentos reais, tudo em notas pequenas e moedas, recebendo de volta o mesmo valor em notas de cem e cinquenta. A fiscal de caixas precisou abrir três gavetas, uma de cada caixa, para juntar a quantia.

Naquela semana, tudo aconteceu conforme o esperado. Angélica foi receber o dinheiro de sua rescisão trabalhista na quarta-feira, e na quinta Pedro telefonou para Fabrício, encomendando seis quilos de maconha e avisando que também já pagaria os quatrocentos reais devidos. Fabrício mostrou-se muito contente com o andamento das coisas.

— Essa remessa vai ser três vezes maior do que a primeira — comentou —, e tu ainda vai pagar a tua dívida! Tô vendo que a gente vai se dar bem, guri.

Desta vez, porém, Pedro pediu que a droga fosse entregue na primeira hora da tarde, se possível. Fabrício respondeu que, quanto a isso, não tinha problema, porque, apesar de outras entregas terem maior prioridade, ninguém gostava de receber remessas antes de anoitecer. Além disso, prosseguiu Pedro, desta vez o local da entrega ia ser outro: queria que a maconha fosse entregue num barzinho da Vila Lupicínio Rodrigues, se possível. Tudo bem, disse Fabrício. E tinha, também, outra coisa, explicou Pedro: não ia ser ele quem receberia a maconha, mas uma mulher chamada Angélica. Tudo bem, tornou a dizer Fabrício. Então, depois de tudo acertado, eles se despediram e desligaram.

Na sexta-feira, 13, que se seguiu, às treze horas, Angélica recebeu os seis quilos de maconha no boteco onde Marques costumava jogar sinuca com o velho da Lupicínio. E, seguindo as instruções de Pedro, Roberto foi até a casa dela, por volta das duas da tarde, para pegar metade da droga. Desta vez, a maconha durou até segunda-feira, dia 16, sendo que Roberto e Angélica cortaram e embalaram tudo na sexta, mas só começaram a vender mesmo no sábado: ele, na futura Vila Sapo; ela, na Vila Lupicínio Rodrigues.

Na terça-feira seguinte, dia 17, um funcionário da rede Fênix de supermercados, muito amigo de Marques e Pedro, perdeu o emprego de empacotador: Luan, aquele realmente chamado por todos de Luan, e não mais de Chokito. O erro do adolescente foi insistir na Operação Bruxaria, apesar do reforço na segurança. Apanhado em flagrante ao descer pela janela do vestiário o produto de seu furto (um coração de pelúcia com os dizeres "I LOVE YOU", que tencionava dar de presente de aniversário para a mãe), acabou demitido por justa causa. E assim chegava ao fim a missão dos seguranças emprestados de outras lojas, exatamente duas semanas depois de terem começado a trabalhar naquela filial da rede Fênix de supermercados. O sr. Geraldo disse-lhes que podiam voltar a trabalhar em seus postos originais e, no dia seguinte, mandou o chefe do hortifruti, que já tinha sido pedreiro, fixar a janela do vestiário com argamassa.

Conforme mencionado, Luan era muito amigo de Marques e Pedro. Entre os empregados do supermercado, somente ele tinha ficado sabendo do esquema da maconha, com exceção, claro, de Jorge, o segurança que dera aos jovens o número de Fabrício.

Antes mesmo de perder o emprego, Luan tinha pedido para participar da venda de maconha; Pedro e Marques tinham negado. Mas, agora, duas coisas faziam a dupla pensar em aceitá-lo como membro da quadrilha: em primeiro lugar, o adolescente dissera, uma vez, que só tinha começado a trabalhar porque a mãe, com quem morava, estava desempregada e não conseguia arranjar serviço, por ser velha e doente, de maneira que dava direto na mão dela todo o salário de empacotador, sustentando, assim, a casa; sua demissão, portanto, significava que tanto ele como a mãe viam-se na iminência de passar por sérias necessidades, coisa que Marques e Pedro não gostavam nem de imaginar. Em segundo lugar, Roberto e Angélica tinham dito que, a continuar crescendo a quantidade de maconha que vendiam, como, aliás, era o esperado, seria impossível eles mesmos, Angélica e Roberto, continuarem cortando e embalando tudo antes de vender. Era preciso pôr alguém para fazer única e exclusivamente aquilo.

Assim Luan acabou entrando na quadrilha, como cortador e embalador da maconha. Foi difícil, mas Pedro conseguiu persuadir Roberto a aceitar que o adolescente tivesse participação igual à de todos nos lucros, e Marques, já parcialmente contagiado pelos ideais socialistas do amigo (ou pelo menos conformado com eles), tratou de convencer Angélica.

Na quinta-feira, dia 19, Pedro telefonou para Fabrício. Queria nove quilos de maconha, mas ia ficar devendo trezentos reais, se possível. Fabrício emitiu um riso seco: estava tudo bem, os trezentos reais nem precisavam ser pagos, esclareceu. Pedro agradeceu e continuou: a entrega podia ser feita na primeira hora da tarde de novo, mas desta vez o endereço ia ser uma casa da Vila Planetário, se possível. Tudo bem, disse

Fabrício. Além disso, explicou Pedro, quem ia receber a droga ia ser um adolescente chamado Luan. Tudo bem, tornou a dizer Fabrício. Então, depois de tudo acertado, eles se despediram e desligaram.

Na semana seguinte, tendo vendido os nove quilos de maconha e possuindo, portanto, nove mil reais, a quadrilha encomendou treze quilos da droga. Eles ficariam devendo cem reais, mas Fabrício novamente permitiu que não pagassem. Desta vez, Alemão, o entregador, teve que fazer duas viagens.

A capacidade semanal de venda da quadrilha era de catorze quilos: sete na Vila Lupicínio Rodrigues e sete na baixada entre a Vila Viçosa e a Vila Nova São Carlos — a futura Vila Sapo. No entanto, com certeza eles poderiam vender bem mais do que isso, não fosse a singular maneira como operavam. Todo dia Angélica e Roberto, os vendedores, trabalhavam apenas até atingir a meta de vender um quilo da maconha cada um e só voltavam a entrar em ação no dia seguinte. Assim, o tempo durante o qual ficavam vendendo variava de acordo com a própria venda: alguns dias, trabalhavam cinco horas; outros, oito. Pedro fora o idealizador desse modo de operação, e o concebera para que Angélica e Roberto não ficassem trabalhando o dia inteiro, indefinidamente.

Então, veio a primeira divisão de lucros. Tendo vendido os treze quilos de maconha e possuindo, portanto, treze mil reais, a quadrilha encomendou catorze quilos para a semana seguinte, que custaram nove mil e oitocentos reais, e dividiu em cinco partes iguais os três mil e duzentos reais restantes. Cada integrante ficou com seiscentos e quarenta reais.

Na segunda divisão de lucros, uma semana depois, tinham somado mil reais a mais, pois a quadrilha tinha vendido um quilo a mais, de modo que cada integrante ficou com oitocentos e quarenta reais.

E assim foi: Marques, Pedro, Roberto, Angélica e Luan estavam faturando mais de três mil reais mensais, cada um, com a venda de maconha.

Na quarta semana de março, o sr. Geraldo deu férias a Marques e Pedro. Nem um nem outro jamais souberam o que era tirar férias com dinheiro de verdade nos bolsos, de modo que ficaram muito animados e combinaram com seus comparsas de passarem o domingo seguinte num parque aquático situado na região metropolitana de Porto Alegre. A reunião, além de ser uma boa maneira de comemorar o sucesso que até então vinham obtendo, serviria também para que pudessem debater sobre uma oportunidade de expandir os negócios — oportunidade essa que, segundo Luan, não podiam deixar de abraçar de jeito nenhum.

Então, na manhã do domingo, dia 29 de março de 2009, os cinco traficantes ocuparam uma das mesas rústicas que se estendiam pelo flanco esquerdo do parque aquático, junto à mata. Roberto, que já tinha sido cozinheiro, fazia questão de assar a carne para o almoço, e já despejava o carvão numa churrasqueira próxima; Angélica tinha trazido arroz e salada de casa. O clima era de pura alegria; a prosa, pontuada por risadas e goles de cerveja gelada, refletia a felicidade que o dinheiro estava comprando. Pássaros cantavam por toda parte, e a luz preguiçosa do sol matinal filtrava-se na copa das árvores, reduzindo-se a traços inclinados que sumiam e tornavam a aparecer, conforme as folhas e os galhos se movimentavam com a brisa.

— Bom, por que a gente não vai ao que interessa de uma vez? — sugeriu Pedro num determinado momento, gesticulando, tentando chamar a atenção, enquanto os outros falavam e falavam em conversas cruzadas. — Gente, gente, por favor! A gente vai ter tempo de sobra pra trovar e dar risada lá na beira das piscina, depois. — Quando finalmente conseguiu fazer com que todos se calassem, acenou com a cabeça para Luan. — Conta direito aquela história lá, Chokito.

— Chokito é o meu pau! — aborreceu-se o adolescente.

Pedro riu.

— Achou que eu não me lembrava desse apelido, não é, Chokito?

— Porra, hem, Pedro! — repreendeu-o Roberto, enquanto tentava fazer o fogo vingar, lá na churrasqueira. — Tu pede pra gente ficar quieto e depois fica fazendo essas tuas palhaçada.

— É, é, é, deixa o guri falar, cacete — apoiou Angélica.

— Explica o bagulho aí, Luan — incentivou Marques. — Não dá bola pro Cabide — acrescentou rindo.

Embora tivesse acabado de repreender Pedro por fazer palhaçadas, Roberto não se conteve ao vê-lo ser chamado de Cabide, apelido que, dada a magreza do rapaz, dispensava explicações. Começou a gargalhar, colocando a mão na testa, jogando a cabeça para trás e chacoalhando os ombros musculosos, como era seu costume.

— Ah, meu Deus, "Cabide"!

Pedro se virou para o marido de sua prima.

— Ah, então eu não posso fazer palhaçada, mas da palhaçada do Lenhador tu ri, não é, Roberto? Vai rindo, mano, vai rindo. Vai rindo, que daqui a pouco eu conto pra todo o mundo aqui que, em casa, tu cozinha enfiado no avental da tua mulher, ouvindo Spice Girls.

Angélica deu um tapinha na cabeça de Pedro.

— Vem cá: o que tu tem contra as Spice Girls? E que história é essa de Lenhador? Por que chamou o meu marido assim?

— Ué, é só tu reparar nas camisa que ele usa que tu vai entender — respondeu Pedro. E, de fato, Marques tinha mesmo um fraco por camisas xadrez, especialmente vermelhas, por ser torcedor do Internacional; camisas essas que o faziam parecer um autêntico lenhador, desses estereotipados nos filmes norte-americanos.

Estavam todos rindo e falando ao mesmo tempo novamente, o que levou Luan a se queixar:

— Ah, vão se foder! Cês são muito palhaço, puta que pariu! Na real, um palhaço passa vergonha perto de vocês!

Foi só depois de mais alguns instantes de algazarra que, por fim, todos se calaram de vez para ouvir o adolescente.

— Agora é sério, Luan, fala aí, fala aí.

E Luan, que até então estivera escorado numa amoreira, com as mãos às costas, veio sentar-se à mesa, ao lado de Angélica.

— Bom, cês sabe, eu moro na Planetário — começou. — E a Planetário fica pertinho do Palácio da Polícia, tá ligado? Beleza. Daí, esses dia, um pessoal da TV foi fazer uma reportagem lá na vila, só pra mostrar que tinha tráfico de droga perto do Palácio. Eles foro lá com câmera escondida e filmaro as fila de viciado esperando pra comprar pedra e pó na boca. A reportagem deu na TV, segunda passada.

— Bah, eu vi esse bagulho aí — comentou Roberto, que ainda estava lá em volta da churrasqueira, tentando fazer o fogo vingar. Virou-se, de modo a ficar de frente para os outros. — Aquele gordo palhaço ficou louco! — acrescentou, referindo-se ao apresentador do programa sensacionalista que levara a matéria ao ar. E, em seguida, encheu as bochechas de ar para imitá-lo: — "Absurdo! Absurdo! Absurdo! Até do quintal do Palácio da Polícia os vagabundos estão tomando conta, tchê! Absurdo! Absurdo! Absurdo! Não aceito! Não aceito! Não aceito!". — Riu ligeiramente. — Bah, o gordo dava pulo! — concluiu.

— Dois dia depois dessa reportagem aí — prosseguiu Luan —, a polícia resolveu se mexer. Bah, fizero uma baita operação lá. Pegaro as arma, as droga, o dinheiro, tudo. E foi todo o mundo preso.

— Beleza, Luan; mas o que tudo isso tem a ver com a gente? — quis saber Angélica.

— Calma aí; eu tô chegando lá — disse o adolescente, mostrando a palma da mão para ela. — Bom, o que fodeu a boca da Planetário foi a pedra e o pó, na real. Porque as fila de viciado era só de aspirador e britânico, tá ligado? Não tinha fila de maconheiro. E as fila é que foro o motivo do bafafá todo. Tipo, fila de viciado esperando pra comprar droga, bem pertinho do Palácio da Polícia... Não pegou bem, aquela reportagem. Foi isso que deixou os porco louco.

— Quer dizer, então, que não vendia maconha na boca da tua vila lá? — indagou Roberto. — Era só pedra e pó?

— Aí é que tá: até vendia maconha lá. Mas não pra maconheiro. Os guri vendia maconha só de quilo, tá ligado? Pra outros traficante. É por isso que não tinha fila de maconheiro lá na vila. Pouca gente ia comprar maconha e, quando ia, era pra comprar, sei lá, cinco, seis quilo duma vez só, pra ir embora e vender noutro canto. Gente, esse lance de vender maconha só de quilo, pra quem fosse revender, isso aí era o ouro. Não ia cu pelado, e era tudo jogo rápido: pega os quilo, dá o dinheiro e vaza. O que eu tô tentando dizer é que a merda toda aconteceu e a boca acabou só por causa das fila de viciado comprando pedra e pó; o jeito que a maconha era vendida não chamava a atenção, porque não formava fila.

— Ah, já entendi — falou Marques. — A tua ideia é assumir a venda de maconha na Planetário, no lugar dos malandro que foro preso. Tipo, vender maconha do jeito que eles tava vendendo.

— Isso aí — confirmou o adolescente. — Eu posso continuar cortando e embalando a maconha que a Angélica e o Roberto vende, e, ao mesmo tempo, vender maconha de quilo, pros mesmo traficante que já comprava maconha lá na vila antes. Tudo de canto, ninguém vai desconfiar de nada.

— Por quanto os malandro da tua vila vendia cada quilo de maconha? — perguntou Pedro.

— Por mil — respondeu Luan.

Marques achou o valor estranho.

— *Mil?* Mas como mil?

O adolescente deu de ombros.

— Mil, cara. Dez vez cem. Mil.

— Ué, mas não fecha. Pensa bem: a gente paga setecentos por cada quilo pro Fabrício, certo? E daí, depois de picar, embalar e vender tudo, cada quilo rende mil pra gente. Então, se os traficante lá da tua vila vendia cada quilo por mil, quem comprava deles não tinha como lucrar.

Pedro compreendeu a dúvida do amigo.

— É que tu não é de fumar maconha, Marques. Se tu fumasse, tu ia saber que já faz tempo que tá todo o mundo vendendo a *cinquenta, cem* pra quem é de fumar. Isso significa que cinquenta grama custa cem conto, ou seja, cada buchinha de uma grama custa dois conto. Esse é o preço normal. Então, geralmente quem compra maconha pra vender paga mil em cada quilo e faz dois mil com cada quilo. A gente só consegue vender cada grama por um real porque o Fabrício busca a maconha lá fora e larga direto na nossa mão, a preço de banana.

Entretanto, as explicações de Pedro só confundiram Marques ainda mais.

— Porra, mas então a gente tá perdendo uma nota preta! — alarmou-se ele. — Por que a gente não cobra dois conto por cada grama também, já que tá todo o mundo cobrando isso aí?

— Porque é justamente o nosso preço baixo que garante a nossa venda alta, e assim a gente tá ganhando mais dinheiro do que ia ganhar se vendesse mais caro.

A pulga saltou, saindo de trás da orelha de Marques e indo parar atrás da orelha de Angélica.

— Tá, mas como tu pode saber que a gente tá ganhando mais dinheiro assim? — perguntou a moça.

— Bom, não é uma certeza — admitiu Pedro. — É uma estimativa.

— Traduzindo: *achismo*.

— Não, não; nem tanto ao mar, nem tanto à terra. Nem certeza nem achismo: estimativa tá de bom tamanho. Olha só: tem um cara que vendia maconha na minha quebrada antigamente. E uma vez, antes mesmo de a gente começar com o nosso esquema, eu perguntei por que ele tinha parado de vender. Ele disse que parou porque não tava valendo a pena. O máximo que ele conseguia vender era cem grama por dia. Só que ele cobrava dois conto por cada buchinha. E agora, o Roberto, cobrando só um real por cada buchinha, tá vendendo um quilo por dia lá, bem faceiro. Então, dá pra dizer que o Roberto vende dez vez mais do que esse cara vendia, pelo simples fato de cobrar a metade do preço. Agora, faz as conta: se a gente vendesse cada buchinha por dois conto, tudo bem: o quilo ia render dois mil, e como a gente paga setecentos no quilo, o lucro ia ser de mil e trezentos; só que ia levar dez dia pra gente vender o quilo inteiro, porque a gente só ia conseguir vender cerca de cem grama por dia. Por outro lado, cobrando a metade do preço, do jeito que a gente tá fazendo, cada quilo rende mil; tirando os setecentos que a gente paga por ele, fica trezentos de lucro; só que, em dez dia, a gente vende dez quilo; e dez vez trezentos dá três mil. Ou seja, lá na quebrada, a gente tá fazendo três mil a cada dez dia, contra só mil e trezentos que a gente faria caso cobrasse o preço normal.

Angélica refletiu por um momento. Em seguida, concluindo que as contas de Pedro faziam sentido, tratou de retomar o assunto anterior:

— Beleza, beleza, beleza, continua falando aí, Luan. Me diz: se tu assumir a venda de maconha lá na Planetário, quantos quilo tu acha que consegue vender, mais ou menos?

— Vê tu mesma. — Com essas palavras, Luan sacou do bolso um pequeno caderno, que estava dobrado para caber ali. Entregou-o nas mãos da moça.

— Que porra é isso?

— É um caderno de anotação que era dos traficante de lá. Parece que quando a polícia chegou, um dos malandro jogou esse caderno fora, no ferro-velho que tem lá na vila. O dono do ferro-velho, o Espeto, achou esse caderno e me mostrou. Daí eu comprei dele.

Roberto abandonou a churrasqueira para vir observar o caderno mais de perto, enquanto a esposa de Marques o folheava. A letra era miúda; as páginas mostravam-se preenchidas quase sempre até um pouco além da metade, onde aparecia um risco horizontal, indicando o fim das anotações de um determinado período. A cada três ou quatro laudas, aparecia escrito, na primeira linha, "DEZEMBRO", ou "JANEIRO", ou outro mês do calendário, mas havia quebras nesse padrão: às vezes só o que aparecia, do início ao fim da folha, eram nomes de pessoas, valores numéricos e pequenas frases isoladas, que só podiam fazer sentido para quem as escrevera, como "sempre sempre sempre na lata porque o pé tá foda e do patê ninguém sabe" ou "cinco da tarde é ruim pra malandro pra ver a mão do cabeça de pica". Os espaços fora das margens tinham sido preenchidos com cálculos aritméticos simples e desenhos malfeitos, estes denunciando alguma infantilidade por parte dos antigos donos do caderno.

— Olha aqui. — Com o dedo indicador, Luan apontou uma anotação específica, e Angélica, continuando a folhear, percebeu que anotações como aquela se repetiam de vez em quando, por vezes destacadas com um círculo.

— Entendi — disse ela. — Os cara conseguia vender mais ou menos quarenta quilo de maconha por mês.

Voltando para a churrasqueira, Roberto soltou um assobio sugestivo.

— Porra, nada mal!

— Dez quilo por semana — comentou Pedro. — Isso ia ter um custo de sete mil por semana pra nós, mas ia render dez mil por semana. Três mil de lucro por semana. Se pá, é bom negócio.

— *Se pá* — salientou Marques. — Disse bem, Pedro: *se pá*. — Olhou para o adolescente. — Tu acha que tu pode vender isso tudo aí? Como tu vai fazer pros traficante que comprava maconha lá antes ficar sabendo que tu assumiu a venda?

— Angélica, mostra a última página pro teu marido — pediu Luan, com ar confiante, cruzando os braços.

Angélica tornou a abrir o caderno, direto na última página; ali havia uma relação de nomes e números de telefones, encimada pelo título "OS NEGUIN DO CHÁ".

— É só ligar, sangue bom — disse o adolescente.

— Veja! — sorriu Marques. — Demorô, mano, vamo abraçar essa dor, porra! Não tem nem o que pensar!

13.
Bonança

Domingo, 10 de maio de 2009.

Pedro descia sem pressa a Vilinha, ou seja, a parte nada afável, tranquila ou civilizada da Vila Viçosa. Voltava da padaria com as compras para o café da tarde — compras essas que, até o início daquele ano, teriam sido financeiramente impensáveis: pães quentinhos, presunto, queijo, croquetes, pasteizinhos, um pedaço de torta, iogurte. Seus olhos perdiam-se fascinados pela paisagem familiar. De certa forma, tudo lhe parecia absolutamente novo, saído de um quadro pintado a óleo: o sol se pondo além do descampado, as pessoas subindo e descendo pelas ruas de terra, os trabalhadores chegando da labuta no ônibus lotado, os malandros proseando na entrada dos becos, as crianças brincando por todo lado, os cachorros latindo e correndo soltos, os bares, os barracos, tudo. Sem dúvida as novas condições financeiras em que o jovem se achava haviam lhe dado uma percepção diferente das coisas: tudo agora lhe parecia poético, tudo agora lhe parecia provido de beleza e lirismo. Ele sentia a leveza inefável do próprio espírito, enfim livre da melancolia, da raiva muda e do autodesprezo. Experimentava, pela primeira vez, algo muito próximo da plenitude. Uma tranquilidade. Um tipo especial de satisfação. Só uma única preocupação o assaltava, de vez em quando; aliás, nem chegava a ser propriamente uma preocupação. Era antes uma ideia vaga que insistia em lhe ocorrer, com frequência crescente, verdade, e cada vez atrelada a maior sensação de urgência, verdade também: a ideia de juntar um bom dinheiro e investi-lo de alguma forma, para manter o atual padrão de vida sem precisar vender maconha ou cometer qualquer outra ilegalidade. Mas, sempre que esse pensamento lhe vinha à mente, em menos de um segundo o rapaz tratava de ativar os mecanismos para interrompê-lo: ainda não tinha chegado o momento de estancar a gastança que nos últimos meses vinha irrigando e fazendo florescer os campos materiais de sua existência, outrora áridos desertos. Os anos e anos de pobreza estavam sendo devidamente compensados. Tinha comprado roupas, pares de tênis e sapatos, brincos e correntes, relógios, instrumentos musicais, pilhas e mais pilhas de livros. Tinha comprado tanta coisa que nem mesmo ele próprio poderia enumerar; tudo sempre do melhor, tudo sempre do mais caro. Seus hábitos estavam cada vez mais refinados: ia ao cinema, passeava com a cabeça leve nos parques da região central da cidade, fumava bons cigarros, fumava boa maconha, bebia bom uísque, comia boa comida. E não: ainda não tinha chegado o momento de estancar aquela gastança. Precisava derrubar sua casa e mandar construir outra inteiramente nova no lugar: uma que fosse linda, espaçosa, à prova de ratos. Tinha que trocar toda a mobília e os eletrodomésticos. E havia também a necessidade de comprar um carro bacana, sóbrio, um daqueles sedãs de tiozão, daqueles que tanto cobiçara a vida inteira. Só depois de tudo isso, e talvez até um pouco mais, é que pararia de gastar dinheiro como louco e começaria a pensar no futuro a longo prazo — ou pelo menos era o que prometia a si próprio.

A mãe de Pedro, cuja saúde havia muito tempo já não era grande coisa, agora não precisava mais se matar fazendo faxina na casa dos outros. Aposentara-se: um pouco antes do tempo, segundo a Consolidação das Leis do Trabalho; já passando da hora, de acordo com o bom senso. Estava livre para assistir à novela da tarde, tomando chimarrão; estava livre para comer bergamotas ao sol, fofocando com os vizinhos; estava livre para descansar e viver — descansar e viver por si mesma, descansar e viver por seus finados pais, descansar e viver por seus finados avós, descansar e viver por todos os que tinham vindo antes dela naquela família e que tinham morrido velhos e calejados sem conhecer aquela sorte de poder, um dia, simplesmente parar de trabalhar para descansar e viver.

— Deus seja louvado! — murmurou de si para si, cheia de gratidão, enquanto esperava Pedro retornar da padaria.

Pensava consigo mesma que o Senhor fora bom demais em presentear o jovem com aquela promoção a chefe de loja no supermercado — promoção essa que tinha proporcionado tão generosa multiplicação salarial a Pedro, que tinha feito do rapaz uma criatura mais otimista e menos sombria, que era a razão de ela própria poder se aposentar com tranquilidade, que tanta felicidade tinha trazido para dentro daquele lar...

Evidentemente, a história da promoção a chefe de loja não passava de conversa para boi dormir: uma notícia falsa dada da maneira mais deslavada pelo filho, e recebida como verídica da maneira mais inocente pela mãe. Mas, afinal, quando foi que brotou alguma felicidade, por menor que fosse, num coração conhecedor dos fatos em toda sua profundeza? Quando foi que houve alegria, senão alimentada por completas mentiras ou verdades desfalcadas? Sempre que a realidade mete o pé na porta, não há sorriso que não trate de escapulir pela janela. Todo felizardo é, antes de mais nada, um iludido.

Terça-feira, 4 de agosto de 2009.

Encolhida na total ausência de perturbações, preenchida da mais absoluta ignorância, olhos fechados, alma em conserva, eis que uma certa criatura achava-se em pleno gozo do melhor período da vida. Pena que não ficavam marcas. Pena que não haveria como se lembrar. Pena que as impressões desses tempos logo desapareceriam para sempre de sua memória, como as folhas do outono que qualquer vento varre para longe e que jamais retornam aos galhos de onde se despregaram. Mas, pensando bem, não residia justamente aí — nessa capacidade de não guardar, nessa capacidade de não ruminar, nessa capacidade de esquecer, nessa capacidade de deixar passar — não residia justamente aí a maior virtude do espírito daquela criatura? Sim. Não havia mácula que vingasse em sua alma: o hoje seria apenas um sonho embaçado amanhã, e menos do que isso no dia seguinte. A existência perfeita, sem dúvida: não havia ânsia, não havia culpa, não havia desgosto, não havia saudade. Havia apenas a paz, em toda sua plenitude.

No entanto, essa perfeição existencial entrava agora em irreparável colapso; assim, de repente, sem prévio aviso. No inédito medo, chegava ao fim o nada, chegava ao fim o mais sossegado conforto; na inédita dor, tinha início o tudo, tinha início a mais lamentável desgraça. Pobre da criatura: era exibindo unhas e dentes que o mundo lhe dava boas-vindas; era com o desvelado desejo de abocanhá-la, mastigá-la e engoli-la que o fazia. E, assim, mais uma alma despia às pressas um pijama que jamais voltaria a usar; assim, mais uma alma enfiava-se de qualquer jeito numa armadura da qual jamais se veria livre; assim, mais uma alma vinha ao campo de batalha, vinha dar o melhor de si, vinha lutar com todas as forças pela sobrevivência, vinha enfrentar o inimigo invencível, vinha carregar a certeza amarga de que seria derrotada no final.

— Isso! Pronto! Ela tá aqui, ela tá aqui, ela tá bem nas minhas mãos! — Desse jeito narrava o tocólogo, alteando a voz para ser ouvido em meio ao valente brado de guerra que era o primeiro choro daquela recém-nascida. — Mas, bah, se não é a guriazinha mais linda que eu já vi, tchê! — Exclamou isso simulando uma antiga emoção que, na verdade, já tinha sido completamente consumida ao longo de anos e anos de obstetrícia. — Meus parabéns, dona Angélica, meus parabéns!

Angélica sorriu debilmente, pálida e suada, enquanto cortavam o cordão umbilical.

Do lado de fora daquela sala, Marques esperava, pedindo a Deus, com todas as forças, que tudo lá dentro corresse bem. Estava nervoso, claro, mas esse nervosismo de hoje nem se comparava ao do dia em que nascera Daniel, seu primogênito. Naquela ocasião, não saberia dizer se o medo maior era que o filho morresse no parto ou que ao parto sobrevivesse: consumia-se em desespero só de imaginar a terrível vida de privações e necessidades que, por sua culpa, o menino teria que levar. Desta vez, porém, era diferente. Que viesse a pequena Lúcia! Sim, que viesse, porque o rapaz estava seguro de que poderia garantir-lhe uma vida decente.

— Tu é o pai?

— Sim... — A voz de Marques saiu falhada por falta de uso; ele pigarreou e repetiu: — Sim.

— O parto correu bem; pode ficar descansado. E, por sinal, é a coisa mais fofinha, a tua filhota, viu. Parabéns!

Segunda-feira, 5 de outubro de 2009.

Da avenida Ipiranga até o Parque Farroupilha, os prédios do bairro Santana erguiam-se a boa altura, com elegância e altivez. E, curiosamente, os habitantes de tais edifícios pareciam ter absorvido um pouco de sua personalidade: a exemplo das torres de concreto e aço, também os moradores de carne e osso a tudo olhavam de cima, sobranceiros. As ruas dali eram tranquilas, aristocráticas. E limpas: percebia-se nelas todo o esmero do serviço público de limpeza, que, verdade seja dita, não passava suas vassouras em qualquer chão. É que, de público, o serviço só tinha o "venha a nós"; o "vosso reino" era para poucos. Naturalmente, todo e qualquer cidadão de Porto Alegre tinha que pagar impostos, fosse rico ou fosse pobre, fosse cafuzo ou fosse mameluco, e vinha dessa arrecadação o salário dos garis; só que, na hora de varrer, varria-se apenas regiões como aquela, onde a maioria das pessoas era rosada, onde falava-se o mais anasalado porto-alegrês, onde os animais de estimação tinham pedigree.

Mas um susto estava reservado a quem não conhecesse o bairro e, de passeio por ali, decidisse ir até o fim da Luís Manoel. Essa rua terminava de súbito, sem saída, desembocando na inesperada imundície de um pequeno largo de formato arredondado. Ali, claro, já não havia qualquer vestígio do serviço público de limpeza, já não havia prédios altos, já não havia gente rosada, já não havia pedigree, já não havia sotaque anasalado; o que havia eram casas humildes, muros pichados, lixo espalhado por toda parte, cães sarnentos, gatos pestilentos, cavalos esfalfados de puxar carroça, gente de pele curtida no sol, gente malvestida, gente de rosto abatido pela vida dura, gente de linguajar inculto e incauto. E só a pé era possível seguir em frente, indo pelos becos estreitos que conduziam para dentro daquele pedaço de inferno.

Assim a Vila Planetário brotava, feia e indesejável, no interior daquela área nobre de Porto Alegre, como uma espinha solitária no rosto de uma bela mulher.

Luan achava-se no Redondo, conforme os moradores da vila costumavam chamar o largo onde ia dar a Luís Manoel. Sentado numa cadeira de praia, rodeado de mulheres, tentava descobrir as funcionalidades do tablet recém-adquirido. Não estava sendo fácil, porque, apesar das reprimendas dele, as mulheres mantinham-se empoleiradas em seus ombros e, de vez em quando, curiosas, esticavam o indicador para encostar na tela do aparelho, que era sensível ao toque.

— Não mexe, Larissa! Porra, já falei, já! E tu, Suzana, chega mais pra lá, meu! Eu tô respirando o ar que tu solta, caralho!

Entre as beldades, havia duas meninas muito jovens, que talvez regulassem de idade com Luan, mas as outras todas eram visivelmente mais velhas do que ele, e uma poderia até ser sua mãe. Elas não desgrudavam do adolescente: era como se só a seu redor a vida pudesse ter graça. Não cansavam de disputar sua atenção e de bajulá-lo: tietes em torno dum artista. Não se envergonhavam de trocar carícias em público com ele — carícias essas que, não raro, beiravam a obscenidade.

A vida de rei dos últimos meses transformara radicalmente a personalidade de Luan. Já não havia nele o menor vestígio da timidez dos tempos de Chokito, e seus olhos agora tinham dado para percorrer tudo, tudo, tudo com o mais louco entusiasmo, como se o mundo inteiro fosse um gigantesco parque de diversões. Entretanto, ao contrário do que se poderia imaginar, o adolescente não se tornara um arrogante. Isso talvez se devesse aos conselhos de sua mãe, que era, e sempre fora, o oráculo oficial da Vila Planetário.

— O negócio é humildade, meu filho — costumava lhe dizer a mulher, com ar de quem sabe das coisas, muito séria, um cigarro de maconha enfiado no canto da boca. — Ninguém é mais do que ninguém nessa porra; nunca te esquece disso, porque essa é a única coisa que tu tem que aprender na vida. Faz sempre o que tu bem entender: ninguém tem o direito de te impedir. Nem a polícia tem o direito de te impedir. Não aceita se a polícia por acaso tentar te impedir de fazer o que te der na telha de fazer. Não deixa os outros pensar o que é certo e o que é errado por ti, meu filho. Pensa *tu* o que é certo e o que é errado, e daí faz sempre o que tu acha que é certo. É simples: faz tua lei.

Sabia das atividades ilícitas do filho, naturalmente. E se suas feições eternamente rígidas ocultavam algum sentimento a respeito delas, era mais provável que fosse orgulho do que decepção. Claro, até tinha tentado incentivá-lo a levar a dita "vida honesta", de estudo e trabalho, mas fora uma tentativa frouxa, sem rigor nenhum, como a de quem recomenda a prática regular de exercícios físicos.

Depois que a operação policial feita na segunda metade de março na Planetário pusera atrás das grades todinha a quadrilha que até então vinha atuando livremente por ali, os traficantes que dela compravam quilos e mais quilos de maconha para revender em vários cantos de Porto Alegre tinham ficado sem saber o que fazer. Mas a preocupação não durara muito: ainda antes de março acabar, todos receberam um telefonema inesperado, por meio do qual vieram a saber que poderiam continuar comprando maconha a atacado na Planetário, pelo mesmo preço de sempre. Além disso, explicara-lhes Luan, não havia o menor perigo de a operação policial daquele mês se repetir: na Planetário, agora, não se vendia absolutamente nada para usuários, as filas de viciados não se formariam mais, tinha acabado o entra-e-sai de gente de fora, não restara motivo para reportagem, a polícia já não tinha por que incomodar. Os clientes, já satisfeitos por poderem dar continuidade aos negócios, ficaram ainda mais contentes ao constatar que a maconha de Luan era bem melhor do que a vendida antes por ali.

— Porra, a tua maconha é boa, hem, mano! — elogiavam todos, quando voltavam para comprar mais.

Pelo fato de ser um atacadista, e pela qualidade da maconha que vendia, Luan estava ganhando alguma fama no submundo do tráfico de drogas de Porto Alegre. Os pequenos traficantes que compravam maconha dele o recomendavam a terceiros.

— Mano, se tu quer comprar maconha pra vender, compra lá do Sheik da Planetário. Preço bom e, tem que ver, é a diaba!

O apelido de Sheik devia-se, evidentemente, ao fato de o adolescente viver rodeado de mulheres.

Luan ergueu os olhos, tirando-os do tablet: um cliente se aproximava.

— Sheik! — cumprimentou o homem, um largo sorriso no rosto fino.

No momento em que o adolescente se levantou, uma agitação tomou conta das mulheres.

— Amor, deixa o tablet comigo!

— Não, comigo!

— Comigo, amor!

— Comigo!

— Psssiu! — fez o jovem, imperioso. — O tablet vai ficar com a Larissa, porque ela não é toda nojentinha.

Larissa era a concubina preferida de Luan, pois apenas ela não era "nojentinha", ou seja, apenas ela não implicava com seus pelos pubianos; as outras viviam se queixando, dizendo que aquilo era coisa de porco e azucrinando-o para raspar tudo.

Depois de apertar a mão do cliente, o adolescente o conduziu até sua casa. Poucos instantes depois, o homem saía da residência com a mochila cinco quilos mais pesada. Luan, tendo contado os cinco mil reais recebidos, guardou-os a salvo em seu quarto. Em seguida, quando passava pela sala para voltar à rua, estacou, percebendo uma estranha expressão no rosto da mãe, que estava sentada no sofá.

— Mãe?

— Tu tá feliz, não tá, meu filho? — perguntou ela bruscamente.

— Ué, tô — confirmou sorridente e meio confuso o jovem.

— Ótimo. Que isso dure, então.

Sexta-feira, 19 de dezembro de 2009.

As panelas fumegavam. Eram panelas novas, assim como o fogão, assim como a mesa e assim como os pratos e os talheres postos sobre ela. Mesmo a comida, quase pronta para ser servida, cheirava a novidade. Pois ninguém naquela casa podia dizer que já tinha se acostumado de todo com a variedade e a fartura de alimentos que, nos últimos meses, compunham o cardápio ali dentro. Ontem, lasanha; hoje, bife com batatas fritas; amanhã, churrasco. Para aquela família, as refeições haviam se tornado momentos de grande prazer: um prazer impensável para quem tem que matar a fome só com feijão e arroz, na maior parte das vezes, e com ovo frito ou carne moída de terceira, nos dias de sorte. Mas as novidades não paravam por aí. A verdade é que aquela família vinha levando *uma vida* inteiramente nova. Uma vida bem melhor que a anterior. A mãe, que de escolaridade possuía só o ensino fundamental completo, este ano evadira-se da empresa onde limpava vasos sanitários e retomara os estudos, com o ousado intuito de tornar-se advogada. Pois agora — e somente agora — havia dinheiro de sobra para que pudesse estudar em paz: podia arcar com idas e vindas, fossem de ônibus, fossem de táxi; podia adquirir os melhores livros, em vez de se contentar com as porcarias emprestadas pelo colégio para quem não tivesse recursos; podia pagar cursos complementares e aulas de reforço; podia comprar tudo, desde o que fosse indispensável até o que fosse minimamente recomendado; não faltava dinheiro para nada. E tudo isso, claro, sem ter que abrir mão das tão preciosas oito horas de sono, às vezes até dez; tudo isso sem ter que se desdobrar em duas, sem ter que correr e rebolar como uma louca para conciliar os estudos com alguma maldita e desgastante fonte de renda. Não, nada disso: a renda estava garantida — o marido a garantia. Ela podia estudar com toda a tranquilidade. Só saía de dentro dos livros quando era para limpar a casa, fazer comida ou dar uma atenção especial aos filhos: supunha que essas fossem obrigações exclusivamente suas.

— Olha, na real, eu acho que esse aí é um modelo de vida machista, se tu quer saber a minha opinião — confessara-lhe o primo Pedro certa vez. — Não é porque agora é só o Roberto que tá botando dinheiro pra dentro da baia de vocês que tu vai ficar cuidando dos guri sozinha, limpando a casa sozinha e pá. Bota aquele pau no cu pra fazer alguma coisa também! Porra, tu não tá com as perna pro ar; tu tá estudando, tu vai ser advogada um dia, não vai? O caminho que tu tá trilhando é longo, claro, só que tu vai ganhar dinheiro pra caralho depois que tu se formar, e esse dinheiro vai ser gasto dentro da tua casa, com a tua família, então eu acho que o teu esforço já tem que ser reconhecido desde agora.

A mulher não deu a menor importância para a opinião do rapaz. Sentia-se imensamente agradecida pelo rumo que as coisas tinham tomado naquele ano, e quem se sente assim, quem tem *sincera gratidão* dentro do peito, não costuma ver problema em qualquer coisa. Pedro até podia estar certo, mas, levando em consideração que tudo ia tão bem, que todos estavam tão contentes, qual era a necessidade de atazanar o marido com cobranças? Para quê? O que importava, para a mulher, era que a casa agora mantinha-se totalmente limpa e organizada, ao contrário da época em que tanto ela como o marido precisavam trabalhar e trabalhar e nunca tinham tempo ou energia para dar um jeito na bagunça e na sujeira. Além disso, a presença dela no dia a dia dos filhos, que passara de eclíptica a permanente, aquilo lhes vinha fazendo tanto bem! Assim como os professores da escola onde os meninos estudavam, também a mãe mal podia crer em tamanha melhora de comportamento. Com a rédea das crias na mão o tempo todo, ficara muito mais fácil para ela converter-lhes a indisciplina em obediência, a malcriação em respeito, o desinteresse pelas aulas em vontade de aprender. O resultado não poderia ter sido outro: os pestinhas, que agora já nem eram mais tão pestinhas, tinham passado de ano, com as notas mais altas de suas respectivas séries. Sem dúvida mereciam o videogame de última geração que ganhariam no Natal, dali a seis dias.

A porta da casa se abriu. Era Roberto, que tinha passado o dia inteiro na rua, vendendo maconha.

— Bem na hora, amor — disse a esposa, pois naquele exato momento a comida ficava pronta.

14.
Pernas, pra que te quero

No propósito de justificar todo o dinheiro que vinha ganhando, Pedro inventara para a mãe a história de que tinha sido promovido a chefe de loja, conforme mencionado anteriormente, e não queria que ela nutrisse a menor suspeita quanto a isso, claro. No entanto, divertia-se um bocado com os olhares de desconfiança que choviam sobre ele e Marques no supermercado: ali todos sabiam muito bem que nem um, nem outro fora promovido a coisíssima nenhuma, de maneira que certas coisas eram simplesmente inexplicáveis. Todo santo dia, no intervalo, eles gastavam horrores de dinheiro na loja, comprando só bobagens, como salgadinhos, bombons, barras de chocolate, iogurte, refrigerante, energético; e não compravam isso tudo apenas para si mesmos, mas também para qualquer funcionário que estivesse em volta, o que, diga-se de passagem, tinha feito crescer a simpatia dispensada à dupla. E o cheiro de roupa nova que ambos invariavelmente exalavam chegava a ser enjoativo; os mais atentos a esse tipo de coisa já tinham percebido que, ao longo de todo o segundo semestre de 2009 e também agora, no início de 2010, não tinha sido fácil ver aqueles dois usando uma única peça de roupa ou par de tênis sequer que não parecesse recém-saído da loja. Entretanto, a coisa mais suspeita e desconcertante, sem sombra de dúvida, era que uma vez por semana eles apareciam com altíssimas quantias em moedas e notas pequenas para trocar nos caixas. Traziam tanto dinheiro que nem mesmo todas as notas de cinquenta e cem de todos os caixas eram suficientes para cambiar tudo de uma vez só; a troca, pois, era feita aos poucos, ao longo do dia: eles trocavam uma parte quando chegavam para trabalhar; outra parte, depois, no intervalo, quando a clientela do supermercado já tinha tornado a injetar notas de cinquenta e cem nos caixas; por fim, na hora de ir embora, faziam a última troca, às vezes terminando o dia sem conseguir cambiar todo o dinheiro trazido.

— De onde é que tiram tanta grana? — perguntavam-se os funcionários, aos cochichos.

Jorge, o segurança que dera o número de Fabrício para a dupla no ano anterior, conhecia, claro, a origem do dinheiro. Mas também ele tinha uma dúvida: por que, afinal, os jovens continuavam a trabalhar no supermercado?

— O trabalho dignifica o homem. — Essa era a resposta deslavada que o segurança obtinha, tanto de Pedro como de Marques, toda vez que tornava a lhes perguntar.

Sim, ambos davam essa mesma resposta. O que Jorge não tinha como saber era que Marques, quando assim respondia, estava meramente seguindo instruções de Pedro, pois na verdade nem ele próprio conhecia o real motivo de continuarem a trabalhar ali. Alguns meses antes, manifestara o desejo de demitir-se, e Pedro, então, pedira que não fizesse tal coisa, sem lhe dar, contudo, uma boa explicação. Dissera apenas que tinha um plano — e para a sua execução os dois precisavam continuar trabalhando no supermercado. Ainda que curioso, Marques atendera de boa vontade ao pedido do amigo, imaginando que logo, logo o tal plano seria posto em prática, e ele, enfim, saberia de que se tratava. Porém o tempo passava, passava, e nada acontecia, o que ia deixando o rapaz cada vez mais intrigado. E cada vez mais contrafeito, também. Não gostava de pensar que Angélica passava o dia inteiro vendendo maconha na Vila Lupicínio Rodrigues, correndo o risco de ser presa, enquanto ele ficava na segurança dos bastidores: queria abandonar o emprego de supridor para alternar com a esposa na venda da droga. Ademais, agora que já estava ganhando um bom dinheiro, a rotina do supermercado parecia-lhe a cada dia mais insuportável e desprovida de sentido. Por isso, ultimamente o jovem vinha indagando com frequência acerca do misterioso plano de Pedro, e este, em resposta, só fazia pedir-lhe um pouco mais de paciência. Mas, numa segunda-feira quente e luminosa, 22 de fevereiro de 2010, aconteceu que a paciência de Marques esgotou-se por completo.

— Me diz de uma vez, Pedro: por que a gente tem que continuar trampando aqui? — foi o que ele perguntou, tão logo viu-se a sós com o colega no vestiário do supermercado, durante o intervalo de mais aquele dia de trabalho. — Me diz; senão, eu vou agora mesmo pedir as conta. Tô falando sério contigo, mano.

— Calma aí, Marques, eu...

— Olha aqui, sangue bom, nem começa! Sério, nem tenta, nem tenta! Só diz. Abre a boca e diz.

Pedro suspirou, balançando a cabeça. Dessa vez, percebeu com desagrado, Marques não lhe deixava alternativa, senão abrir o jogo.

— Tá bom, caralho — concordou de má vontade, contorcendo os lábios. — Eu falo. Na real, mais cedo ou mais tarde eu ia ter que te falar mesmo, então... — Refletiu por um instante, em busca da melhor maneira de abordar o assunto. Em seguida, começou: — É o seguinte, Marques: deixa eu te contar essa história. Uma vez, faz um tempo já, eu tava vindo trampar, e aí, logo que eu saltei do bonde, taquei fogo num baseado, ali na frente do Julinho, tá ligado? Tinha uns filhinho de papai no coreto, e eles viero atrás de mim; viero perguntar se eu tinha maconha pra vender e pá. Eu disse que não, mas eles ficaro insistindo. No fim, oferecero vintão pelo baseado que eu tava fumando. *Vintão*, mano! Vintão num baseado que eu tinha fechado só com uma buchinha de uma grama, tá ligado?

— E daí?

— E daí que, desde aquela vez, eu tô tentando pensar numa maneira de... fazer uma ponte...

— Uma ponte?

— Uma ponte.

— *Uma ponte?*

— Uma ponte.

— Tá bom. Uma ponte. Beleza. E que porra isso quer dizer, afinal?

Com um meio sorriso nos beiços, os olhos brilhando, Pedro apresentava agora um ar sonhador. Embora conversasse com Marques, era como se não o estivesse vendo.

— Bom, é o seguinte. — Desdobrou o braço esquerdo, abrindo a mão, como se segurasse alguma coisa. — De um lado, sangue bom, tem uma pá de playboy que nem esses que eu falei. Uma gurizada que *quer porque quer* fumar maconha, mas não vê jeito, tá ligado, não tem acesso. E, mano, pra essa gurizada, dinheiro não é problema: dinheiro é solução! — Desdobrou o braço direito, também abrindo a mão. — Do outro lado, tem a gente. E o que que a gente quer, Marques? A gente *quer porque quer* vender a nossa maconha. E, claro, quanto mais pagarem por ela, melhor. Vintão por cada buchinha de uma grama, dessas que a gente vende por um real no Pinheiro e na Lupicínio: que tal? Pros playboy, isso não ia ser nada; mas pra nós, ia ser muito. Então, mano, na real, é tudo bem simples: a gente tem o que eles quer, e eles têm o que a gente quer. — Juntou as mãos, entrelaçando os dedos. — Só falta a ponte.

— Sim, saquei a tua ideia. Mas não sei, não, Pedro... Eu acho que não é todo dia que alguém vai querer dar vintão numa grama de maconha...

— Será? Eu pensei pra caralho sobre isso, e vou te dizer: tô convencido do contrário, hem? Olha só: é claro que tem muito filhinho de papai que sabe se virar: às vez, eles compra maconha dum amigo, ou dum amigo dum amigo, ou, sei lá, dão outro jeito. Mas não é desses aí que eu tô falando. Eu tô falando daquele tipo de gurizão que ouve falar do bagulho e quer experimentar, só que não sabe onde achar. Eu tô falando daquele tipo de gurizão que se pá até já fumou maconha, assim, por acaso, numa dessas festinha de playboy, e tá louco pra fumar de novo, mas não quer esperar outra festinha acontecer pra poder fumar. E esses bobalhão aí, mano, pode crer, eles joga dinheiro pra cima. Não pensa que eles pensa em vinte conto como *tu* pensa em vinte conto. Eles pensa em vinte conto como tu pensa numa moedinha de cinco centavos que veio no troco do pão. Eles crescero vendo os pai dar vinte de gorjeta pro entregador de rancho, mais vinte pro entregador de pizza, mais vinte pro porteiro. Eles ganha de mesada mais do que a gente ganha de salário e não têm conta nenhuma pra pagar. Tudo *blue*, a vida dos cara, irmão. Então pensa: tu acha que se eles tivesse um acesso prático, fácil, rápido e seguro à maconha, eles não ia dar vinte pra poder fumar em paz, ou pra poder pagar de vida louca pros amiguinho e pá?

— É, faz sentido…

— Claro que faz sentido, meu bruxo! Só que, na real, essa ponte que a gente vai fazer tem que ser uma ponte segura. Tendeu? Eles têm que se sentir seguro nessa ponte, mas *a gente* tem que se sentir seguro também. A gente não pode ficar vendendo maconha ali na frente do Julinho, por exemplo. Porque a gente já tem a cara e o estilo que os porco tudo tá à cata, e ficar ali, de bobeira no coreto, ia dar muito na vista, ia ser pedir pra ser preso uma hora. Então, mano, é o seguinte, presta atenção: o lugar onde a gente vai fazer a ponte pra poder vender maconha pros playboy tem que ser um lugar onde a gente possa passar bastante tempo sem levantar suspeita; um lugar onde a gente seja praticamente invisível, porque já tá todo o mundo cansado de saber que a gente passa o dia ali; um lugar onde ninguém nunca ia desconfiar que alguém fosse ousado o bastante pra vender maconha. — Pedro abriu os braços, como se apresentasse ao amigo um lugar inteiramente novo. — Aqui, por exemplo.

— Aqui?

— Aqui.

— *Aqui?*

— Aqui.

— Tá bom. Aqui. Beleza.

— Ei, ei, ei, aonde é que tu vai, sangue bom? — quis saber Pedro, ao ver que o amigo se preparava para retirar-se.

Marques botou as mãos nas cadeiras e permaneceu onde estava. Nem de longe parecia contente, apesar do largo sorriso que abriu.

— Aonde é que eu vou? Eu vou pedir as conta, mano. Porque se tu tá falando sério, tu só pode tá louco. Cara, eu nem acredito que foi pensando nessa merda aí que tu fez eu ficar fritando nesta porra deste supermercado esse tempo todo! Vai te foder, na real!

— Caralho, mano, que papo torto é esse aí?

— Ah, meu, eu que te pergunto! Que papo torto é esse aí? Tu quer vender maconha aqui dentro, é isso mesmo? Tu andou comendo merda escondido?

Pedro estava muito sério.

— Parece que tu tá prestes a fazer uma coisa que eu nunca vi tu fazer, Marques — comentou num tom sombrio.

— Ah, é? E o que que é?

— Parece que tu tá prestes a tirar uma conclusão precipitada, e, o que é pior, *definitiva*, sobre esse assunto que eu tô recém te apresentando, sem nem mesmo deixar eu terminar de te apresentar. Eu nunca te peço nada, sangue bom; mas desta vez eu vou pedir: será que tu pode te aquietar aí e esperar eu terminar de falar? Que eu saiba, eu nunca te faltei com o respeito, então eu espero que tu me respeite também e não me deixe aqui, falando sozinho, porque eu ia considerar isso uma puta sacanagem. Hem? Será que dá pra tu se acalmar? Afinal, se tu não quiser fazer essa mão de vender maconha aqui, o que é que eu vou poder fazer? Eu não vou te forçar a nada; eu nem tenho como te forçar a nada. Mas eu te agradeço muito, *muito mesmo*, se tu pelo menos conversar comigo sobre essa ideia. Sereno? Vamo conversar, como a gente sempre fez?

Marques se escorou nos armários e, em seguida, abriu os braços.

— Tô te ouvindo.

— Certo. Primeira coisa: por acaso tu acha, Marques, que eu ia querer fazer qualquer coisa pra eu mesmo acabar me fodendo depois? Se eu tô querendo vender maconha aqui dentro, é porque eu sei que vai dar dinheiro pra caralho, e é porque eu sei que existe um jeito de fazer isso sem chamar atenção, sem ninguém ficar sabendo, sem dar merda nenhuma. Tu ainda acredita na minha capacidade de planejar bem as coisa?

— Olha aqui, Pedro, eu não tô duvidando que tu tenha um plano bom. Mas tu quer vender maconha nesta porra deste supermercado, mano! Bem no meio deste bairro de burguês, que tem porco pra toda parte! Por melhor que seja o teu plano, não pode ser totalmente infalível, não tem como ser totalmente infalível. Sabe qual é a diferença entre eu e tu? É que tu acha que vale a pena correr mais esse risco; eu, não. Porque correr mais e mais risco é uma coisa pra ti e outra completamente diferente pra mim. Eu tenho dois filho, Pedro. Eu tenho que pensar neles. Cada risco que eu aceito correr é um risco que os meus filho vão correr também. Tu entende isso? Olha: ano passado, quando eu ainda tava naquela merda de vida, quando eu ainda tava desesperado, porque eu mal conseguia cuidar do Daniel e a Angélica já tava grávida da Lúcia, naquele tempo, se pá eu até vendia maconha aqui dentro contigo. Mas as coisa mudaro, mano. Eu tô bem agora, e eu sei que eu devo muito a ti por isso; eu não quero que tu pense que eu sou um mal-agradecido. Só que eu não tenho por que correr um risco desse, entendeu? Porra, eu tô bem.

Aliás, se tu quer saber, eu e a Angélica tamo querendo juntar um bom dinheiro pra poder parar de vender maconha. Porque a gente se preocupa, sabia? Tá tudo muito bom, tá tudo muito bem, mas qualquer hora o tempo pode fechar, assim, olha — Marques estalou os dedos. — E aí? E os meus filho, como é que fica? Tu sabe que é assim, o bagulho. Tu sabe que qualquer hora a casa pode cair. Tu mesmo me disse, uma vez, que o azar é mais criativo do que a sorte. "Pisar na merda é mais fácil do que achar uma moeda", tu disse. "O destino nunca acha tempo pra ajudar o cara, mas se for pra foder o cara, ele sempre dá um jeitinho", tu disse. "A vida é um pernas, pra que te quero: a gente, fugindo; o azar, no encalço", tu disse. Tu não disse? Então, mano: pernas, pra que te quero. Eu e a Angélica vamo correr, antes que o azar nos alcance. É por isso que a gente tá querendo cair fora. Juntar um dinheiro massa, comprar umas casa pra alugar, ou uma frota de táxis, sei lá, qualquer coisa, pra poder continuar vivendo bem, sabe, sem essa sensação chata de que tudo pode desmoronar em cima da gente de uma hora pra outra, tá ligado?

Antes mesmo de o rapaz terminar o discurso, Pedro já balançava a cabeça, concordando.

— Pois é. Tu e a Angélica têm toda a razão. Fico feliz de ver tudo isso saindo da tua boca, na real.

— Ah, é?

— É.

— Hum...

— Porque eu achei que eu ia ter dois trabalho pela frente: primeiro, te convencer a vender maconha aqui comigo; depois, te convencer que já tá na hora de a gente começar a pensar em largar essa merda toda de mão.

Marques ficou surpreso.

— Então tu quer saltar fora também?

— Claro que eu quero. Olha só: tu já deve ter visto aquelas notícia que uma quadrilha todinha é presa, depois de dez, vinte anos furtando carro, ou assaltando banco, ou fraudando a Receita. Quando eu vejo esse tipo de coisa na TV, eu sempre me pergunto: por que diabos os idiota não pararo antes? Eu não vou cometer o mesmo erro, sabe? Pra início de conversa, eu nunca quis ser um traficante. Querer uma coisa dessa é até estranho, se tu parar pra pensar. Quem é que vai querer correr o risco de ser preso e passar um tempão lá dentro do presídio? Isso sem falar que o que mais tem é porco ruim: te espanca até não querer mais, antes de te levar preso. Ou até te mata, se não tiver ninguém olhando. Mas te mata assim, na crocodilagem mesmo: te pega de bobeira, dormindo em casa, te manda pro inferno e depois diz que tu reagiu à prisão: é a palavra dum homem da lei contra palavra nenhuma, porque tu tá morto e ninguém viu o que aconteceu. Aí eu te pergunto: quem é que quer uma vida dessa? Quem é que quer desafiar o perigo desse jeito? Não, mano, eu nunca quis ser um traficante. Mas eu também não queria o que tavam me enfiando goela abaixo: a vida fodida que eu tinha. Eu queria era dinheiro, tu sabe. Eu queria era viver como a gente tá vivendo hoje. O problema, sangue bom, é que esse padrão de vida que a gente tem hoje, hum!, esse padrão de vida não é pra gente que nem a gente. A gente quebrou as regra da brincadeira, Marques. A gente foi lá e pegou pra gente o que decidiro que não devia ser nosso nunca. Trampando nesses trampo fodido que tão aí pra gente, a gente nunca que ia ter a vida que a gente tem agora, mano.

Marques suspirou.

— Será mesmo? Eu me pergunto isso às vez, tá ligado? Na real, tem um monte de gente que melhora de vida sem se meter nessa merda toda.

— É, mas em que circunstâncias?

— Como assim?

— Como é que esse monte de gente melhora de vida? Se arrastando e se humilhando que nem verme? Puxando bastante saco de patrão, até ser promovido? Trampando que nem burro de carga? Caguetando os colega do trampo que se comporta mal e sendo odiado por eles? Ou será que é por qualificação? Tendo que trampar e estudar ao mesmo tempo? Vivendo que nem um zumbi, sem dormir direito, até se formar? Gastando o que tem e o que não tem com passagem de ônibus e livro, enquanto os filho tão em casa, um lambendo as orelha do outro pra poder pegar um salzinho, porque não tem o que comer? Imagina tu na facul; só tem burguês na facul, tá ligado? Aí imagina tu lá: no intervalo das aula, os teus colega ia te chamar pra ir na cantina; eles ia comer de um tudo, com o dinheiro que ganha do papai, mas e tu? Tu ia ficar com o estômago roncando, porque não ia ter dinheiro nem pra comprar um pirulito. É assim que se melhora de vida? Passando por tudo isso? Meu pau! Meu pau pra quem acha que eu tenho que passar por isso pra merecer uma vida decente! Vem cá, mano, me diz uma coisa: quando um avião cai, o que acontece com os passageiro?

Marques, que até então olhava para o chão, enquanto escutava o amigo, ergueu a cabeça, estranhando aquela pergunta.

— Morrem.

— Todos?

— Todos. Na maioria das vez, todos. Só lá de vez em quando é que sobrevive um ou dois.

— Pois é. Lá de vez em quando, sobrevive um ou dois. E qual é a conclusão que tu tira disso?

— Como assim?

— Na tua opinião, é difícil ou é fácil sair vivo dum acidente de avião? Afinal, às vez, quando um avião cai, um ou dois passageiro acaba sobrevivendo, não é isso? Então, o que isso significa? Significa que todos pode sair vivo? Mas e os que morre? Por que é que morre? Será que falta força de vontade pros que morre? Será que falta, sei lá, amor pela vida?

— Mano, eu não tô entendendo onde tu quer chegar... Eu acho que as pessoas morre porque é muito mais fácil morrer do que sair vivo... É uma questão de probabilidade.

— Pois então, Marques! Na pobreza, que é outro tipo de tragédia, não é diferente. Me mostra um pobre que tenha ficado bem de vida, mano. Me mostra, que eu quero ver. Me mostra alguém que tenha nascido pobre, pobre que nem a gente, e que depois tenha conseguido deixar de ser pobre sem praticar crime nenhum, e sem ganhar na loteria, é claro. Me mostra, sangue bom. Porque pra cada *um* que tu me mostrar, eu te mostro *um milhão* que pobre nascero e pobre morrero. Sabe por quê? Porque, como tu mesmo disse, é uma questão de probabilidade. É muito mais fácil um nascido pobre acabar morrendo pobre do que sair da pobreza em algum momento da vida, assim como, num acidente de avião, é muito mais fácil morrer do que sobreviver. A força de vontade não faz a menor diferença, nem numa tragédia, nem na outra. O fato é que as tragédia simplesmente *deve*, ou *deveria*, ser evitada. Um avião *não pode* cair, Marques. Tudo o que é possível fazer prum avião não cair deve ser feito. Do mesmo jeito, a pobreza *não pode* existir. Tudo o que é possível fazer pra pobreza não existir deve ser feito. Ou, pelo menos, deveria ser feito. — Pedro fez uma pausa, ficando pensativo. Quando voltou a falar, seu tom era reflexivo, como se conversasse consigo mesmo: — Uma vez, quando eu trampava noutra rede de supermercado, eu vi uma coisa que nunca vai sair da minha cabeça. Eu tinha o quê?, uns dezoito ano, eu acho. Eu tava no estacionamento, recolhendo os carrinho de compra vazio que os cliente abandonava ali mesmo, depois de botar as sacola no porta-mala do carro e ir embora pra casa. Nisso, chegou uma nave. Mas tu tinha que ver *a nave* que era! Um sedã importado, foda pra caralho! Era carro de tiozão, tá ligado, daí eu achei que ia sair um veio ali de dentro. Mas, te liga: foi um cara da minha idade que desceu do carro. Dezoito ano; vinte, no máximo. Tinha que ver o estilo do maluco: ele tava metido no terno do James Bond, cheio de marra. E é claro que não podia faltar a bond girl: a mina que tava com ele, mano, tu gozava só de ver ela tirar o vestido. Um cara da minha idade, vestido daquele jeito, com um carro daquele, com uma mina daquela. E eu ali, recolhendo os carrinho de compra vazio. Eu vou ser bem franco contigo, Marques: a minha vontade foi de matar aquele cara. Eu queria picar ele bem picadinho, com um machado cego, e dar os pedaço tudo pro meu cachorro comer. Mas eu não escolhi ter essa vontade. A vontade simplesmente me veio. Agora, qualé o nome que se dá pra esse sentimento? "Inveja", não é? Pois que seja inveja, então. Mas tem uma coisa bem pior do que a inveja, que é a pessoa não se achar digna do que outra pessoa tem. Vendo aquilo, aquele espetáculo da desigualdade e da injustiça, onde eu mesmo representava um papel importante (indesejado, mas importante), vendo aquilo, se eu tivesse achado que tava tudo bem, se eu tivesse dado graças a Deus por ter um trampinho e um salário mínimo e nada mais do que isso, te digo, meu bruxo: até uma mosca-varejeira, dessa que fica na volta da merda, ia ser mais merecedora de respeito do que eu. Não, não, não, cara! Peraí, só um pouquinho! Eu conheço o meu valor! Eu sou ponta firme! O que tu me disser pra eu fazer, eu vou fazer bem! Eu sou um cara esforçado, e eu sou bom em tudo o que eu faço; então, por que cargas d'água eu ia olhar praquele mauricinho e não me sentir merecedor do que ele tinha? Aposto, e não perco, que eu posso fazer *qualquer coisa* melhor do que aquele cara, porque, mano, eu sou uma flor que nasceu num lixão! Eu sou foda! *A gente* é foda! A gente é carne de pescoço! A gente sempre viveu onde a vida parece improvável. Sério, pensa bem: é um milagre a gente tá aqui, conversando. É ou não é? Quantos amigo teu tu já viu ir pro saco, Marques? Às vez, é bala perdida; às vez, confundem o cara com alguém e metem bala no cara; tem maluco que aparece morto a facada num beco qualquer, e ninguém nunca nem descobre o que é que aconteceu;

vários vira mendigo, e tu nunca mais ouve falar deles. Uns não aguenta a pressão quando percebe que, por mais que trabalhem, vão ter sempre essa vida de cachorro, sendo chutado aqui e ali, tendo que ouvir desaforo e ficar quieto, às vez tendo que ir pedir um pão na casa do vizinho, enfim, tendo que sobreviver no inferno; não aguenta a pressão e aí se atira no crack, toca a vida dentro da porra dum cachimbo, e derrete tudo, até a alma, sem dó, até morrer, atirado por aí. Quanta gente tu já viu fazer isso, Marques? Uma pá de mano que se criou contigo, que jogou bolita no barro contigo, que foi no baile a primeira vez contigo. Tudo mortinho da silva. Mas a gente tá aqui. Eu nem sei como, mas a gente tá aqui. Se esquivando das bronca, contrariando as estatística, dando um jeito de comer e beber, tirando onda quando dá pra tirar onda. A gente tá aqui porque a gente não é de barro, nem de vidro, nem de cera; a gente é pica dura. Então, Marques, no momento que eu vi aquele louco, com aquele terno, com aquele carro, com aquela mina, eu soube, na mesma hora, que ele não tinha o direito de ter uma vida como aquela se *eu* não tivesse uma vida como aquela também. Tendeu? Era o meu senso de dignidade gritando. Porque se botasse eu e aquele cara em qualquer que fosse a missão, eu ia cagar o bolo antes de ele abrir o pacote de farinha. Só que, apesar disso tudo, lá tava ele, com a vida boa dele, e lá tava eu, recolhendo os carrinho de compra vazio. E qualé o teu palpite? De que jeito tu acha que ele conseguiu uma vida tão boa com tão pouca idade? Será que ele começou onde a gente começou? Será que ele teve que puxar saco de patrão? Será que ele teve que trabalhar e estudar ao mesmo tempo? Eu acho que não. Eu acho que ele ganhou tudo de mão beijada. Eu acho que ele já nasceu com a faca e o queijo na mão. Se pá, até ganhou aquele carro de presente de aniversário, dos pai, ou daquele tio que mora na Finlândia. Tenta entender o que eu tô te falando, sangue bom: este mundo é um conto de fada, sem tirar nem pôr. Mas tem gente que nasce no castelo e passa a vida toda lá, entre os baú de tesouro, tendo tudo do bom e do melhor, achando tudo uma maravilha; a única preocupação dessa gente são os monstro abominável que vive longe do castelo: monstro como eu e tu. E, bom, do ponto de vista deles, é o seguinte: a gente só nasceu nas condição que a gente nasceu porque os nossos pai foro preguiçoso; e a gente só continua nas mesmas condição porque a gente também é preguiçoso; e a gente não pode querer o que eles têm, porque isso seria inveja; e a gente só pode aparecer lá, no castelo, se for pra limpar o chão ou podar os arbusto, e depois disso, a gente que volte pro buraco de onde a gente veio. Só que eu tô cagando e andando pro ponto de vista deles, Marques. Eu tenho acesso ao castelo, pra limpar o chão e pra podar os arbusto, como eles quer que eu faça e como eu sempre fiz a vida todinha, mas, além de fazer isso, eu vou aproveitar pra vender erva mágica pros filhinho deles!

Em silêncio, Marques refletiu sobre tudo o que Pedro acabava de dizer. Achava assustadora a capacidade do amigo de trazer à tona um absurdo, para, em seguida, ajeitá-lo, posicioná-lo, acomodá-lo sob a *exata perspectiva* da qual não parecia mais absurdo nenhum, e sim um aspecto trivial da realidade. No entanto, continuava irredutível:

— Bom, mano, tu faz o que tu quiser. Quer vender maconha aqui? Vende. Só que eu vou ter que te deixar na mão, dessa vez. Me desculpa. Não conta comigo.

Pedro inclinou a cabeça, arqueou os lábios e ergueu as sobrancelhas, como quem duvida.

— É, pode até ser que tu não queira mesmo vender maconha aqui dentro comigo. E, como eu disse antes, eu não posso nem quero te obrigar a nada. Mas, olha, pra falar a verdade, o meu palpite é que tu vai, sim, querer vender maconha aqui dentro comigo.

— É? E por que tu pensa assim?

— Porque, na real, a gente tá sintonizado, sangue bom. Olha só: tu disse que tu e a Angélica tão querendo largar tudo de mão.

Mas vocês sabe que largar tudo de mão agora, assim, duma hora pra outra, ia ser uma baita burrice. Ia ser voltar à estaca zero. Ia ser voltar ao sufoco. Afinal, se a gente tem uma vida minimamente decente agora, é graças à maconha que a gente vende. Então, o que é que cês dois vão fazer? Cês vão juntar um bom dinheiro antes de cair fora; com esse dinheiro, vai dar pra investir em alguma coisa e continuar tendo uma vida confortável depois, sem fazer nada ilegal. Perfeito: isso significa que cês têm o mesmo objetivo que eu. A diferença é que cês quer atingir esse objetivo dum jeito, e eu, de outro. As estratégia são diferente. Tendeu? Não pensa tu, Marques, que é à toa que eu quero começar a vender maconha aqui. Isso faz parte da minha estratégia. Vender maconha aqui vai nos ajudar a largar tudo de mão, de uma vez por todas.

Foi apenas nesse ponto que Marques começou a demonstrar um pouco de interesse na ideia.

— Tá bom, explica melhor isso aí.

— Sereno. É o seguinte: me diz uma coisa: quanto dinheiro tu e a Angélica pretende juntar antes de saltar fora do esquema? Ou melhor: quanto *tempo* vai levar procês juntar esse dinheiro?

— Ah, mano, e eu sei lá! Algum tempo.

— Certo, certo, o tempo exato não importa. Digamos um ano. Tá bom assim? Um ano juntando dinheiro, pra depois, sim, meter o pé do bagulho. Bom, e se eu te disser, Marques, que dá pra juntar a mesma quantidade de dinheiro em só quatro mês? *Um terço* do tempo, sangue bom! O que tu acha disso? Tu não disse que tu e a Angélica se preocupa e pá? Aliás, como foi mesmo que tu descreveu a preocupação de vocês? "Essa sensação chata de que tudo pode desmoronar em cima da gente de uma hora pra outra", não foi assim? Então, mano: tu quer continuar com essa sensação chata por um tempo X ou por *um terço* desse tempo X? Um ano ou quatro mês? Dois ano ou oito mês? — Pedro sorriu. — Não é tu que tem que me dizer "pernas, pra que te quero", Marques. Sou eu que tô dizendo pra ti: pernas, pra que te quero, irmão! Vamo sair chispando dessa merda! Vamo largar tudo de mão o mais rápido possível! Mas aí é que tá: o caminho mais rápido pra gente poder largar tudo de mão é justamente vendendo maconha aqui dentro. Assim, vai ser três vez mais rápido. Tu sabe por quê, Marques? Porque, se a gente começar a vender maconha aqui, a gente vai ganhar três vez mais dinheiro do que a gente vem ganhando.

Marques agora estava definitivamente considerando a possibilidade.

— *Três vezes mais?* Tem certeza?

— Não. Não tenho certeza. Mas é a minha estimativa. Três vez mais dinheiro. E eu não tô dizendo isso só pra te convencer, cupincha: é a minha estimativa, de verdade. Será que tu ainda acredita nas minha estimativa?

— Veio, ia ser muita grana...

— Sim. Mas é disso mesmo que eu tô falando: *muita grana*. Além disso, o plano que eu tenho pra gente poder vender maconha aqui não podia ser mais bem pensado. É como eu te disse antes: a ponte tem que ser segura, e eu tomei todos os cuidado pra garantir que ela seja segura. — Vendo que o amigo estava muito pensativo, espremendo os lábios com o polegar e o indicador, Pedro abriu os braços: — E aí, mano? Vamo ou não vamo acelerar as coisa, pra poder deixar tudo isso pra trás de uma vez por todas, o mais rápido possível? Pernas, pra que te quero?

Marques balançou a cabeça lentamente, concordando:

— Pernas, pra que te quero.

— *Très bien!*

— Ah, *très bien* é o teu cu! Me conta logo qual é a porra do plano.

Pedro riu, e em seguida começou a explicar tudo o que tinha em mente.

15.
De volta ao parque aquático

O sr. Geraldo deu férias a Marques e Pedro, mais uma vez. Havia uma possibilidade de expandir o esquema da maconha, mais uma vez. E a quadrilha se reuniu naquele parque aquático situado na região metropolitana de Porto Alegre, mais uma vez. Era domingo, 28 de março de 2010, e o dia ia se desenrolando numa constante sensação de déjà vu.

Desta vez, Roberto viera com a esposa e os filhos, e Luan trouxera Larissa, sua concubina preferida. Tudo foi diversão pela manhã e durante o almoço; depois — satisfeita a fome, bebidas algumas cervejas, contadas algumas histórias e dadas algumas risadas —, finalmente era chegada a hora de falar de negócios. Roberto disse à esposa que levasse as crianças para brincar nos tobogãs, e Luan pediu que Larissa fosse junto. Os integrantes da quadrilha, então, sentaram-se lado a lado na borda de uma das piscinas, com os pés metidos na água. Angélica fizera uma observação: cerveja definitivamente não combinava com assunto sério. Todos tinham concordado e, por essa razão, era caipirinha de vodca o que bebiam agora. Na verdade, de acordo com o estatuto do parque aquático, o consumo de bebida alcoólica na área das piscinas era proibido, por motivos de segurança, mas Roberto descobrira, ainda no ano anterior, uma maneira de contornar esse problema: bastava botar quinhentos reais na mão do sujeito que ficava por ali, dizendo a todo o mundo o que podia e o que não podia.

Em poucas palavras, Pedro introduziu o assunto que era o motivo principal daquela reunião, contando que ele e Marques começariam a vender maconha na filial da rede Fênix de supermercados em que trabalhavam.

— Cês vão vender maconha lá no supermercado? — espantou-se Luan. E foi o único a espantar-se, porque, para os outros, aquilo não era novidade nenhuma: Pedro já comentara sobre a ideia com Roberto, e Marques, com Angélica. — Tão é louco! — concluiu o adolescente.

— Não, ninguém tá louco, sangue bom — respondeu Pedro. — A gente já tem tudo planejado.

— Mas eu não tô sabendo direito como as coisa vão ser — manifestou-se Angélica. — Na real, o Marques me falou tudo muito por cima; não me explicou *de que jeito* cês vão fazer isso que cês quer fazer.

— Pois é, eu também não tô sabendo dos detalhe — disse Roberto.

— Bom, eu já falo disso — prometeu Pedro. — Antes, eu quero dizer outra coisa. — Suspirou e balançou a cabeça, olhando para dentro de seu copo de caipirinha, como se não estivesse contente com os pedaços de limão. — É o seguinte, pessoal: a gente tem que parar. Largar tudo de mão. Tá legal? É pra isso que eu e o Marques vamo começar a vender maconha lá no supermercado. Claro que vai ser um lance arriscado, e bota arriscado nisso. Mas, olha, a gente vai ganhar dinheiro, viu? Dinheiro *pra caralho*. A ideia é todo o mundo juntar o quanto puder de grana, a partir do momento que a gente começar a vender maconha lá. Porque essa vai ser a reta final do nosso esquema.

— Como assim? — Era novamente Luan, novamente espantado. — Tu tá querendo acabar com o esquema? — Sorriu e percorreu o olhar pelos comparsas, mas não recebeu apoio de ninguém. — Mano, é sério isso? — insistiu.

— Deixa o Pedro falar, guri! — repreendeu Roberto.

Pedro agradeceu ao marido de sua prima com um gesto de cabeça. Contudo, não prosseguiu de imediato: os pedaços de limão pareciam mesmo perturbá-lo. Depois de suspirar outra vez, admitiu:

— Pra mim também não vai ser fácil parar, Luan. Na real, eu tenho é *medo* de parar. Mesmo eu juntando uma nota e investindo em alguma coisa, pra poder viver bem sem vender maconha, quem é que me garante, sangue bom, que daqui a algum tempo eu não vou voltar a ter uma vida de merda? E se eu investir mal o dinheiro? E se o dinheiro acabar e eu ficar com uma mão na frente e a outra atrás? Eu tenho medo, mano. Mas eu não posso deixar o medo me guiar. Eu tenho que fazer o que eu *sei* que eu tenho que fazer. Se eu deixasse o medo me guiar, eu nem tinha começado a vender maconha, pra início de conversa. Porque eu tinha medo, antes de começar. E aqui tô eu, com medo de novo, mas agora é com medo de largar tudo de mão. Aqui tô eu, com medo, porque eu não sei como vai ser, depois que eu parar. Só que, independente do medo do que pode acontecer, eu *sei* que eu tenho que parar, Luan. Porque se eu continuar, mano, não vai acabar bem pra mim. Eu tô cansado de saber que esse tipo de coisa nunca acaba bem pra quem não sabe a hora de parar. Bota na tua cabeça uma coisa, irmão: a gente se meteu num tipo de jogo pior do que um jogo de azar. Um jogo de azar já não é bom pra quem joga e joga e joga sem parar, mas, pelo menos, num jogo de azar é só o acaso que decide quem ganha e quem perde. E o acaso não quer ver ninguém se foder. O acaso não tem vontade. Pro acaso, tanto faz: ganhe a banca, ganhe tu, o acaso não tá nem aí. Mas no jogo que a gente se meteu, mano, é bem diferente. É os santo tudo contra nós. A lei diz que quem faz o que a gente faz, tem que se foder. A polícia *é paga* pra, primeiro, descobrir que a gente faz o que faz e, depois, nos foder, só porque a gente faz o que faz. Trabalhador honesto, que quer ter o que a gente tem, mas não tem peito pra fazer o que a gente faz, quer ver a gente se foder. Então, se tu botar na ponta do lápis, é mais força atuando pra gente se foder do que força atuando pra gente ficar em paz, enquanto a gente tiver nesse jogo de merda. Tendeu? Pensa: a gente já ganhou dinheiro pra caralho, cara! E a gente ainda vai ganhar bastante. Mas te liga: a gente *tem que parar*, antes que seja tarde demais.

Entretanto, Luan não se deixou convencer pelas palavras de Pedro. Ao contrário: agora parecia até mais desconcertado do que antes.

— Mas, mano do céu, é sério isso? — tornou a perguntar. E, dando um riso seco, sacudiu ligeiramente a cabeça, como quem acaba de ouvir o maior absurdo do mundo. — Vem cá, deixa eu te falar uma coisa que a minha coroa sempre me fala, cupincha: eu não tenho que deixar os outros pensar por mim o que é certo e o que é errado. Eu mesmo posso pensar o que é certo e o que é errado. E, porra, eu não acho que eu tô agindo errado, na real, e é por isso que eu não quero parar de fazer o que eu tô fazendo. Te liga só, Pedro: em primeiro lugar, quem compra maconha da gente, compra porque quer. A gente não obriga ninguém a comprar maconha da gente. Em segundo lugar, quem foi que disse que vender maconha é errado? Eu tô cagando pra quem acha que é errado! É que nem eu disse: eu posso pensar sozinho o que é certo e o que é errado, e como eu não acho errado vender maconha, eu vou continuar vendendo maconha. Desculpa aí, sangue bom, mas eu penso com a minha cabeça, e não com a cabeça dos outros, então o que tu acha ou deixa de achar sobre esse lance, não me interessa, na real.

Antes mesmo de o adolescente concluir o que dizia, os outros já o reprovavam, falando todos ao mesmo tempo confusamente, mas foi a voz de Angélica que se destacou, fazendo com que as demais, por fim, se calassem:

— Não, mas olha aqui, sim, sim, sim, só que olha só, não, não, não, aí que eu te falava, mas escuta, escuta, escuta, ah, cala a boca, deixa eu falar, seus pau no cu! Isso aí que a tua coroa te ensinou, Luan, ela ensinou pra tudo o que é porco também? Eu acho que não. Porque porco não pensa com a própria cabeça. Porco é cego e surdo. Tenta falar tudo isso aí que tu tá nos dizendo prum porco, pra tu ver. Porco acha que a lei tá certa, acha que quem vende droga é tudo filho da puta e já era, acabou. Se um porco te pegar vendendo maconha, não vai adiantar tu vir com esse blá-blá-blá todo aí. Se ele só te grampear e te jogar lá dentro do presídio, tu tá no lucro.

— Mas e tu acha que eu não sei, Angélica? — retorquiu Luan. — Eu sei que o bagulho é doido assim mesmo. Mas não fui eu que fiz o mundo, ora bolas. Se é assim que o mundo funciona, o problema é do mundo, e não meu.

— Claro que o problema é teu, irmão! — contradisse Marques. — Porque, olha bem: quem vai se foder no final da história é tu, e não o mundo, infeliz!

O adolescente estalou os beiços.

— Tá bom, Marques, então me responde uma coisa: na época dos escravizado...

— Ah, "na época dos escravizado"! — menoscabou Roberto. — Não viaja, guri, não viaja!

— Mas é verdade, Roberto! Na época dos escravizado, por acaso eu ia ter que aceitar ser um escravizado, sem reclamar e sem tentar fugir, só porque o mundo era assim? Meu pau! Eu ia fugir, mano! Eu ia ser preto fujão! Eu ia fugir e matar branco pra caralho! Ou, se pá, eles é que iam me matar, mas era isso que eu ia tentar fazer: fugir e matar o máximo de branco que eu pudesse!

— Nada a ver, nada a ver, é bem diferente.

— Qualé a diferença, Pedro?

— A diferença, sangue bom, é que, na época dos escravizado, se tu não fugisse, se tu não te rebelasse, se tu desse o braço a torcer pro mundo que nem era, tu tava aceitando levar uma vida fodida. *Mas fodida afu!* Fodida dum jeito que a gente não pode nem imaginar! Não é esse o nosso caso, Luan, te liga! Claro, de certo modo, a nossa ideia é dar o braço a torcer pro mundo, ou seja, parar de vender maconha, mas, antes disso, *cada um* de nós vai ter tempo de juntar trezentos, quatrocentos, quinhentos mil! Pensa em tudo o que a gente vai poder fazer com esse dinheiro, mano! Pensa na vida que a gente vai poder construir! A gente vai poder abrir um negócio massa, ou, sei lá, investir o dinheiro de outro jeito, pra poder viver em paz, com conforto, sem ter que se matar trabalhando, sem ninguém ficar olhando torto pra gente! A gente vai poder comprar a liberdade e a dignidade! Não compara isso a aceitar ser um escravizado, porque não tem nem cabimento, essa comparação!

— Porra, mas tu não te decide, hem, meu irmão! — observou Luan. — Tu acabou de falar que tem medo de parar de vender maconha, porque se pá tu pode acabar voltando a ter uma vida de merda; agora, tu já tá falando que, depois que tu parar, vai ser tudo mil maravilha!

A perspicácia do adolescente pegou Pedro de surpresa: ele não esperava ser flagrado em contradição daquela maneira. Sem titubear, no entanto, apressou-se a explicar-se:

— Eu *tenho* medo de parar de vender maconha. Afinal, pode mesmo dar tudo errado pra mim, e se pá eu volto a ser um fodido. Beleza, eu admito isso. Só que, quando eu parar, Luan, eu vou ter uma coisa que eu nunca tive antes.

— O quê?

— *Oportunidade.* É isso o que eu vou ter: *oportunidade.* E não é aquela oportunidade só simbólica, do tipo "olha, é a tua oportunidade: toma aqui um patinete e vai lá correr contra os playboyzinho de carro tunado em Tarumã". É oportunidade *real*, irmão! Eu também vou ter o meu carro tunado pra correr! E isso não é pouca coisa. Pode dar tudo errado? Claro que pode! Mas, porra, eu tenho que ter pelo menos um pouquinho de confiança na minha competência, não é verdade? Eu sempre reclamei de não ter as nota. Eu sempre disse que, se eu tivesse as nota, ah!, não ia ter pra ninguém, ninguém ia me segurar. Bom, pronto, agora as nota tão na mão. As nota tão aí. E eu ainda vou ter tempo de juntar mais um troco massa. E agora? Tendeu? Agora, só o que eu quero é provar pra todo o mundo, e principalmente pra mim mesmo, que eu não tava blefando. Te ligou? É a minha chance de provar que eu tava certo o tempo todo. É a minha chance de construir uma vida decente, dentro da porra da lei, porque agora eu vou poder *pagar* o boleto da decência. É a minha chance de *ser alguém*, que nem diz a minha mãe. É a minha chance de mostrar do que é que eu sou capaz. Ei, ei, ei, te liga só nisso, te liga só nisso: sabe o que eu vou fazer, quando tudo isso acabar? Eu vou usar o dinheiro pra pagar os meus estudo com toda a tranquilidade, porque, na real, eu curto estudar. Mas é o seguinte: eu vou estudar é onde burguês estuda, cara. Vou fazer uma facul do caralho! Quando eu tiver formado, sangue bom, ih, nem me viu! Eu vou achar trampo é lá na Europa, ou nos Estados Unidos, sei lá. Vão me chamar de "*doutor* Pedro". Quando eu aparecer num lugar, vai todo o mundo calar a boca, porque o ticudinho chegou, e vai todo o mundo vir correndo lamber as minhas bola. Mas esse aí é o *meu* delírio, tá ligado? Cada um com o seu delírio. Qualé o teu? Tu deve ter algum. Todo o mundo tem. E, seja qual for o teu delírio, tu vai poder viver ele. Tu vai *ganhar dinheiro* pra viver ele. Hem? Vai, fala aí, qualé o teu delírio? O que tu acha de ganhar dinheiro e mais dinheiro pra fazer um bagulho que tu curte, um bagulho que se pá até de graça tu faria? Véio, com o dinheiro que a gente vai poder juntar, a imaginação é o limite! Se tu quiser, tu pode até dar um jeito de virar ator pornô e ganhar dinheiro pra fazer um sexo bolado! Hem? Vai dizer que ser pago pra esvaziar os coquinho não tá valendo?

O pequeno discurso sobre oportunidade, inicialmente grave, tinha se tornado pilhéria no meio do caminho; todos, inclusive o próprio Pedro, já estavam aos risos desde o termo "ticudinho". Luan teve que se esforçar para conseguir parar de rir e falar:

— Não, sério, mano, sério, eu já tô vivendo o meu delírio. Sério, sério, eu não quero largar tudo de mão.

Percebendo que seria inútil tentar dissuadir o adolescente, Pedro, que estava sentado ao lado dele, passou o braço em volta de seu pescoço e puxou-o contra si, com força, num quase mata-leão.

— Gosto de ti pra caralho, Chokito! Ah, não, agora não é mais Chokito! Agora é Sheik, não é isso? Então, Sheik, gosto de ti pra caralho! Eu só tava tentando te dar um toque e pá. Tá bom? — Soltou-o, dando-lhe um par de tapas bem dados no ombro. — Se tu quer continuar fazendo a mão, continua, sangue bom. Eu respeito a tua decisão. Vou falar com o Fabrício e te largar pifado com ele. Mas é o seguinte: *eu* vou cair fora assim que eu tiver juntado um dinheiro massa, porque eu tenho uns projeto, uns sonho bizarro, e pela primeira vez na vida eu acho que vai dar pé pra mim. Na real, tu vai tá sozinho no bagulho, mano, porque eu acho que o resto da rapaziada aí tá tudo fechado comigo, na ideia de saltar fora...

Angélica, Marques e Roberto prontamente confirmaram, os três ao mesmo tempo:

— Exatamente!

— Sem dúvida!

— Com certeza!

Luan deu de ombros com indiferença.

— Cada um, cada um. Eu quero mais é que cês se explodam e o meu pau cresça.

— Tá, tá, tá, chega de besteira! — impacientou-se Angélica. — Afinal, quando é que tu e o Marques vão começar a vender maconha lá no supermercado, Pedro?

O rapaz parou de rir e fez um muxoxo.

— Ah, minha linda, essa é que tem sido a minha dor de cabeça. Faz tempo que eu tô tentando pensar num jeito de começar, e simplesmente não consigo. Tem um bom público disposto a pagar vinte conto por cada buchinha de uma grama de maconha, disso eu tenho certeza; o problema é saber como é que a gente vai fazer pra atrair esse público. Não dá pra botar um anúncio no jornal.

— Menos mal que isso aí não vai ser um problema permanente — comentou Roberto.

— Como assim? — indagou Marques.

— Bom, depois que cês der um jeito de vender umas grama pros primeiro filhinho de papai, eles mesmo vão se encarregar de espalhar a notícia entre os amiguinho deles, e assim vai indo. A clientela vai se multiplicar sozinha; o problema é só como começar mesmo.

Havia já alguns minutos que os copos de caipirinha estavam vazios.

— Tá bom, quem é que vai lá buscar mais? — quis saber Angélica.

— Vamo ver se a biscate não vai — sugeriu Pedro, referindo-se à concubina de Luan.

— Olha aqui, em primeiro lugar, biscate é a tua vó! — rebateu o adolescente, ao que todos riram. — Em segundo lugar, eu não trouxe a Larissa aqui pra ficar bancando a garçonete.

— Ela não vai se importar — garantiu Angélica. — É uma mina prestativa.

Marques teve uma ideia.

— Vamo ver se ela é prestativa, então. Faz o seguinte, Luan: chama ela aqui, diz que tu mesmo vai lá buscar mais caipirinha e pergunta se ela não quer um copo. Se ela se oferecer para ir no teu lugar, daí tu deixa ela ir.

— Tá, mas e se ela não se oferecer pra ir no meu lugar?

— Daí vai tu mesmo.

Todos riram novamente.

— Tá bom, vamo ver, então. — Luan colocou as mãos em concha ao redor da boca. — Larissa! Larissa, chega aqui ligeirinho!

Larissa estava passando do outro lado da piscina, junto com a esposa e os filhos de Roberto; ao ouvir o chamado, pulou dentro d'água e veio nadando com graciosidade em direção ao adolescente.

— Fala, amor. — Sorriu, quando chegou aos pés dele, junto à borda da piscina.

— Eu vou lá pegar mais caipirinha pra gente tomar. Quer um copo?

— Não. Na real, eu nem vou ter como tomar essa porra, andando nos tobogãs. Mas deixa que eu busco o bagulho lá procês. — A moça saiu da piscina, recolheu os cinco copos plásticos esvaziados e afastou-se, com seu peculiar rebolado. Era um rebolado exagerado, mas caía-lhe muito bem.

— Tá vendo só como a guria é prestativa? — disse Angélica.

— Beleza, onde é que a gente tava mesmo? — perguntou Marques.

— O Roberto tava dizendo que a notícia de cês dois vendendo maconha lá no supermercado vai se espalhar no meio da playboyzada — lembrou Luan. — E isso aí me parece mais um perigo do que uma vantagem, na real. E se um pau no cu resolve denunciar cês dois?

— Bom, se tu pensar bem, isso é mais difícil de acontecer do que parece — minimizou Pedro. — Tu não te lembra da

Operação Bruxaria? Todo o mundo que sabia da Operação Bruxaria queria poder continuar roubando os produto da loja em paz, não é verdade? Ninguém queria que o seu Geraldo descobrisse tudo e acabasse com o esquema. Então, *cada um de nós* tomava bastante cuidado na hora de contar o segredo pra alguém; a gente só contava pra quem a gente *tinha certeza* que não ia dar com a língua nos dente. E agora, nesse lance de vender maconha lá no supermercado, vai ser a mesma coisa. Os playboy que comprar maconha da gente lá não vão ter o menor interesse em contar o segredo pra alguém capaz de nos caguetar.

— Tá, agora fala do plano — pediu Angélica. — Como é que vai ser a porra toda?

— Ah, sim, sim — disse Pedro, dando-se conta de que ainda não tinha explicado como seria o funcionamento das coisas. — Na real, vai ser tudo bem simples. Em primeiro lugar, eu e o Marques vamo deixar a maconha guardada em algum canto do depósito...

— Mas como assim? — interrompeu Roberto. — E se alguém achar o bagulho lá?

— Não, não; não tem perigo, mano — tranquilizou-o Marques. — É que tu nunca trampou num supermercado. O depósito é enorme de grande. Tem uma pá de cantinho onde dá pra gente esconder a maconha, que ninguém vai achar nunca.

— Pior — concordou Luan.

— Em segundo lugar — continuou Pedro —, vai ter um código. Os playboy vão procurar eu ou o Marques nos corredor do supermercado, e vão perguntar se tem chá. A gente vai responder que depende do chá. Daí, se eles disser que quer chá de fumar, a gente vai saber que tão atrás de maconha.

— Ué, mas pra que diabos essa palhaçada toda? — indagou o adolescente.

— É uma medida de segurança, vamo dizer assim. Por exemplo, imagina se um playboy vai lá e pergunta se tem chá prum funcionário que não seja eu ou o Marques. Sem saber de nada, esse funcionário vai só mostrar o corredor onde fica os chá, e na mesma hora o playboy vai perceber que perguntou pra pessoa errada.

— Bem pensado — elogiou Angélica.

Nesse momento Larissa chegava de volta, trazendo as caipirinhas. Vinha com o braço direito em L, os copos todos seguros ali, entre esse braço e o tronco. Usando a mão que estava livre, a moça distribuiu as bebidas uma por uma, com destreza e desenvoltura, e prontamente ocorreu a Pedro que talvez ela já houvesse trabalhado servindo mesas num bar.

Depois de responder aos agradecimentos todos da mesma forma ("capaz, cupincha"), Larissa retirou-se, indo à cata da esposa e dos filhos de Roberto. Este, após bebericar sua caipirinha, perguntou:

— Tá, Pedro, mas e se, apesar de ser pouco provável, como tu explicou, e se *mesmo assim* alguém denunciar tu e o Marques?

Pedro encolheu os ombros.

— Nesse caso, a gente vai ser preso, ora.

Angélica pareceu ficar assustada.

— Ah, e tu fala isso assim, com toda essa naturalidade?

O rapaz suspirou.

— Minha linda, e se a polícia te pegar vendendo maconha lá na Lupicínio, ou pegar o Roberto vendendo lá no Pinheiro, ou pegar o Luan vendendo lá na Planetário? Isso também pode acontecer, não pode? Cês três corre algum risco, e agora eu e o Marques também vamo correr algum risco. Mas não tem motivo pra toda essa preocupação. Vamo ficar tranquilo.

— Ficar tranquilo... — murmurou Roberto. — Quando a polícia investiga uma quadrilha e depois vai lá e prende todo o mundo, normalmente é assim que a quadrilha tá: tranquilinha da silva. Aliás, já pensou se tão investigando a gente agora mesmo? Ou melhor: já pensou se um monte de porco invade o parque agora mesmo pra levar a gente em cana?

Todos riram.

— Não iam prender eu e o Pedro, porque a gente não é chinelo — brincou Marques. — Aqui, só a gente é trabalhador, na real. Tu, Roberto, vende maconha lá no Pinheiro; tu, Luan, vende maconha lá na Planetário; e tu, amor, vende maconha lá na Lupicínio. Cês três iam se foder, mas eu e o Pedro, não. A gente trampa e pá, de boa, tudo direitinho.

— É, é, é, bem nessas, bem nessas! — riu Pedro. — Eu ia até meter uma pilha: "Leva mesmo, seu polícia, leva, que é tudo chinelo".

— Só que eles iam querer saber o que é que cês dois tão fazendo aqui, com os três chinelo — observou Luan.

— Mas, ué, ué, ué — disse Marques —, tamo aí, tomando uma caipira, tomando um sol bem gostoso, os pé metido na água... Quem é que não gosta? Mas vai querer me acusar de tráfico? Negativo! Eu mostro o gibi assinado, se for o caso. Eu sou só a porra dum supridor da porra dum supermercado.

Roberto estalou os beiços.

— Ah, mas vá! Supridor por supridor, na real todo o mundo aqui é supridor, Marques. Metade da maconha fumada em Porto é a gente que arranja, é a gente que supre!

Todos tornaram a rir. Em seguida, Angélica ergueu seu copo, brindando:

— Aos supridores de Porto!

Os outros também ergueram seus copos e repetiram em coro as palavras dela: "Aos supridores de Porto!".

16.
As transgressoras

Mais de um mês se passou desde a reunião no parque aquático sem que Marques e Pedro começassem a vender maconha no supermercado. Então, na noite de 8 de maio de 2010, um sábado, após outro duro dia de trabalho ali dentro, a dupla bateu o cartão e saiu para a rua, indo embora para casa. O outono já estava pela metade, e portanto cada noite quente como aquela poderia ser a última do ano inteiro antes da volta do verão, somente em dezembro.

— Véio, eu não aguento mais vir pra esta merda todo dia — comentou Marques.

— É, eu também não acho lá muito divertido — concordou Pedro. — Mas isso vai mudar, quando a gente começar a vender o nosso produto aí dentro. A gente só precisa dar um jeito de arranjar logo os nosso primeiro cliente... — Calou-se e estacou de repente, farejando alguma coisa. — Hummm, que aroma gostoso... Tá sentindo?

— Claro que tô — respondeu Marques, olhando ao redor com cara de nojo. — Olha lá. É de lá que tá vindo esse fedorão.

Pedro voltou-se para a direção que Marques apontava: a uns dez ou vinte metros, debaixo das árvores da praça, era possível ver um pequeno ponto incandescente na escuridão.

— Hum! — fez o rapaz, tirando do bolso seu maço de cigarros todo amarrotado. — Olha aqui que sorte, sangue bom: eu ainda tenho um branco.

— Sorte? Por que sorte?

— Vem comigo, que tu vai ver.

Eles caminharam para dentro do negrume. À medida que avançavam, seus olhos conseguiam distinguir melhor a cena mergulhada na escuridão: o pontinho incandescente, na verdade, era a brasa de um cigarro de maconha entre os dedos de uma jovem, a qual achava-se em companhia de outra jovem. Elas conversavam animadas, junto a uma das mesas de xadrez da praça, mas não faziam uso dos bancos, montadas como estavam cada qual numa bicicleta. Calaram-se ao perceber a aproximação de Marques e Pedro; este último, tendo retirado o único cigarro que havia restado no maço, amassou o invólucro e o jogou fora, pedindo:

— Empresta a brasa aí, preu acender o crivo.

Ciente de que Pedro trazia um isqueiro no bolso, Marques teve vontade de rir da naturalidade com que o amigo dissimulava, mas se controlou.

Sem dizer nada, a moça que empunhava a maconha usou a mão livre para estender um isqueiro a Pedro; o rapaz acendeu o seu cigarro e o devolveu, agradecendo. Mas, em vez de ir embora, abriu um sorriso acanhado e ficou encarando a jovem por um instante, balançando estupidamente a cabeça para cima e para baixo, deixando transparecer sua intenção de puxar assunto. Por fim, perguntou:

— E esse baseado aí?

— Tá aí — limitou-se a responder ela, muito séria, parecendo até mesmo meio aborrecida.

— E qual vai ser? Não rola um pega? — perguntou Pedro.

Sem nunca dar o menor sinal de simpatia, a jovem virou a cabeça devagar, para encarar a amiga, que aparentemente não possuía a mesma capacidade de manter-se sisuda. Em seguida, tornou a olhar para Pedro, barganhando:

— Tá, me dá um cigarro aí, então.

O rapaz ergueu as sobrancelhas e arqueou os lábios.

— É justo — concordou, estendendo para ela o cigarro que tinha acabado de acender. — Mas tu vai ter que te contentar com esse já aceso, porque é o meu último.

A moça revirou os olhos, sorrindo pela primeira vez — um sorriso para lá de azedo. Pois foi de visível má vontade que aceitou o cigarro e entregou a maconha a Pedro. Este, depois da primeira tragada, soltou a fumaça da droga pelas narinas, com um gemido de prazer exagerado, e então dirigiu a palavra a Marques, porém fazendo questão de que a jovem escutasse o que dizia:

— Quer saber o que eu acho, na real? Eu acho que essa dama aí tem cigarro, parceiro. Te liga só, acompanha o meu raciocínio: *aposto* que ela me pediu um cigarro só porque viu quando eu joguei o maço vazio fora. Ela sabia muito bem que esse cigarro que eu acabei de acender era o meu último, e daí pensou que eu ia desistir de fumar a maconha dela se ela me cobrasse um cigarro em troca. Ou se pá ela só não gosta de ficar no prejuízo, sei lá. Mas o que importa é que eu acho que ela tem cigarro, sabe, mano, e *mesmo assim* ficou com o último que eu tinha.

Dessa vez, o sorriso que surgiu no rosto da moça denotava algum divertimento. Em silêncio, admitiu a razão do rapaz, tirando do bolso um maço de cigarros cheio e largando-o sobre a mesa de xadrez.

— Senhoras e senhores, acho que temos um xeque-mate! — brincou Pedro.

— Será, espertinho? — duvidou a jovem. E olhou para a amiga, dizendo: — Quer saber o que eu acho, Nanda? Eu acho que esse cavalheiro aí tem um isqueiro. Acompanha o meu raciocínio: eu acho que ele sentiu o cheiro da maconha lá de longe e *fingiu* que não tinha isqueiro, na caradura, só pra poder se aproximar, pedindo o fogo emprestado, porque assim não fica tão feio, e, no fim, perguntou se não rolava um pega do baseado, que era o que ele queria pedir desde o começo.

Pedro riu e olhou para Marques.

— Ela é boa, sangue bom! — Tirou o isqueiro do bolso, largando-o sobre a mesa.

Foi a vez da moça de brincar:

— Senhoras e senhores, acho que temos um xeque-mate!

Pedro sentou-se num dos bancos da mesa, enquanto Marques se sentava no outro. Os quatro apresentaram-se, apertando-se as mãos. Pâmela e Fernanda, era como se chamavam as jovens.

— De onde é esse baseado? — quis saber Marques.

— Como assim? — estranhou Pâmela.

— Onde cês conseguiro, onde compraro?

— Ah, entendi. Bom, foi um cara que nos vendeu, ali na Redenção.

— E cês duas sempre compra dele? — foi a pergunta de Pedro.

— Não, não, a gente nem sabe quem é — respondeu Fernanda. — Ele nos parou e nos ofereceu. Bah, cobrou tri caro, o cretino!

— Quanto ele cobrou?

— Cinquenta reais.

Marques espantou-se.

— *Cinquenta?*

— É.

— E quanto veio de maconha?

— Veio só isso que a gente tá queimando agora.

— Tá, mas e cês duas nem reclamaro?

— Tu queria que a gente ficasse pechinchando com um traficante bem no meio da Redenção, cara? Tá, ele cobrou caro, a gente não é boba nem nada, mas a gente só queria pegar a bosta da maconha e ir embora de uma vez. Além disso, cinquenta reais não chega a ser uma fortuna.

Pedro e Marques trocaram olhares em silêncio. Depois, Pâmela perguntou:

— Vocês trabalham aí no super, não é?

— Sim, pode ficar descansada — respondeu Marques, em tom meio debochado.

A moça estreitou as pálpebras.

— Como assim "pode ficar descansada"?

— É que os pai de vocês deve dizer pra vocês não falar com estranho.

— Principalmente de noite — complementou Pedro.

— Mas — continuou Marques —, como cês duas já sabe que a gente trampa aí no super, não precisa se preocupar, que a gente não é marginal.

Fernanda deu um risinho arteiro.

— E tu acha que a gente dá importância pro que os nossos pais falam? Se dependesse dos meus pais, eu ainda não ia ter feito a minha primeira tatuagem até agora, por exemplo. — Virou a cabeça para exibir a pequena rosa que tinha na lateral do pescoço. — A gente é meio transgressora, vamos dizer assim.

— Então eu acho que todo o mundo aqui é farinha do mesmo saco — comentou Pedro, passando-lhe a maconha.

— É, parece que sim — concordou Pâmela. — Afinal, os pais da gente também falam que usar droga faz mal e blá-blá-blá, e mesmo assim aqui estamos nós, quatro maconheiros.

— Mas Deus que me perdoe, *eu* não fumo essa merda aí! — esclareceu Marques. — Na real, não suporto nem o cheiro disso aí.

— Então eu acho que tu não devia tá aqui, não é mesmo? — alfinetou Fernanda.

O rapaz lançou-lhe um olhar penetrante.

— Ao contrário. Vou te dizer que eu tenho *certeza* que eu tô no lugar certo e na hora certa.

A moça sorriu, meio envergonhada, mas parecendo gostar de ser olhada daquele jeito.

— Pois é, eu concordo contigo, mano — disse Pedro, tentando a mesma tática com Pâmela. — A gente não podia tá num lugar melhor.

Pâmela, porém, não se deixou envolver tão facilmente quanto a amiga.

— Claro que tu não podia tá num lugar melhor, não é? Fumando a maconha dos outros...

O rapaz escancarou a boca, chocado.

— Tu não disse isso! Gente, ela não disse isso!

Os quatro riram.

— Calma, te garanto que ela não disse por mal — defendeu Fernanda. — É que a gente é muito sincera, sabe?

— Tudo bem cês duas ser sincera. O problema é que a tua amiga aí me acusou de interesseiro, e isso eu não sou!

— Como não, cara, se tu veio aqui só por causa do baseado? — insistiu Pâmela.

— Eu não vim por causa do baseado, tá bom? Porra, que desconsideração! Eu e o meu brother viemo aqui pra trocar uma ideia com cês duas, pra gente se conhecer, pra ver se a gente se curte e pá.

— Ah, fala sério!

— Sereno, sereno, te liga só: se eu te provar que eu não vim aqui por causa da maconha, o que tu me dá?

Pâmela riu secamente.

— Mas tu não tem como provar!

— Então tu não tem por que não apostar, não é?

Ela refletiu por um instante e, em seguida, recorreu à amiga:

— O que tu acha disso, Nanda?

Fernanda encolheu os ombros.

— Ele tá certo, Pam: se tu acha que ele não tem como provar, tu não tem por que não apostar.

— Ah, mas que amiga, tu, hem! — Pâmela pensou por mais um momento. Depois, resolveu topar o desafio e, tornando a encarar Pedro, propôs: — Tá bom, é o seguinte: prova que tu não veio aqui só por causa do baseado, e eu e a minha amiga ficamos aqui mais um pouco, conversando com vocês. Mas, se eu não ficar convencida com os teus argumentos, e eu *sei* que eu não vou ficar, daí a gente vai embora.

— Feito! — aceitou Pedro. E, após apertar a mão da moça para selar o acordo, prontamente tirou do bolso um punhado de buchinhas de maconha, despejando tudo sobre a mesa de xadrez. — Senhoras e senhores, acho que agora é definitivo: xeque-mate!

— Que filho da puta! — espantou-se Pâmela, pegando uma das buchinhas e cheirando-a.

— É, minha linda, como tu pode ver, maconha é o que não me falta. Será que agora a senhorita acredita que eu não vim aqui só por causa do baseado?

O largo sorriso que a moça exibia agora, e que lhe ocasionava covinhas nas bochechas, teria sido impensável alguns minutos antes.

— Tá bom, espertinho, tu venceu! Tá feliz agora?

— Tô. Claro que eu tô. Mas é por causa desse teu sorrisão aí. Tu fica lindona sorrindo desse jeito, sabia? Tu tá bem mais bonita agora do que quando tava assim, olha. — O rapaz empertigou-se todo, fez uma expressão exageradamente grave e balançou os ombros, imitando-a.

— Ai, como tu é palhaço, cara, eu nem faço assim!

Dizendo isso, Pâmela deu um tapinha de leve no ombro de Pedro — um tapinha que acabou num inesperado deslizar de dedos ao longo de cinco ou seis centímetros do braço dele. Superior a meio segundo, porém inferior a um segundo completo, a duração do movimento foi *precisamente* a necessária para tornar impossível classificá-lo como um gesto involuntário ou como uma carícia premeditada. O jovem, porém, sentiu-se inclinado a crer no acidente, porque, embora já tivesse se enganado com a natureza feminina mais vezes do que conseguiria lembrar, duvidava que a moça, inocente como parecia, pudesse possuir tamanha habilidade num tipo de artimanha tão sutil. Esse pensamento o levou a perguntar, quase afirmando:

— Cês duas são menor de idade?

Fernanda e Pâmela fizeram que sim com a cabeça.

— E os pais docês deixa cês andar de bicicleta por aí essa hora da noite? — indagou Marques.

A maconha já estava com Pâmela agora, e foi expelindo fumaça que ela respondeu:

— Não. Eles pensam que a gente tá na casa duma amiga.

Fernanda se prestou a dar explicações mais detalhadas:

— É assim: eu e a Pam moramos ali no Bom Fim, no mesmo prédio. Uma amiga nossa, que também morava lá, se mudou pra Cidade Baixa, ano retrasado. Então, às vezes eu e a Pam vamos dormir lá na casa dela, sabe, e às vezes nós *fingimos* que vamos dormir lá. Quando a gente *finge* que vai dormir lá, o que a gente faz, na verdade, é o seguinte: a gente sai de casa de tardinha, de bicicleta, e fica dando uma banda por aí.

Pedro assombrou-se.

— Então quer dizer que cês duas vão ter que ficar andando de bicicleta por aí *até amanhã*, pros pai de vocês pensar que cês dormiro na amiga de vocês?

Pâmela fez um muxoxo.

— Claro que não, cabeçudo! A gente sempre diz pros nossos pais que se a gente mudar de ideia e não quiser ficar lá na nossa amiga pra dormir, então a gente vai voltar pra casa. Se já tiver escurecido, o combinado é a gente deixar as bicicletas lá e voltar de táxi. Entendeu? Assim, a gente pode ficar dando uma volta por aí, e enquanto isso, os nossos pais pensam que a gente tá lá na nossa amiga. Depois, a gente só volta pra casa e diz que não quis dormir lá.

Marques ficou confuso.

— Espera aí, mas o que cês faz com as bicicleta? Agora, por exemplo, pra todos os efeito, cês tão lá na amiga docês, e o combinado é cês deixar as bicicleta lá e voltar de táxi pra baia, se não quiser dormir lá. Então, onde cês vão enfiar as bicicleta, quando voltar pra baia?

— O prédio onde a gente mora tem uma garagem só pra bicicletas, no subsolo — explicou Fernanda. — A gente faz assim: antes de subir pros apartamentos, a gente simplesmente deixa as bicicletas lá. Os nossos pais nunca checam isso. Daí, no dia seguinte, ou noutro dia qualquer, a gente diz que vai buscar as bicicletas na nossa amiga, mas, na verdade, a gente fica só matando tempo na rua.

Pedro bateu palmas.

— Tô impressionado! Olha aí, Marques, as mina é rebelde mesmo!

Marques riu.

— Não sei, sangue bom, eu ainda tenho as minhas dúvida...

— O que tu tá querendo dizer? — perguntou Fernanda.

O rapaz ajeitou-se melhor em seu banco, parecendo empolgado com uma ideia.

— Me diz uma coisa: quando cês duas dorme na amiga de vocês, de verdade, que horas cês volta pra casa, no outro dia?

— Depende... Sei lá, geralmente, umas dez da manhã, mais ou menos... Mas tem vezes que a gente volta só de tarde.

— Beleza. Então, já que hoje cês tão *fingindo* que tão lá, por que cês não aproveita e faz o fingimento completo?

— Como assim?

— É simples. Em vez de voltar pra casa hoje, cês volta amanhã, e *finge* que dormiro lá na amiga de vocês.

Pedro deu um tapa na mesa.

— *Baita ideia*, sangue bom! — elogiou.

Pâmela estava entre animada e escandalizada, os olhos arregalados, a boca escancarada.

— Tão convidando a gente pra passar a noite com vocês!

— Ué, e por que não? — interrogou Pedro. — É só a gente dar um pulo lá no prédio de vocês pra vocês deixar as bicicleta lá, e daí nós quatro podemo sair pra curtir a noite, num inferninho do centro. Eu aposto como cês nunca foro num inferninho.

Fernanda riu, incrédula.

— Vocês tão é loucos!

Marques estalou os beiços.

— Ah, então não vem pagar de rebelde, se a rebeldia de vocês vai só até ali.

— Psicologia reversa, hem? Boa tentativa, otário, mas não adianta, que essa aí não vai colar.

— Nada a ver, meu. É só a verdade. Cês duas são rebelde de meia-tigela.

— Sério, gurias, cês têm medo de quê? — pressionou Pedro. — A gente vai só dançar, beber, dar risada. Vamo lá, vai ser massa!

— Mas ninguém tá com medo aqui — disse Pâmela. — O que acontece é que a ideia de vocês é absurda, só isso. A gente é menor de idade, esqueceu? Nem sei o que vem a ser um inferninho, mas, pela ideia que eu faço, duvido que deixem eu e a Nanda entrar.

O rapaz suspirou, lançando nela um olhar sonhador, como o de quem se imagina passeando nas mais deslumbrantes paisagens.

— Olha, se for só esse o problema, então não tem problema nenhum. Fica tranquila, que cês vão poder entrar. Eu te dou a minha palavra. Tá bom assim? E eu também prometo outra coisa: a gente vai se divertir pra caralho!

Pâmela e Fernanda acabaram indo. A promessa de diversão acabou se confirmando. As horas acabaram voando. Para a surpresa das moças, um inferninho nada mais era do que um bar noturno desprovido de glamour. E, como glamour é um detalhe pequeno demais para ser percebido sob o efeito do álcool, elas logo perderam a capacidade de distinguir a espelunca onde tinham se enfiado do próprio Palácio de Buckingham. Marques e Pedro não tardaram a alcançá-las na embriaguez, e assim também tornaram-se incapacitados para minúcias; a surpresa deles foi ver que Pâmela e Fernanda eram infinitamente maiores do que aquilo que cabia no minúsculo rótulo de "princesinhas mimadas": eram *pessoas*, em toda a amplitude que isso possa significar. Tal percepção levou Pedro a comentar, com a língua enrolada:

— Aquele poeta cretino tava certo o tempo todo: no bar, todo o mundo é igual! — E, em seguida, ergueu seu copo, propondo um brinde: — Ao *Ressinaldo Rogi!*

Na manhã seguinte, quando chegou em casa, Marques agradeceu a Deus por achar Angélica ferrada no sono. Sabia que, mais cedo ou mais tarde, se veria dando muitas e muitas explicações a ela, claro, mas lhe agradava a ideia de dormir pelo menos um pouco antes disso. Planejou, portanto, deitar-se no sofá, e não na cama, para evitar o risco de acordar a esposa. Contudo, o plano foi em vão: despertada pelo som do chuveiro, Angélica levantou-se e foi até o banheiro, onde flagrou o marido com o sabonete debaixo do sovaco.

— Ah, porra, tu me assustou, caralho! — exclamou Marques, ao perceber a esposa plantada à porta, de braços cruzados, cara de poucos amigos.

— Onde é que tu tava, Marques?

O rapaz mostrou a palma da mão.

— Calma, tá? Eu dei uma banda com o Cabide, só isso.

— Ah, é? Cês dois e quem mais?

— Nós dois e mais dois playboy que a gente conheceu lá na frente do Fênix ontem.

— Hum... E por que tu desligou o celular?

— Eu não desliguei nada. A bateria acabou.

— Hum... Tu, o Cabide e mais dois playboy que cês conhecero lá na frente do Fênix...

— Foi o que eu disse.

— Hum... Vem cá, tu não anda me chifrando, anda, filho da puta?

— Claro que não, meu, não viaja!

— Não, é? E esse saco murcho aí, que eu tô vendo? Marques, Marques, Marques... Isso aí pra mim é saco de quem passou a noite toda trepando...

Enquanto Marques prestava esclarecimentos sobre a flacidez de seus testículos, Pâmela e Fernanda voltavam para casa, sentadas no banco de trás dum táxi.

— Que loucura a gente fez, Nanda! — comentou Pâmela, sorrindo. — Se os meus pais descobrem, me matam.

— E os meus, então, Pam? Eles iam achar isso bem mais grave que a tatuagem, e eu já apanhei um monte por causa da tatuagem. Mas quer saber? — Fernanda arqueou os lábios e sacudiu a cabeça. — Não tô arrependida.

— É, nem eu. A noite foi tri legal. Tu viu a dinheirama daqueles dois?

— Claro que eu vi! Só o suborno pro segurança do tal inferninho deixar a gente entrar foi mil reais!

As moças fizeram uma pausa. Depois, cuidando para não ser ouvida pelo taxista, Pâmela cochichou:

— Olha só: o Pedro me contou de onde é que eles tiram todo aquele dinheiro...

Foi igualmente aos cochichos que Fernanda disse:

— Sim, sim, sim, o Marques também me falou.

— E ele pediu a tua ajuda também?

— Pediu.

Nova pausa.

— Tá, e tu vai ajudar?

— Vou. E tu?

— Vou.

— Aqueles dois são loucos, não é?

— Bom, eles não vão correr risco nenhum, a menos que a gente fale com as pessoas erradas...

— Isso é verdade.

17.
O mais bem-guardado dos segredos

— Oi. Tem chá?

— Depende do chá.

— Chá de fumar.

— Quanto tu quer?

— Me vê duas buchinhas.

— Eu vou buscar. Me espera ali no corredor das massa.

Certas coisas só acontecem no Brasil, e a inventividade do povo brasileiro sempre pode surpreender. Os jornais e telejornais vivem recheados de crimes e criminosos impagáveis, e para cada notícia assim há outros tantos casos semelhantes descobertos pela polícia, os quais só não chegam a ser divulgados por falta de espaço no papel ou tempo na televisão. Nesse circo, contudo, nem sempre a pretensa mágica se transforma em palhaçada: às vezes, o truque realmente funciona. O que dizer daquele pacato cidadão que não teve pai, não foi herdeiro, e cuja vida boa ninguém consegue justificar? O que não falta são criaturas e circunstâncias suspeitas; o mau cheiro vem de todos os cantos; a polícia não poderia investigar tudo e todos, mesmo que tivesse interesse nisso. Pois a cada cinco segundos aparece um novo mágico desses no Brasil: pode ser o dono do botequim da esquina, que até ontem estava em sérias dificuldades financeiras e hoje tirou um carro da bunda; ou talvez seja o assalariado que de uma hora para outra pediu demissão e foi passar uns tempos em Fernando de Noronha. Todos fazem "hum!" para essa gente, e é o máximo que podem fazer.

Sabe-se que foi um truque, naturalmente; o problema é conseguir decifrá-lo.

E o novo truque de Marques e Pedro ia de vento em popa. Parecia até que Pâmela e Fernanda conheciam todos os filhinhos de papai maconheiros de Porto Alegre: os jovens que iam ao supermercado perguntar por chá contavam-se às dúzias. Tudo estava na santa paz; todos mostravam-se satisfeitos; a qualidade da erva sempre era elogiada; ninguém reclamava do preço. E como cada buchinha rendia apenas um único cigarro, os jovens não demoravam a voltar para comprar mais. Muitos deles apareciam na loja três ou quatro vezes no mesmo dia; outros preferiam comprar três ou quatro buchinhas de uma vez só, para economizar idas e vindas. Tudo isso, claro, sem falar no sistema de tele-entrega via Pâmela e Fernanda.

Conforme mencionado anteriormente, as duas moravam num mesmo prédio do bairro Bom Fim; estudavam, porém, em colégios diferentes, ambos particulares, ambos renomados, ambos repletos de jovenzinhos e jovenzinhas que não sabiam no que gastar a mesada. Tanto numa escola como na outra, o que não faltava eram os chamados "índios de ocasião", que não tinham ideia de onde comprar maconha, mas gostavam, e muito, de fazer sinal de fumaça por aí, quando as más companhias convidavam; também havia os chamados "pulmões virgens", que não viam a hora de meter o primeiro cigarro de maconha nos beiços de uma vez, fartos que já estavam de passar vergonha nas rodas de conversa do recreio; o problema era que a maior parte dessa galerinha não morava perto da filial da rede Fênix de supermercados que Pâmela e Fernanda indicavam. E acabou que, uma tarde, as moças de repente apareceram na loja, desembolsando quase dois mil reais diante de Marques e Pedro: era, explicaram abafando risadinhas infantis, o dinheiro de clientes que não podiam ir até ali pessoalmente. Daí por diante, passaram a trazer somas cada vez maiores para o supermercado e levar cada vez mais buchinhas de erva para os colégios; como recompensa pelo serviço de mula, ganhavam de graça toda a maconha que fossem capazes de fumar, fora a sensação gostosinha de quebrar as regras e desafiar o perigo: era a dose de adrenalina até então ausente em seu mundinho seguro e confortável. Não demorou para Pâmela ficar conhecida como Quatro e Vinte, em seu colégio; Fernanda, no dela, ganhou o apelido de Fernandinha Beira-Mar. E os professores de ambas as escolas não conseguiam entender por que metade do corpo discente tinha perdido a capacidade de prestar atenção nas aulas e passara a rir de qualquer coisa: parecia um inexplicável surto de idiotice coletiva.

Somando as buchinhas distribuídas no supermercado e as contrabandeadas pelas moças para dentro de suas respectivas escolas, Marques e Pedro andavam vendendo em torno de duzentos gramas de maconha, a vinte reais cada, todo santo dia. Em outras palavras, andavam arrecadando uma média de *quatro mil* reais diários. Levando-se em conta que não vendiam nada aos domingos, eram cerca de *vinte e quatro mil* reais por semana, mais de *noventa mil* reais por mês, fora o dinheiro da maconha que Luan, Roberto e Angélica continuavam vendendo a todo vapor na Planetário, no Pinheiro e na Lupicínio. A quadrilha seguia a repartir todo o lucro em cinco partes iguais, e o que ficava para cada integrante, a cada nova partilha semanal, era muito mais dinheiro do que qualquer um deles jamais tinha sonhado que poderia ganhar sequer de trinta em trinta dias, que dirá de sete em sete.

O esquema dentro do supermercado vinha sendo uma verdadeira injeção de ânimo e bom humor no dia a dia dos dois supridores, conforme Pedro previra que seria. Afinal, não há rotina exaustiva o bastante para amuar quem bote no bolso o que eles estavam botando. Além disso, quanto mais o tempo passava, tanto mais seguros e despreocupados iam se sentindo os rapazes. Pois quando vender maconha ali dentro ainda não passava de uma ideia e o plano inteiro achava-se embasado em suposições, a teoria dava conta de perigos e inconvenientes contra os quais os rapazes correram a se precaver, mas que não se confirmavam na prática. Entre tantas preocupações inúteis, eles imaginaram, por exemplo, que o esquema teria uma alta propensão ao levantamento de suspeitas; contudo, logo que começaram a surgir os primeiros jovens perguntando por chá, entre os inúmeros e inúmeros clientes da loja, ficara claro o quanto era improvável que aquilo chegasse mesmo a chamar a atenção de alguém algum dia. Não obstante, Marques e Pedro mantinham tudo sob o mais absoluto sigilo, claro. Nem Jorge, o segurança que dera o número de Fabrício para a dupla havia mais de um ano, nem ele tomou conhecimento do que os dois andavam aprontando bem ali, debaixo das barbas de todo o mundo.

Falando em Jorge, este não permaneceu na rede Fênix de supermercados por muito mais tempo. No dia 13 de julho de 2010, uma terça-feira, pegou a todos de surpresa: entrou na salinha do sr. Geraldo pedindo demissão, com a máxima urgência possível: havia encontrado um emprego melhor. E assim, de uma hora para a outra, sem mais nem meio mais, o homem ejetou-se do quadro de seguranças daquela loja para ir ganhar a vida empunhando uma espingarda .12 dentro dum carro-forte, segundo os poucos funcionários que tiveram oportunidade de se despedir dele.

Robson, o substituto de Jorge, já chegou com a corda toda, e com um objetivo muito claro: colecionar prêmios e mais prêmios de funcionário do mês. Evidentemente, não caiu nas graças de ninguém. Ao contrário: como resultado de seus desmedidos esforços para fazer com que as mãos enormes do sr. Geraldo vivessem a lhe dar tapinhas nas costas, os empregados do supermercado tinham mais e mais dificuldade de suportá-lo a cada dia que passava. Pedro também não morria de amores pelo sujeito, mas volta e meia puxava um ou outro assunto com ele, compadecido de vê-lo absolutamente isolado.

— Por que tu dá trela pra esse mané aí, sangue bom? — quis saber Marques.

— Porque eu me boto no lugar dele — respondeu Pedro prontamente. — Porra, imagina que merda tu ter que passar oito hora por dia num lugar onde *ninguém* gosta de ti, mano. Imagina tu te sentar pra comer, no refeitório, e todo o mundo ir se sentar noutro canto. Eu não ia gostar de ser tratado assim, na real. É por isso que eu não trato ele assim, apesar de não gostar dele também.

— Ah, sim, claro, me desculpa. Eu tinha me esquecido que tu curte bancar o advogado do diabo. — Marques fez um muxoxo. — Sai dessa, meu bruxo. Ninguém é louco, ninguém começou a tratar ele assim do nada. Caralho, o cara parece que engoliu o manual do pau no cu! Chá de merda tá ali. — E, trazendo as mãos à conversa, usou os dedos para contar os defeitos de Robson: — Falso, puxa-saco, dedo-duro, arrogante, dono da razão. Tu quer mais o quê?

No entanto, o segurança tinha lá suas virtudes. E uma delas era a perspicácia, conforme Marques estava prestes a descobrir naquela quinta-feira, 19 de agosto de 2010.

Depois de orientar a moça que viera perguntar por chá a esperá-lo no corredor das massas, o rapaz foi ao depósito buscar as duas buchinhas de maconha solicitadas. O que ele não podia imaginar era que Robson, de tanto vê-lo frequentar o estoque naquele dia, ficara de orelhas empinadas e decidira segui-lo, pé por pé, como quem não quer nada. Então, crente de que não havia ninguém por perto, Marques espremeu-se no canto debaixo das escadas que levavam para os vestiários, abaixou-se e meteu a mão por baixo dum palete de sabão em pó. Distraído, retirou dali uma sacola de plástico gorducha, a qual, para seu susto, lhe foi arrebatada em seguida.

— Deixa eu ver o que é que é isso aqui! — disse o segurança, já desatando as alças da sacola para verificar o conteúdo.

Desnecessário dizer de que forma Marques reagiu àquilo, dada sua personalidade explosiva. Levantando-se, até chegou a abrir a boca para falar qualquer coisa, mas quase no mesmo momento desistiu das palavras e arreganhou os dentes, como um animal enfurecido, enfiando a mão no canto da boca de Robson. Este, pego de surpresa pelo golpe, cambaleou para o lado, trocando as pernas, e acabou desabando num palete vazio, deixando cair a sacola. Cego de ódio, o rapaz correu para cima dele e ergueu um pé, tencionando pisar-lhe no pescoço; nesse instante, porém, o segurança se encolheu todo, e o movimento instintivo o livrou da investida potencialmente mortal: o pé de Marques apenas raspou-lhe a cabeça, metendo-se com força entre as madeiras do palete e ali ficando preso. Ao perceber o que havia acontecido, Robson aproveitou para dar de mão na sacola, pôr-se de pé e fugir.

— Volta aqui, filho da puta! Cagão do caralho! Tu vai ver só o que eu vou te fazer quando eu te pegar!

Tão logo conseguiu soltar o pé, o rapaz saiu em disparada atrás do segurança. No entanto, ao cruzar o portal que dava acesso à loja, esbarrou em Pedro, que vinha na direção oposta, e os dois acabaram no chão. Os clientes que estavam por perto iniciaram um burburinho e até estacionaram seus carrinhos de compras para ficar observando a cena.

— Qualé, Marques?

Pedro tinha passado por Robson um segundo antes; não sabia o que estava acontecendo, claro, mas achava melhor não deixar Marques ir atrás do segurança para concluir o que, a julgar pelo sangue na boca do infeliz, já havia começado. Tratou, pois, de agarrar o amigo e arrastá-lo de volta para o depósito.

— Qualé, Marques? — tornou a perguntar. — Que que tá acontecendo, mano?

— Aquele filho da puta... — Marques percebeu que estava falando alto demais e decidiu baixar o tom. — Aquele filho da puta do Robson tá com a maconha!

— *O quê?!*

— É isso mesmo, cara! Ele tá com a maconha! Porra, tu passou por ele; não viu que ele tá com a sacola?

— Que merda! Mas cumé que ele achou o bagulho?

— Ele me seguiu sem eu ver e tirou a sacola da minha mão.

— Tá, mas o que tu fazia com a porra da sacola na mão?

— Ah, meu, o que que eu ia tá fazendo com a sacola na mão? Eu fui pegar maconha, não tá na cara? A mina que pediu ainda deve tá lá, no corredor das massa, esperando eu voltar. Mas isso não importa, mano, não importa! O que importa é que aquele filho da puta do Robson já deve tá lá na sala do seu Geraldo agora! Tamo fodido!

Um frio incômodo que nada tinha a ver com a temperatura percorria as entranhas dos jovens; o coração dos dois parecia querer arrombar-lhes o peito e saltar para fora. Mas Pedro pareceu ter uma ideia:

— Tá bom, olha, vamo fazer o seguinte: vem comigo, vem comigo, vamo lá falar com a mina que queria a maconha. Vamo dizer pra ela voltar depois.

Enquanto os dois caminhavam apressados rumo ao corredor das massas, Marques perguntou:

— E cumé que a gente vai fazer com o Robson e com o seu Geraldo, mano?

— Tá tudo certo, Marques. Fica frio, que tá tudo sob controle.

— Sob controle é um caralho, Pedro! Eu acho que tu não tá entendendo o tamanho da merda.

— Que que é, Marques? Vamo peidar e se encolher agora? Tô dizendo pra ti que não vai dar nada, confia em mim. Cabeça erguida, irmão, vamo firmar o bagulho. Hoje é o dia de botar as carta na mesa, meu bruxo, só isso. E sabe o que que eu acho? Eu acho que o jogo continua. Eu acho que o jogo segue.

— Porra, sangue bom, do que é que tu tá falando, afinal?

— Não te preocupa: já, já tu vai entender. Só o que tu precisa saber agora é que a gente tá prestes a fazer uma reuniãozinha na sala do seu Geraldo: eu, tu e ele. Tu não vai precisar falar nada, se não quiser; pode deixar tudo comigo. Só confia em mim.

Depois de pedir que a compradora de chá de fumar viesse mais tarde, quando já voltavam do corredor das massas, Marques e Pedro de repente estacaram no meio do caminho, porque, vindo na direção contrária, o sr. Geraldo se aproximava, de cara amarrada, e com a sacola de maconha na mão. Em seus calcanhares, vinha Robson, meio curvado, pois sussurrava alguma coisa ao pé do ouvido do gerente, que era bem mais baixo. Nisso, fez um gesto, como se estivesse dando um soco, provavelmente contando sobre o golpe que recebera.

— Ah, eu vou matar esse filho da puta! — prometeu Marques, com um sorriso maligno.

— Ei, te acalma aí, Marques — pediu Pedro. — Eu já não falei que tá tudo sob controle? Fica frio, mano, sossega.

O sr. Geraldo murmurou alguma coisa e fez um gesto de cabeça, dispensando o segurança; este, sempre muito obediente, quase um mordomo, de pronto fez uma mesura, deu meia-volta e se afastou. Então, com mais alguns passos, o gerente chegou aos supridores.

— Marques, me acompanha até a minha sala, tá bom?

Pedro pigarreou.

— Eu vou junto, seu Geraldo — convidou-se. E, vendo a surpresa no rosto do homem, explicou sorridente: — É que isso aí que tá na mão do senhor também é meu; não é só do Marques.

O sr. Geraldo sorriu, como quem encaixa a última peça de um quebra-cabeça.

— Claro, claro, faz todo o sentido! Bah, nem sei como eu não me toquei disso sozinho. Vem junto, Pedro, vem junto.

Na salinha do gerente, havia apenas duas cadeiras; pedindo que os funcionários se sentassem, o chefe ficou de pé.

— Será que algum de vocês dois pode me explicar por que esse monte de maconha tava escondido debaixo dum palete do meu depósito? — O sr. Geraldo largou a sacola sobre a mesinha, ao lado do monitor do computador. Parecia triunfante; não conseguia ocultar de todo a satisfação de finalmente ver aqueles dois mal-educados desmascarados e prestes a ver o que acontecia com quem não andava na linha direitinho. Ao mesmo tempo, sentia algum desgosto por ver-se forçado a demiti-los, claro, pois abasteciam as prateleiras da loja como ninguém; menos mal que era inverno: a melhor época do ano para achar novos funcionários. Foi com pitadas de sadismo que ele prosseguiu: — É, agora eu já sei de onde vem todo esse dinheiro que vocês esbanjam aí na loja. Hem? Não é verdade? Mas que barbaridade! Tchê, eu tô com uma dúvida agora: só demito vocês por justa causa, ou faço isso e ainda por cima denuncio vocês pra polícia?

Pedro suspirou.

— Bom, seu Geraldo, tem uma coisa que o senhor vai querer saber, antes de tomar qualquer decisão.

— Ah, é? — sorriu o gerente. — E o que é que eu vou querer saber? Me conta.

— Sabe, sendo bem franco com o senhor, a gente não tá muito a fim de parar de trabalhar aqui. Muito menos de ir preso. Agora que o senhor sabe como a gente ganha o nosso dinheiro, se o senhor for um pouquinho esperto, o senhor vai concluir que, depois de desafiar tanta coisa e decidir encarar tanto perigo, a gente não pode deixar o senhor chegar e acabar com tudo. Não sem revidar.

— Tu tá me ameaçando, é isso?

Pedro, que até aí estava com o corpo inclinado para a frente, jogou-o para trás, aproveitando o encosto da cadeira, e largou o braço direito sobre a mesinha, abrindo um sorriso.

— Se eu tô ameaçando o senhor? — E tornou a ficar sério. — O negócio é o seguinte: a gente não tem a menor intenção de foder o senhor, se é isso o que o senhor quer saber. Na real, a gente não tem nada a ganhar fodendo o senhor. O que é que a gente vai ganhar fodendo o senhor? Só que olha só: o senhor pode ter certeza duma coisa, seu Geraldo: se o senhor foder a gente, ah, mas aí, sim! Mas aí, sim! Aí a gente vai ter o maior prazer em foder o senhor bem fodido. Nada mais justo; é ou não é?

No entanto, o gerente se achava imperturbável. Foi com fleuma inglesa que ignorou a ameaça do funcionário e abriu a porta.

— Caiam fora da minha sala, vão pra casa, tragam a carteira de trabalho amanhã. — Pedro tentou falar qualquer coisa, mas, sem querer saber de mais nada, tudo o que homem fazia era repetir, sem emoção: — Caiam fora da minha sala, vão pra casa, tragam a carteira de trabalho amanhã. Caiam fora da minha sala, vão pra casa, tragam a carteira de trabalho amanhã. Caiam fora da minha sala, vão pra casa, tragam a carteira de trabalho amanhã.

Por fim, Pedro se irritou e deu um tapa na mesa.

— Tá bom, acabou a palhaçada! Fecha essa merda dessa porta, véio filho duma puta!

Ao contrário de Pedro, Marques não tinha a menor aptidão para joguinhos psicológicos, e por isso se mantivera calado. Mas se a ideia fosse engrossar o caldo, aí era com ele mesmo. Rapidamente saltou de sua cadeira e fechou a porta com um pontapé; em seguida, pegou o chefe pelo colarinho, com as duas mãos, e jogou-o no assento que acabara de abandonar, do mesmo jeito que se faz com um saco de lixo.

Pedro gostou do efeito daquilo. Na verdade, gostou muito. O sr. Geraldo ficou com os olhos cheios de medo, desvairados, sem saber qual dos funcionários mirar, sem saber do que os dois seriam capazes. A atitude de Marques fizera Pedro perceber o óbvio: a circunstância chegara a tal ponto que apenas palavras já não bastavam. Assim, para garantir que dessa vez seria escutado com atenção, o rapaz deixou-se contagiar pelo feitio violento do amigo e tratou de dar um par de tapas na cara do chefe, usando toda a força de que dispunha. Não houve qualquer reação. Depois de um instante, falou com toda a calma: — O senhor não vai querer brincar com a gente, tá vendo? A gente não sabe brincar. — Aquela salinha lhe pertencia, sentiu. O supermercado inteiro lhe pertencia. O mundo todo lhe pertencia. O poder infinito galopava em suas veias. Incolor e sem cheiro, o mais bem-guardado dos segredos agora também era de seu conhecimento; doce e picante, diluía-se em seu espírito a mais energizante das percepções: para ter o que se quisesse, eis que bastava ser cruel o suficiente. E era esse entendimento que o fazia voar alto na sensação de ser dono de tudo: já não havia o que não lhe pertencesse, pelo simples fato de que já não havia crueldade que não fosse capaz de cometer. Via-se livre, afinal, de todo e qualquer escrúpulo. Sua alma latejava, parecendo prestes a explodir. Mal conseguia respirar. Precisava aliviar a tensão. Precisava fumar. Sacou o maço de cigarros. Acendeu um, oferecendo-o ao gerente, que aceitou, talvez por medo do que uma recusa pudesse provocar; em seguida, acendeu outro para si próprio. — Eu fico pensando que, do ponto de vista do senhor, deve parecer que eu sou ruim, só porque eu dei essas bolacha no senhor. Mas se o senhor me denunciasse pra polícia e a polícia me desse um monte de bolacha e eu fosse parar no presídio e comessem o meu cu lá dentro, o senhor não ia se sentir um cara ruim. De repente, o senhor até ia dormir melhor, com a sensação de dever cumprido. Não é louco isso? Bom, acontece que eu também sei ser assim, *igualzinho* ao senhor. Não foi fácil pra mim, mas eu aprendi, sabe, a... sei lá, a não ser duro comigo mesmo. Eu aprendi a me perdoar pelas coisa que eu faço. *Seja lá o que for.* Eu também tenho a capacidade de não olhar o lado ruim das coisa que eu faço. Pra mim, não tem problema nenhum matar o senhor e enterrar o senhor em algum canto por aí, onde ninguém nunca vá procurar. Eu posso fazer isso e depois ir almoçar, como se nada tivesse acontecido. Eu posso dar um fim no senhor e depois ir dormir, sabe, com a sensação de dever cumprido. — Suspirou longamente, soltando uma espiral de fumaça pelas narinas. Era o cigarro mais prazeroso que já tinha fumado na vida. — Então, seu Geraldo, eu garanto que, se o senhor resolver me foder, não vai ser nada divertido pro senhor. Mesmo que eu seja preso, eu vou dar um jeito de pagar alguém aqui fora pra estuprar a mulher do senhor, estuprar os filhos do senhor e até estuprar o cachorro do senhor. O senhor tem cachorro? Bom, não importa. Aí então, olha só que merda: a casa do senhor vai pegar fogo, com todo o mundo dentro, menos o senhor. O senhor vai ficar vivo, que é pro senhor se lembrar, *todo santo dia*, que a família do senhor todinha morreu queimada, e que o senhor podia ter evitado. Será que o senhor tá entendendo como é que vai ser? Sabe, eu tenho dinheiro pra caralho guardado, e só eu sei onde tá; se eu for preso por causa do senhor, eu vou ter o maior prazer de gastar tudo, tudo, tudo, *centavo por centavo*, financiando uma baita maré de azar na vida do senhor. Pode acreditar: o que puder dar errado na vida do senhor, vai dar errado.

O gerente abriu a boca, mas não chegou a dizer nada. O rapaz prosseguiu:

— Não é tão mais simples deixar tudo que nem tá, seu Geraldo? É só o senhor fazer de conta que não aconteceu nada, que o senhor não ficou sabendo de nada. Só isso. O senhor não se mete com a gente, e a gente não se mete com o senhor. Viver e deixar viver. Hem? Que tal? Vamo fazer assim?

— Mas não tem como... — respondeu timidamente o sr. Geraldo. — O Robson sabe de tudo. Foi ele que achou a maconha, esqueceu? Como é que eu vou ficar de braços cruzados, fingindo que não sei de nada? Se eu não tomar uma atitude, ele vai acabar indo falar com o Amauri, e isso vai acabar me complicando.

Pedro deu um riso seco.

— Ah, é mesmo! O Robson! Bom, o senhor não precisa se preocupar com ele. Aliás, o senhor já pode começar a procurar alguém pro lugar dele, porque a partir de amanhã ele nunca mais vai aparecer aqui pra trabalhar. — Com essa misteriosa profecia, pegou a sacola de maconha e se levantou. — Vamo embora, Marques. A gente não tem mais nada pra falar com esse bosta. Vamo deixar ele aí, pensando um pouco na vida.

Mudos, caminhando devagar, os supridores saíram da sala, atravessaram a loja, entraram no depósito, cruzaram-no, subiram as escadas e foram para o vestiário. Lá, sentaram-se um de frente para o outro e encararam-se por quase um minuto inteiro, em absoluto silêncio. Depois, começaram a rir. E foram rindo mais e mais. As risadas se transformaram em gargalhadas — gargalhadas que ecoavam sonoramente pelo vestiário, deserto àquela hora. Quando finalmente pararam de rir, Pedro jogou a sacola para o amigo, dizendo:

— É melhor a gente tomar mais cuidado com essa merda.

— É. — Marques enrugou as sobrancelhas de repente. — Escuta: que papo foi aquele que a partir de amanhã o Robson nunca mais vai aparecer aqui na loja?

— Ah, bem lembrado, meu querido, bem lembrado! Eu já ia me esquecendo, já. — Pedro tirou o celular do bolso. — Deixa eu fazer uma ligação aqui...

Naquela noite, quando o supermercado fechou, Robson bateu o cartão e saiu para a rua, indo embora para casa, abraçando a si próprio por causa do frio. Ao atravessar a rua, pensando consigo mesmo se sua esposa teria lembrado de passar na lotérica para pagar a conta de luz, nem mesmo percebeu que, junto à praça, um pouco mais adiante, havia um homem de braços cruzados, escorado numa moto. Esse homem olhou e olhou e olhou a figura do segurança, de cima a baixo, de baixo a cima, como se tentasse medi-la.

— Opa!

— Pois não?

— Robson?

— Eu te conheço?

— Acho que não. Pode me chamar de Alemão. E estas aqui — o homem sacou um par de pistolas, dando um beijo em cada uma delas —, estas aqui são a Ruth e a Raquel.

Alemão não matou Robson. Mas faltou bem pouco. Quando finalmente se cansou de espancá-lo, o infeliz estava todo encolhido no chão, como um feto, respirando com enorme dificuldade, impossibilitado de falar qualquer coisa, botando sangue pelo nariz, pelos olhos e pela boca, alguns dentes faltando.

— Tá feliz agora, bonitão? — perguntou o agressor, abaixando-se junto à vítima. — Isso é pra tu aprender a não meter o nariz onde não é chamado. Escuta bem: se tu aparecer aqui de novo algum dia, eu vou te matar. E é melhor tu *rezar* pra polícia nunca descobrir o lance que acontece nessa loja aí, parceiro. Porque se a polícia descobrir, pra mim não interessa se foi tu ou não que dedou: é atrás de ti que eu vou, porque é tu que eu sei que sabe. Tá entendido? *Tá entendido, verme dos infernos?*

Robson precisou fazer um esforço imenso, e doloroso, para conseguir fazer a cabeça se mexer, concordando.

— Então tá bom. Passar bem.

18.
Show de horrores

Na sexta-feira que se seguiu, 20 de agosto de 2010, Marques e Pedro apareceram para trabalhar normalmente — ao contrário de Robson, claro. E o assunto do dia, nos caixas, na padaria, no açougue, na loja inteira, não poderia ser outro: os funcionários todos só queriam saber de falar sobre o que acontecera na véspera. Aliás, o que, *exatamente*, acontecera na véspera, afinal? Robson tinha sido visto com a boca sangrando e uma sacola na mão, mas se recusara a falar qualquer coisa a respeito. Um dos boatos que corriam agora dava conta de que o segurança teria flagrado um cliente furtando jujubas.

— *Jujubas?*

— Diz que é.

— Porra, fala sério!

— Diz que o cara já tava com a sacola cheiinha de jujubas, quando o Robson foi lá e tirou ela dele. E diz que foi aí que eles saíram na mão, e o Robson acabou tomando um pega afu na boca.

— Tá, e aí o magrão foi embora, voltou armado, ficou esperando o Robson sair, deu um pau no Robson, moeu o Robson a pontapés, quase matou o pobre Robson, tudo isso só por causa de *jujubas*, cara?

— Diz que é.

— Bah, história tri mal contada!

Mal contada ou não, essa era a versão dos fatos que estava em vias de se tornar a mais aceita, na falta de outra mais completa e coerente, ou menos esfarrapada que fosse.

Já fazia bastante tempo que Marques e Pedro não precisavam mais se esconder como ratos para consumir guloseimas furtadas. Uma vez que podiam pagar, e pagavam, por qualquer produto da loja que desejassem, vinha sendo comum promoverem seus banquetes em outros cantos que não o vestiário. Na gélida tarde de hoje, por exemplo, quando chegou a hora do intervalo, compraram uma sacola de besteiras e foram se sentar ao sol, num dos bancos da praça que havia em frente ao supermercado. Nem bem acomodaram-se, porém, uma voz grave e possante se fez ouvir:

— Marques! Pedro!

Os jovens viraram a cabeça, para ver que, postado lá do outro lado da rua, à entrada da loja, mãos nas cadeiras, quem os chamava era o sr. Geraldo.

— A gente tá de intervalo, seu Geraldo! — foi a resposta que Pedro berrou, em tom queixoso.

— Eu sei, tchê, mas é importante! Vem, vem, vem, que é importante! Venham os dois, que é importante!

Em instantes, o trio estava reunido na gerência do supermercado, exatamente como tinha acontecido na véspera. Tanto Marques como Pedro sentiam-se curiosos para saber o que o sr. Geraldo tinha a dizer; compartilhavam, também, a mesma impressão de que não podia ser boa coisa; mas, ao que parecia, nenhum dos dois achava que era o caso deixar as guloseimas para depois. Sentaram-se, desensacolaram as delícias sobre a mesa e puseram-se a beliscá-las ali mesmo, esperando o gerente começar a falar. Este, em pé, escorado na porta fechada, braços cruzados, soltou um longo suspiro, antes de informar bruscamente:

— O Amauri me ligou agorinha.

Com um pedaço de torta na boca, Pedro perguntou:

— Que que ele queria?

— Queria saber o que houve com o Robson.

— E como o Cara de Cavalo sabia que tinha acontecido alguma coisa com o Robson? — foi a pergunta de Marques, que tentava remover o papel laminado de um copinho de iogurte.

— Antes de falar comigo, ele falou com a Ana. Ligou pra ela pra tratar de alguma burocracia do RH. E a Ana aproveitou pra deixar ele a par das fofocas. Por isso ele resolveu me ligar.

— E o que o senhor falou?

— Eu tentei desconversar. Falei que eu também não sabia direito o que tinha acontecido, aquela coisa toda, mas fiquei de dar uma olhada nas imagens do sistema de segurança pra tentar descobrir.

— E ele? — interrogou Pedro.

— Não suspeitou de nada. O problema é que ele mesmo quer dar uma olhada nas imagens também. Ele achou grave o que aconteceu com o Robson, quer que o cara que bateu no Robson seja preso. Prometeu que vai dar uma olhada nas imagens assim que tiver um tempo. Olha, a nossa sorte é que o Amauri tá sempre ocupado, viu. Ele vai levar alguns dias pra olhar as imagens. Uma semana, talvez duas, sei lá. É o tempo que a gente tem pra tentar fazer alguma coisa.

— Mas alguma câmera filmou o Robson apanhando?

— Sim. Uma das câmeras da rua filmou tudo. Dá até pra ver o rosto do amigo de vocês, se tu quer saber. Ah, mas isso não me importa, tchê! O que me importa é que, quando o Amauri olhar as imagens, ele vai ver que vocês dois vieram aqui e me agrediram dentro da porra da minha própria sala, e que eu não fiz nada! — O sr. Geraldo olhou para cima: sobre sua cabeça, onde as paredes se encontravam, havia uma câmera de segurança.

— Ah, que merda! — assustou-se Marques, mas nem por isso deixando de raspar o copinho de iogurte com o dedo.

— E se o senhor apagar as imagem? — sugeriu Pedro.

O gerente balançou a cabeça.

— Não posso. As imagens não ficam armazenadas aqui. Tudo o que as câmeras daqui e de todas as lojas da rede filmam é mandado direto pra matriz automaticamente. É lá que as imagens ficam. No computador daqui eu consigo ter acesso, mas é só pra ver, não dá pra apagar nada.

Apresentada a situação, os rapazes ficaram pensativos, demonstrando certa preocupação, mas as mandíbulas seguiam trabalhando. Após um momento de espera, vendo que os dois pareciam ter dado o assunto por encerrado, o sr. Geraldo resolveu indagar:

— Tá, e aí, tchê? Como é que eu faço agora, pra não passar essa vergonha? Eu faço o quê? Aliás, *vocês* vão fazer o quê? Afinal, pra vocês também não vai ser bom se o Amauri chegar a ver tudo o que aconteceu ontem, não é verdade?

— Não se preocupa; a gente vai pensar em alguma coisa — prometeu Pedro.

Entretanto, nem ele nem Marques conseguiram pensar em solução alguma, nem ao longo de todo aquele dia, nem ao longo de todo o dia seguinte. Foi só no domingo, 22 de agosto de 2010, que Angélica, conversando com o marido, aventou:

— Tá, e que tal contratar um detetive particular?

Marques estranhou profundamente a ideia.

— Detetive particular? Pra quê?

— Pra investigar a vida desse tal de Cara de Cavalo e achar algum podre. Daí, tu e o Cabide iam ter uma carta na manga contra ele.

O rapaz riu gostosamente.

— Não viaja, amor! Porra, tu tá vendo filme demais!

A moça deixou-se contagiar pelo riso dele, mas insistiu:

— É sério, cara! Porra, meu, como tu é palhaço! Eu tô falando sério, cacete!

Quanto mais ela insistia, mais ele achava graça e mais os dois acabavam rindo.

— Ah, Angélica, vai cagar!

Ainda no domingo, Marques ligou para Pedro, perguntando se ele tinha conseguido pensar em alguma coisa. A resposta que obteve foi negativa; aproveitou, então, para comentar, aos risos, sobre a ideia da esposa:

— Te liga só: a Angélica aqui perguntou que tal contratar um detetive particular.

A primeira reação de Pedro foi idêntica à do amigo:

— Detetive particular? Pra quê?

Marques explicou debochadamente:

— Pra descobrir algum podre do Cara de Cavalo que a gente possa usar a nosso favor. — A ligação não estava das melhores, e ele imaginou que talvez tivesse caído, porque a imediata risada que esperava vir do outro lado da linha não veio; nem ela, nem qualquer outra resposta, durante uns bons cinco segundos. — Alô?

Por fim, a voz de Pedro reapareceu:

— Cara, mas essa ideia é ótima!

— Ah, caralho, não acredito! Tu também, é? Porra, tô fodido com vocês dois, hem, puta que pariu! Esse bagulho de detetive particular é coisa de filme, meu querido, te liga!

Isso, sim, provocou a risada de Pedro.

— Ai, ai, ai! Te liga tu, mano! Tu tá montado no dinheiro e continua com pensamento de pobre! Pobre é que acha que tudo é coisa de filme. Claro, porque pobre não tem dinheiro pra nada, e só vê as coisa nos filme. Mas acontece que detetive particular existe, irmão, e a gente pode pagar pelo serviço de um. A gente pode contratar o mais caro de todos, inclusive.

E, na manhã da segunda-feira que se seguiu, 23 de agosto de 2010, Pedro de fato foi ao escritório do detetive particular mais caro de Porto Alegre. A princípio, a figura do sujeito deixou-o com um pé atrás. Não que fosse um infeliz de aspecto decadente, desses que cheiram a fracasso; ao contrário: tinha um ar bastante aristocrático, conferido pelo terno elegante em que estava metido, pelo penteado tradicional que usava e pelo jeito civilizado como de vez em quando ajeitava os óculos sobre o nariz reto. Pele clara, olhos claros, cabelo claro: uma figura tão saxônica que, antes de vê-lo falar pela primeira vez, Pedro chegou a duvidar por um momento — uma tolice — que ele soubesse pronunciar o português perfeitamente.

Como dito, no entanto, o rapaz ficou com um pé atrás. Dadas as maneiras polidas do detetive, supôs que tivesse escrúpulos demais para seu ofício; achou extremamente difícil imaginá-lo cometendo qualquer tipo de indiscrição. A única coisa que levou Pedro a superar a dúvida e efetivamente contratar o homem foi o valor exorbitante de seus honorários: devia existir uma boa razão para ele cobrar tanto dinheiro por seus serviços.

Não houve motivo para arrependimento: menos de uma semana após a contratação, o sujeito telefonou para Pedro, dizendo que tinha conseguido um material de primeira. Isso foi no meio da madrugada de 27 para 28 de agosto; na noite seguinte, depois de sair do supermercado, o jovem foi jantar com o detetive, num restaurante sugerido por ele, o qual ficava no alto do bairro Bela Vista.

A pior frente fria dos últimos dez anos atravessava Porto Alegre naquele sábado. Agitada com violência pelo vento, uma garoa eterna e irritante açoitava as superfícies ruidosamente. Noite boa para dormir, pensou Pedro, roçando o polegar na borda da mesa e olhando distraído para a rua, pela janela do restaurante. O detetive não chegava nunca... Teria morrido no caminho? Sempre que alguém demorava a chegar, essa possibilidade ocorria ao rapaz. Afinal, as pessoas tinham que morrer em algum momento. Ele próprio, inclusive, não estava tão longe de acabar morrendo de fome. Então, ao ronco descontente do estômago, perguntou-se: e por que diabos não comia? Combinar de jantar com alguém e comer antes de essa pessoa chegar talvez não estivesse em conformidade com as regras de etiqueta que o detetive provavelmente seguia, mas atrasar-se para o encontro era uma deselegância ainda mais grave, sem dúvida alguma.

— Ah, foda-se, eu vou é comer!

Abriu o menu. Antes não tivesse aberto: não reconheceu um único item do cardápio; na verdade, nem sequer sentia-se capaz de pronunciar os nomes que viu ali. Chamou um garçom e pediu o prato que estivesse com mais saída nos últimos tempos. Antes não tivesse pedido: trouxeram-lhe macarrão com vômito de nenê e tempero verde. Tentou comer aquilo. Antes não tivesse tentado.

Aborrecido, decidiu que deixaria para matar a fome mais tarde, quando chegasse em casa. Tornou a chamar o garçom e pediu que fizesse o favor de levar aquela porcaria de comida dali, porque o cheiro estava lhe dando enjoo. O funcionário quis saber se já devia trazer a conta. Não: ele ainda ia ficar esperando a pessoa com quem viera se encontrar. Pessoa essa que, por sinal, chegava ao restaurante naquele exato momento.

— Mil perdões, seu Pedro, mil perdões! — correu a desculpar-se o detetive, apertando a mão do jovem e sentando-se diante dele, do outro lado da mesa. Trazia consigo uma maleta de couro preta, a qual deixou no chão, junto ao próprio pé. — É que o trânsito aqui em Porto Alegre vai de mal a pior! — justificou-se.

— Tá tudo bem, tá tudo bem, não tem problema — garantiu o rapaz, embora seu semblante afirmasse o contrário.

— E então? O senhor prefere comer primeiro, ou…?

— Ah, não, não, pelo amor de Deus, me mostra logo o que o senhor tem, que eu não vejo a hora de ir-me embora pra minha casa.

— Ah, sim, sim. — O detetive se curvou para o lado, abrindo a maleta e catando alguma coisa ali dentro. Depois de extrair o que procurava, tornou a fechá-la. — Acredito ter conseguido justamente o tipo de coisa que o senhor almejava quando me contratou. Aqui: dê uma olhadinha nisto. — O que tinha tirado da maleta era um retrato; entregou-o teatralmente a Pedro e, em seguida, ajeitou os óculos, do jeito que lhe era peculiar, para observar melhor a reação assustada do cliente. Recostando-se na cadeira e cruzando os braços, indagou, cheio de si: — O que o senhor me diz, hem?

— Meu Deus do céu!

O rapaz mal podia crer nos próprios olhos. A fotografia fora tirada a certa distância; contudo, era perfeitamente possível distinguir a figura do sr. Amauri emoldurada por uma janela. As cortinas dessa janela, na verdade, tinham sido cerradas, mas esvoaçavam naquele instante, de modo que o fotógrafo tivera apenas um ou dois segundos para entrar em ação e registrar a cena. E era pela brecha momentaneamente aberta entre as cortinas que se via o respeitável supervisor da rede Fênix de supermercados ajoelhado, de perfil, a boca preenchida por um pênis, as mãos ocupadas masturbando outros dois.

— Mas como o senhor conseguiu tirar uma foto dessa? — Pedro realmente custava a acreditar.

— Ah, não, não fui eu, não. Foi o meu fotógrafo. Um homem muito competente, devo dizer. Um bêbado, mas muito competente.

— Tá de brincadeira? Mais competente, impossível!

— Pois é. E o melhor, ou o pior, é que esses aí que aparecem na foto, com o nosso amigo, são todos menores de idade. O mais velho tem dezesseis. Então, bom, isso que tu tá vendo aí é um crime. O nosso amigo é um pedófilo.

O rapaz começou a rir. Seu humor agora era outro.

— Nossa, cara, como as pessoa são doente!

— Algumas são, sim... A propósito: o senhor gostou da foto?

Pedro não percebeu a alfinetada.

— Mas é claro que eu gostei! Era tudo o que eu precisava!

— Pois é. Mas, enfim, isso aí é só um aperitivo.

— Como assim?

— Ora, o senhor viu aqui, não viu?, essa maleta que eu trouxe? Todinha sua. Aí dentro tem mais uma porção de outras fotos. A maioria delas foi o mago digital que trabalha pra mim que conseguiu obter, invadindo o computador do nosso amigo. Um verdadeiro show de horrores, esta maleta. Também tem alguns papéis, com os dados de alguns dos jovens de que o nosso amigo abusa ou abusou em algum momento: nome completo, nome do pai, nome da mãe, idade, endereço, número de telefone, essas coisas todas. — O detetive tirou um pen drive do bolso do paletó, entregando-o ao cliente. — E isto contém uma cópia de tudo o que tá na maleta. Caso o senhor perca as fotos e a papelada, é só usar isto pra imprimir tudo de novo.

Sem sombra de dúvida os serviços daquele sujeito valiam cada centavo da fortuna que custavam, pensou o jovem, guardando o pen drive no bolso da calça de brim, um largo sorriso no rosto. Estava tão animado com tudo o que agora tinha em mãos contra o sr. Amauri que resolveu dar outra chance ao restaurante. Confiando no detetive, que parecia ter bom gosto e já frequentava o estabelecimento havia bastante tempo, lhe pediu uma sugestão do que comer. Mas tinha que ser uma coisa gostosa, frisou. O homem levou a condição muito a sério: comprimiu os lábios e meditou demoradamente, tamborilando com os dedos na mesa. Por fim, indicou um item do menu, garantindo: *aquilo ali* não tinha erro. E assim Pedro acabou experimentando outra das especialidades daquela casa. Antes não tivesse experimentado.

No domingo que se seguiu, 29 de agosto de 2010, um sol alegórico brilhava forte no céu da capital gaúcha, sem produzir calor algum. A garoa eterna tivera fim durante a madrugada, mas o vento forte que a agitava na véspera continuava à solta hoje, correndo seco pelas ruas e despenteando todo o mundo.

— Por que a gente não denuncia o cara? — quis saber Angélica. — Não ia ser mais fácil? Era só entregar a porra toda pra polícia. Fim de papo. Ele ia acabar preso.

— Eu disse a mesma coisa pro Pedro — comentou Roberto. — Mas ele falou uma coisa que é verdade, viu: esse tipo de bagulho não se resolve do dia pra noite. Tem toda uma burocracia do caralho. A gente ia fazer a denúncia, daí a polícia ia mandar a denúncia prum juiz, o juiz ia analisar tudo, e ele tem um tonel de coisa pra analisar, fora que pode ser um preguiçoso filho da puta, daí sabe Deus quando ele ia expedir um mandado de prisão... Enfim, muita mão. Se a gente fosse denunciar o cara, era capaz de ele acabar vendo as imagem lá do supermercado antes de ser preso, e o Pedro e o teu marido iam ter problema.

Volta e meia reclamando do frio, volta e meia reclamando do vento, assim Angélica e Roberto seguiam caminhando na calçada ladrilhada de uma ruazinha tranquila, coberta de folhas e ladeada por mansões. Em determinado momento, a moça apontou para uma das casas e disse:

— Número 293: é ali, olha.

Aproximaram-se e tocaram a campainha. Em seguida, uma mulher abriu a porta, enrugando a testa assim que os viu.

— Pois não?

— Tudo bom? A gente queria falar com o seu Amauri. Ele mora aqui, não mora?

— Sim, mora... Eu sou a esposa dele; posso ajudar?

— Ah, não, desculpa. É só com ele mesmo.

— Tá bom, então... Só um momento. — A mulher tornou a fechar a porta.

— Ai, Roberto, fala tu com esse homem nojento! — exigiu Angélica.

— Tá, pode deixar.

Quando a porta se abriu novamente, quem apareceu foi um homem de rosto rubro e cavalar. Também ele enrugou a testa assim que deitou os olhos na dupla.

— Pois não?

— Seu Amauri?

— Sou eu. O que desejam?

Roberto, que trazia consigo a maleta obtida por Pedro na véspera, entregou-a ao sr. Amauri.

— Aqui. Isto aqui é pro senhor.

Intrigado, a testa ainda mais enrugada agora, o homem abriu uma fresta da maleta e escarafunchou o conteúdo. Logo achou uma fotografia, a qual deixou-o visivelmente nervoso na mesma hora. Devolvendo o retrato ao interior da maleta e tornando a fechá-la, falou entredentes:

— Como conseguiram essas coisas? — Deu um passo adiante, saindo para a rua e fechando a porta da casa atrás de si, talvez receoso de que a esposa ouvisse a conversa. — Olha aqui, se vocês pensam que vão vir aqui na minha casa e...

Roberto não tinha planejado usar de truculência; contudo, o tom ameaçador que o sr. Amauri teve o desplante de adotar terminou por tirá-lo do sério. Com um vigoroso empurrão, fez o dono da casa bater as costas na porta.

— Mas "olha aqui" digo eu, tarado sem-vergonha! Tá pensando o quê? O senhor não percebeu ainda que o senhor não tá em condição de encher os outros de desaforo? Se alguém aqui tiver que falar grosso, não vai ser o senhor, não!

O sr. Amauri já não era nenhum garotão: suas costas tinham levado a pior no choque com a madeira dura da porta. O rosto contorcido numa careta de dor, ele indagou:

— O que vocês querem de mim, afinal?

— Só um favorzinho bem simples. Presta atenção: o senhor não vai mais trabalhar na rede Fênix. Amanhã mesmo, a primeira coisa que o senhor vai fazer é ir lá e pedir demissão. Tá bom assim? É isso ou a cadeia: o senhor escolhe.

19.
A tragédia

Uma das coisas mais difíceis neste mundo, sem dúvida, é consentir em parar de ganhar dinheiro. Mil, dois mil, três mil: quanto mais se ganha, mais se quer ganhar. É como marchar para dentro de terras desconhecidas: quanto mais se avança, mais sólida e necessária se torna a própria ideia de avanço, mais vaga e desimportante se torna qualquer noção de destino.

Dias, semanas, meses: desde o pedido de demissão do sr. Amauri, quase um ano inteiro se passou sem que a quadrilha enfrentasse qualquer problema em seus canais de venda de maconha. Nesse meio-tempo, Pedro mandou derrubar sua casa, construiu outra no lugar, tirou a tão sonhada carteira de motorista, comprou um sedã novinho em folha, juntou mais de duzentos mil reais. Roberto foi pelo mesmo caminho: casa nova, habilitação, sedã zero quilômetro; só não pôde juntar tanto dinheiro quanto o primo de sua esposa porque, aproveitando uma oportunidade dourada (o desespero de um cidadão endividado), adquiriu por ninharia um amplo imóvel na avenida Cavalhada, abrindo ali um respeitável e lucrativo restaurante. Marques e Angélica também tiraram a carteira de motorista, mas compraram um único carro simples e usado para compartilharem; além disso, não viram necessidade alguma de erguer uma casa inteiramente nova: contentaram-se em reformar a residência onde já viviam; por outro lado, investiram, juntos, quase meio milhão de reais construindo moradias populares para alugar, em vários pontos da cidade.

A verdade, portanto, é que Pedro, Roberto, Marques e Angélica já estavam em condições de abandonar a venda de maconha e correr de volta para dentro da lei, para dentro do cotidiano liso e imaculado, desta vez com alguma dignidade e algum conforto garantidos. Conforme dito, porém, uma das coisas mais difíceis neste mundo, sem dúvida, é consentir em parar de ganhar dinheiro.

Na contramão dos quatro amigos, Luan, que nem mesmo cogitava um futuro longe do tráfico, seguia torrando fortunas, sem se preocupar com nada. Chegou ao ponto, uma noite, de bancar uma festança sem precedentes no coração da Vila Planetário. Bebida e comida de graça para quem quisesse aparecer! Não era para menos: o querido sr. Joaquim, antigo morador dali, tinha conseguido arranjar um comprador para sua casa: estavam de partida, ele e a neta.

Uma semana depois da memorável festa de despedida, o novo proprietário da residência apareceu, com a mudança. No dia seguinte, chegaram alguns amigos seus, que não tinham a menor pinta de visita: aparentemente, vieram morar ali também. Eram cinco homens ao todo, incluindo o que tinha aparecido primeiro.

Passados dias, ninguém sabia dizer o que faziam da vida aquelas suspeitas criaturas. Acordavam sempre tarde; ficavam até o cair da noite bebendo cerveja, cheirando cocaína e gargalhando no boteco da esquina; depois desapareciam e só eram vistos no dia seguinte. Contudo, não tinham dificuldade para criar amizades: em pouco tempo, já cumprimentavam a maioria das pessoas com quem cruzavam nos becos da vila, embora ninguém soubesse direito o nome de cada um deles, de onde tinham vindo ou como arranjavam dinheiro para cheirar tanto pó. Boa coisa não deviam fazer quando sumiam, era o pensamento geral.

Como se uma porção de sujeitos morando juntos sem qualquer razão aparente já não fosse esquisitice que bastasse, não demorou muito para mais duas casas da vila serem vendidas, e também nessas vieram homens morar em bando: cinco numa casa, cinco na outra, exatamente como tinha sido na primeira. O mais estranho de tudo era que os moradores das três residências pareciam se conhecer de longa data, a julgar pela intimidade com que todos os quinze agora se reuniam no boteco para beber, cheirar e gargalhar.

Luan, como todo o mundo, também ficara profundamente intrigado com aquela cambada que tinha caído de paraquedas na Planetário, claro, mas, no momento, atentava por inteiro para outro mistério: o sumiço de Larissa, sua concubina preferida. Ninguém sabia dela havia dois dias; estava com um péssimo pressentimento quanto àquilo. Assim, perto das três da tarde de domingo, 3 de julho de 2011, foi ver, pela décima vez, se por acaso a mãe da moça já tinha alguma notícia. Achou a mulher com a barriga no tanque, lavando roupas; ao que tudo indicava, seguia indiferente à situação.

— Ai, ai, ai, guri, lá vem tu me atazanar de novo!

— Nada, então, tia?

— Luan, bota uma coisa na tua cabeça: aquele demônio desaparece de vez em quando. Entendeu? Ela apronta dessas. Logo, logo aparece aí, louca de fome e fedendo a porra. Vem cá: tu já viu gato, quando começa a tossir e cuspir bola de pelo? Pois é, meu filho, é assim que ela volta: tossindo e cuspindo pentelho, de tanto chupar pau por aí.

O rapaz se irritou. Teve vontade de argumentar que agora era diferente, que agora Larissa tinha a ele, que Larissa nunca teria saído de perto dele! No entanto, concluindo que isso poderia fazê-lo parecer arrogante, ou até mesmo ingênuo, preferiu dizer outra coisa:

— Tá bom, tia. Mas se ela aparecer, pede pra ela ir falar comigo, faz o favor.

A mulher riu.

— Era mais fácil *eu* te pedir isso. Garanto que, quando aquela imundície voltar, vai ir atrás de ti antes de vir atrás de mim. Só cuida, meu filho, só cuida.

A ausência de Larissa provocava em Luan um misto de sentimentos desagradáveis: preocupação, frustração, tristeza, impotência. E, quanto mais passava o tempo sem que ela reaparecesse, mais absurdas tornavam-se suas ideias. Cogitara a possibilidade de as outras concubinas a terem assassinado por ciúmes; também imaginara que a própria mãe da moça talvez a estivesse mantendo amarrada e amordaçada, escondida em seu quarto. Contudo, o pensamento mais absurdo de todos lhe ocorria agora, na forma duma interrogação amarga, para a qual não achava resposta: de que lhe adiantava dinheiro, se Larissa não estivesse ali para ajudá-lo a gastar?

No caminho de volta para casa, adentrando um beco estreito e profundo, o rapaz viu-se frente a frente com os quinze homens misteriosos que tinham passado a viver na Planetário. Vinham na direção oposta, falando todos ao mesmo tempo, distraídos, rindo, gesticulando, fazendo algazarra, atravancando a passagem. Estavam todos armados: pistolas, submetralhadoras, espingardas. Luan assustou-se, claro; e o medo só não cresceu a ponto de dominá-lo porque, fosse qual fosse a bronca daqueles malucos, tal encrenca, graças a Deus, não podia ter nada a ver com *ele*, que nunca tivera nem a menor desavença com nenhum dos sujeitos. Num átimo, pois, seu sobressalto foi contido por uma dose de alívio. "Coitado de quem irritou esses malandro!", chegou a pensar. No entanto, precipitando-se para a conclusão de que não corria perigo, cometia um terrível engano, conforme descobriu quase na mesma hora. Ao contrário do que esperava, não foi com indiferença que os homens reagiram ao vê-lo.

— Olha a figurinha aí!

— Sheik!

— Corre não, sangue bom!

— Caiu, Sheik, já era, meu irmão, já era!

— Acabou pra ti, vagabundo!

— Tudo nosso, cupincha, tudo nosso!

O veneno na voz dos sujeitos fez Luan estremecer. Agora, sim, estava apavorado, e não havia o que pudesse fazer: um movimento mais brusco e seu corpo seria estraçalhado por balas dos mais variados calibres.

— Q-qual é, mano?, q-que q-que é isso? — gaguejou, mostrando a palma das mãos.

Os homens gargalharam, sem dó.

— Que boneca!

— Te liga nele!

— Peida não, Sheik!

— Já vai dizendo as tuas última palavra aí, seu bosta!

— A tua hora é agora, mano, não é depois, não!

— Ah, vamo matar logo, vamo matar logo!

— Não, não, calma aí, calma aí, ninguém atira, segura, segura, calma aí! — disse imperioso o homem que parecia ser o líder do grupo. — Seguinte: vamo levar ele lá pro Redondo e vamo matar ele lá, que lá tem mais gente e mais gente vai ver. Daí já fica todo o mundo sabendo que ninguém tá aqui pra andar de gangorra.

Houve um sonoro e animalesco burburinho de aprovação.

Mãos agarrando-o pelos braços, mãos puxando-o pelo casaco, mãos dando tapas na sua cabeça, mãos socando suas costas, armas mirando-o, armas cutucando-o, assim Luan ia sendo arrastado pelas vielas da Planetário, rumo ao local onde seria executado: o largo arredondado no qual terminava a rua Luís

Manoel. Assistindo àquele espetáculo da estupidez, vendo passar aquela selvagem assuada, os moradores da vila se limitavam a arregalar os olhos, escancarar a boca e trocar cochichos; ninguém se atrevia a intervir. Luan tentava falar, mas sua voz era abafada pela dos homens.

— A Planetário é com a gente agora, Sheik!

— O que é nosso, é nosso; o que não é nosso, a gente toma e vira nosso do mesmo jeito, cupincha, vai vendo!

— Vamo lá, vamo lá, vamo lá, que vai ser o Sheik e uma peneira, daqui a pouquinho!

— Com os Bala, não tem boi, sangue bom!

O rapaz só conseguiu se fazer ouvir quando usou todas as forças para berrar e berrar e berrar uma única palavra:

— Dinheiro! Dinheiro! Dinheiro!

Subitamente interessado em ouvi-lo, o líder do grupo, gritando por silêncio e gesticulando como um maestro, fez com que todos interrompessem a marcha e se calassem. Em seguida, olhou dentro dos olhos de Luan e perguntou:

— Dinheiro?

— É, porra, eu tô juntando já faz um tempo, já.

— Quanto?

— Uns cem mil, se pá. Caralho, sangue bom, pega o meu dinheiro, mas não precisa me matar, irmão, porra, que que é isso?, não precisa me matar. Eu vou saltar da vila, eu não sou louco nem nada, eu vou meter o pé.

— Tá tudo ali na tua baia?

— Claro, mano.

O homem refletiu por um momento. Depois, balançou a cabeça e sorriu:

— Beleza, então, Sheik, eu vou te deixar vivo.

Os capangas reagiram à decisão com desgostoso clamor. Em resposta, o líder lhes disse o seguinte, num tom que tornou impossível saber se falava sério ou se usava de sarcasmo:

— Ah, para lá, bando de pau no cu, cem mil é cem mil! A gente nem ia saber disso se o guri não fala nada. Porra, o guri falou de boa, não merece uma colher de chá? Vamo deixar quieto, vamo deixar o guri meter o pé, não custa nada.

Instantes depois, Luan conduzia os sujeitos para sua casa. Desesperado, tentava imaginar uma maneira de fugir, com todo o cuidado para não deixar transparecer essa intenção. Não tinha cem mil reais. Na verdade, nem perto disso: se o dinheiro guardado em seu quarto chegasse a quinze ou vinte mil, já seria muito. De qualquer modo, suspeitava que o fingimento fosse recíproco: ainda que possuísse toda a quantia mencionada, nem por um segundo confiara na promessa do algoz de poupar-lhe a vida só por ter falado do dinheiro. Aquilo tudo parecia apenas uma sádica tentativa de troçar dele antes de matá-lo.

Ao ver Luan entrar em casa escoltado por homens armados, a mãe do rapaz tomou um susto. No entanto, antes que tivesse tempo de se levantar do sofá ou mesmo dizer qualquer coisa, o filho correu a instruí-la:

— Não te mexe, mãe, fica sentada aí! Tá bom? Vai ficar tudo bem.

Apesar de tudo, os sujeitos demonstravam respeito pela casa e pela mulher ali sentada. Nenhum deles ousou entrar na residência sem acenar com a cabeça e dizer "licença, tia".

— Tem uma pá de maconha ali dentro — informou-lhes Luan, apontando para um armário. — Podem ficar com tudo. Eu vou pegar o dinheiro. — E, no momento seguinte, estava sozinho em seu quarto, diante da janela aberta. Na mesma hora, sentiu o estômago gelar, o coração inflar, os pelos do corpo inteiro se arrepiarem; a descarga de adrenalina foi tão potente que perdeu a capacidade de registrar os acontecimentos por completo; a realidade tinha se tornado densa demais para ser captada fluentemente por seus sentidos, ou estes é que tinham se estreitado demais para captá-la com fluidez; os aspectos do mundo exterior e a própria consciência de si mesmo, pois, agora lhe vinham a conta-gotas, entre apagões: chegou a ouvir a voz da mãe perguntando "vocês são da polícia?" lá na sala; contudo, sem mais nem menos, viu-se longe da casa, correndo por um beco e olhando para trás; no instante seguinte, já estava noutro lugar, implorando histericamente que um amigo lhe emprestasse sua moto; por fim, resgatando aos poucos o autocontrole, deu por si montado no veículo, andando em alta velocidade, sem saber direito em que setor da cidade estava e muito menos aonde ia. Levou um bom tempo para reconhecer a avenida Bento Gonçalves.

Enquanto isso, alheio aos maus bocados pelos quais Luan acabava de passar, Pedro gastava aquela tarde de domingo jogando futebol despreocupadamente no campo de saibro que havia perto de sua casa, ao sopé da Vila Viçosa. Em dado momento, chutou a bola alvejando a goleira, mas errou. Fez um muxoxo e lamentou-se:

— Porra!

O goleiro do time adversário foi buscar a bola no mato, e ele, então, aproveitou a pausa para juntar-se ao grupo de jovens que faziam fumaça à beira do campo.

— Dá um pega aí — pediu, estendendo a mão para pegar o cigarro de maconha.

— Chute bem cagado, hem, sangue bom! — debochou o sujeito que lhe passava a droga.

— Nem brinque!

O celular de Pedro, que ele tinha deixado aos cuidados daqueles jovens enquanto jogava, começou a tocar. Pegando o aparelho e olhando a tela, o rapaz leu: "CHOKITO". Sem pressa, tirou um par de baforadas do cigarro de maconha e o devolveu; só depois dignou-se a atender a ligação:

— Fala aí, meu bruxo. — Mas, a princípio, não foi possível entender nada do que o amigo, exaltado, se pôs a vomitar do outro lado da linha. A única coisa que pôde perceber foi que algo ruim, muito ruim, parecia haver acontecido. Dizendo diversas vezes para Luan falar devagar, e por fim pedindo que esperasse um pouco, voltou-se para o outro lado do campo; lá, sentados no chão, diversos jovens esperavam sua vez de jogar. — Ei! — berrou, erguendo um braço e abanando a mão, para chamar a atenção. — Alguém aí, entra no meu lugar! — Em seguida saiu do campo, indo se escorar num coqueiro próximo, onde conversou com Luan mais calmamente. O amigo, para sua surpresa, tinha vindo para a Lomba do Pinheiro: estava na Parada 2-A da estrada João de Oliveira Remião, em frente ao cemitério parque Jardim da Paz, e queria saber como fazia para encontrá-lo. — Beleza, beleza, é o seguinte, sangue bom: vem até a 12; passou da 12, quebra na primeira à direita, vai até o fim da rua, quebra à esquerda, e daí só desce, só desce, só desce. Eu tô no campo de futebol, lá embaixo; tu vai me ver perto do coqueiro.

Luan seguiu as instruções e chegou em poucos minutos. Estacionou a moto junto ao coqueiro, apeou, retirou o capacete e, ato contínuo, saiu gesticulando e tagarelando, nervoso, contando a Pedro o que tinha acontecido. Este, semblante severo, lábio inferior espremido entre o polegar e o indicador, ficou ouvindo tudo sem dizer uma única palavra. Porém, enquanto escutava a história, pensou consigo mesmo que o adolescente parecia desproporcionalmente transtornado. Apesar de reconhecer a gravidade do acontecimento em toda sua profundidade, apesar de compreender que o amigo escapara da morte por muito pouco, apesar de saber, ou pelo menos supor, que não devia ser nada fácil manter a calma depois de passar por uma experiência como aquela, apesar de tudo isso, não podia ignorar o fato de que, afinal, fora só um susto, ocorrido já havia uma hora ou mais, e por isso não via razão alguma para todo o pranto de Luan. Pois era derramando lágrima atrás de lágrima, fungando incessantemente, soluçando sem parar e engasgando-se com as palavras que o adolescente prosseguia com seu relato. Quando ele finalmente terminou de contar todo o episódio, baixando a cabeça e puxando a barra do casaco para ali assoar o nariz, a primeira coisa que Pedro fez foi tentar acalmá-lo; num tom paternal, quase como se falasse com uma criança de poucos anos, disse, botando a mão no ombro do amigo:

— Tá, mano, mas já passou, porra! Não precisa chorar desse jeito, sangue bom!

No entanto, o consolo teve efeito contrário: Luan caiu num pranto ainda mais convulso. Havia algo. Algo ainda não tinha sido contado. O *pior* ainda não tinha sido contado.

— A minha coroa, cara! — balbuciou o adolescente.

Pedro sobressaltou-se.

— Que que tem a tua coroa?

— Quando eu tava vindo... — Luan interrompeu-se, chorando abertamente, o semblante desfigurado na mais pesada expressão de sofrimento. Logo em seguida fez um enorme esforço para se controlar, fechando os olhos e respirando fundo várias vezes, até conseguir voltar a falar. — Um bruxo meu lá da vila me ligou quando eu tava vindo pra cá. Eu parei a moto lá na Bento pra atender o celular. E aí ele me falou... Porra, Pedro! Os cara judiaro da minha coroa lá, mano, enchero ela de tiro, mano, na frente de todo o mundo, tá ligado, na frente de todo o mundo... — Voltou a incorrer em pranto violento, mãos no rosto, ombros chacoalhando.

E foi por ali, por aquela notícia, que o transtorno de Luan vazou, vindo contaminar Pedro. Este já podia sentir um nó grosso se formando na garganta, uma ardência pungente surgindo nas narinas: indícios de que sua alma estava prestes a transbordar, prestes a verter pelos olhos. Nada do que entrava pelo rombo feito em seu coração era bom; ele não sabia se saboreava primeiro o azedume da consternação, a picância da ira ou o amargor do desamparo. Também havia o gosto podre do remorso; afinal, não fora *ele* quem dera início àquilo tudo, com seu maldito sonho de riqueza? Pois bem: agora, ali estava Luan, órfão. O abraço de sua mãe, nunca mais! A voz de sua mãe, nunca mais! Sua mãe, nunca mais! Morrera. Não só morrera: fora fuzilada em público! E nada seria feito a respeito. Nada! Era inútil esperar que houvesse comoção: ninguém se importava. Deus, ninguém se importava! Era o tipo de coisa que acontecia todo dia — todo santo dia! Pobre demais para ser lembrada, preta demais para ser levada em consideração, eis que aquela mulher era expulsa da existência, e mesmo exterminada de maneira tão brutal, mesmo assassinada à luz do dia, mesmo estraçalhada a céu aberto, mesmo aniquilada diante de quem quisesse ver, mesmo assim, nada: ninguém se importava, nada seria feito, ficaria tudo por isso mesmo! Um ser que absolutamente invisível viera ao mundo, absolutamente invisível o habitara e absolutamente invisível desaparecia dele! Um ser produzido e destruído na lama da indiferença plena: era como se nunca tivesse existido! Um ser cuja vida e morte confundiam-se nos matizes do descaso total. Ah, Deus do céu, que mundo era aquele? Tudo estava errado demais! O mundo estava errado demais, as pessoas estavam erradas demais! Vendo Luan chorar, e entregando-se ele próprio ao choro também, assim Pedro soltou todas as amarras da solidariedade, deixando seu espírito voar solto através da empatia incondicional, pequeno, sufocado, mas ao mesmo tempo imenso, livre! Assim, atingiu a sensação de identificação e, mais que isso, transcendeu-a! Pois, num primeiro momento, somente identificou-se com Luan, somente admitiu a si próprio como idêntico a Luan, um ser humano perdido num mundo cruel e terrível, desprovido de lógica e justiça; mas, em seguida, pôde sentir ainda mais: sem saber ao certo se não delirava, e tampouco querendo saber disso, viu claramente que ele próprio *era* o amigo! A dor dele lhe pertencia! Não fora outra mãe que morrera, senão a sua própria! Olhou para o campo, onde o jogo de futebol continuava, olhou para o matagal, onde as árvores ainda dançavam ao vento, olhou para o céu, onde as nuvens seguiam passeando; não sabia para onde olhar; onde quer que olhasse, não via resposta, onde quer que olhasse, não achava esteio. A única coisa que parecia fazer sentido era o fogo que ardia em seu âmago: um implacável desejo de vingança. Agarrou-se àquilo. Deixou-se arrebatar por aquilo. Parou de chorar. Expulsou de si todos os sentimentos, exceto o ódio. Segurou a cabeça de Luan com as duas mãos, com força, e a trouxe para junto da sua, colando testa com testa. E assim, olhos nos olhos, fez uma promessa ao amigo, martelando as palavras:

— *Isso não vai ficar assim!*

20.
A trama

Pedro não tivera tempo de se acostumar com sua nova casa. Ainda acordava, toda manhã, pensando que veria madeira podre — fosse um teto ou uma parede de madeira podre. Mas não: seu antigo barraco já não existia mais. Ao abrir os olhos, toda manhã, era com indizível prazer que via o belíssimo forro de gesso, que via as paredes bem-acabadas de alvenaria; era com indizível prazer que tornava a se lembrar, toda santa manhã, do lar gostoso que agora possuía, da vida gostosa que agora levava.

Contudo, naquela manhã de segunda-feira, 4 de julho de 2011, quando acordou e sentou-se na beirada da cama, o prazer de relembrar suas conquistas se mesclava com o desprazer de relembrar a tragédia ocorrida na véspera. Fumando o primeiro cigarro do dia, deixou-se estar ali, observando Luan, que, aboletado no chão de seu quarto, num leito improvisado com cobertores, ainda dormia profundamente. Pensou em chamá-lo, mas lembrou-se de tê-lo ouvido chorando baixinho no meio da noite e deduziu que tivesse custado a pegar no sono: preferiu deixá-lo dormir em paz.

Depois de fumar, levantou-se, espreguiçou-se e saiu do quarto, fechando a porta atrás de si. Na sala, encontrou a mãe sentada à mesa, tomando café da manhã e ouvindo rádio.

— Bom dia, mãe.

— Bom dia, meu filho. — A mulher parecia meio aflita. — Como tá o teu amigo?

— No momento, não podia tá melhor. Tá dormindo. Mas não sei como ele vai ficar quando acordar e ter que lidar com... enfim, ter que lidar com os problema dele.

— Vem cá: que que houve, afinal, que eu ainda não entendi? — cochichou ela.

O filho também baixou o tom para responder:

— Ora, houve que ele tá com problema, mãe. Só que ele não quer que eu fale contigo sobre isso, e eu vou respeitar a vontade dele, tá bom?

— Ah, sim, sim, eu entendo, claro. Mas, poxa, eu fiquei preocupada com essa criatura. Do jeito que ele chegou aqui ontem, parecia que o mundo tinha acabado.

— Pois é. Mas não precisa se preocupar. O pior já passou. Ele vai ficar bem.

— Quanto tempo ele vai ficar aqui?

— Não sei. Uns dias. Vê se não fica atazanando o guri com um monte de pergunta, tá bom? Deixa ele quieto, pra ele se sentir à vontade.

— Ah, mas era só o que me faltava! Eu não sou essa bruxa que tu pinta, não, viu! É claro que eu não vou ficar atazanando a criatura!

— Hum... Veremos, veremos... — O rapaz foi ao banheiro, escovou os dentes, jogou uma água no rosto e voltou para a sala. — Tu já foi na rua hoje, mãe?

— Já.

— Tá muito frio?

— É inverno, meu filho.

— Vou meter um casaco, então.

— Aonde é que tu vai?

— Tenho que ir falar com um amigo. Olha só: se o Luan acordar antes de eu chegar, diz que eu já volto aí.

Vestido o casaco, calçado um par de tênis, Pedro foi encontrar o melhor ladrão de carros que conhecia: Guilherme. Não foi fácil fazer o rapaz acordar, saltar da cama e vir recebê-lo: precisou bater na porta e chamá-lo com insistência. Quando finalmente viu-se no interior da residência, virou uma cadeira ao contrário e sentou-se nela, enquanto o outro ia passar café.

— Tô precisando dum carango pruma missão, Gui.

— Missão? — bocejou Guilherme, lá na cozinha. — Então a maconha não tá mais dando dinheiro, sangue bom?

— Não, não; quando eu digo "missão", não tô falando de assalto nem nada do tipo. Vai ser um atentado.

— Ah, sim, sim, entendi. Um carango só, tu quer?

— É. Mas um carango bom. Pra quarta de noite.

Braços cruzados à beira do fogão, o dono da casa fez um breve orçamento mental. Em seguida, inclinou a cabeça e propôs:

— Sereno: me dá cinco mil, e eu puxo um carango massa pra ti. Mas cinco mil porque é tu, hem! Se fosse qualquer outro, eu deixava por três mil! — E deu uma risada arranhada, mordendo a língua.

O visitante também riu.

— Beleza, pau no cu, tá bom.

— E tem como tu me dar alguma coisa agora? Metade, ou até menos. Tô pelado.

— Capaz, te pago tudo adiantado, nem esquenta, não tem ruim. Mas agora, agora, agora, não vai dar. Não tenho dinheiro aqui comigo. Tenho que sacar. Eu vou ir ver outra mão que eu tenho que ver e na sequência saco o dinheiro e te trago aí. Tá na mão?

— Tá na mão, tá na mão. Eu vou ficar em casa o dia todo, na real. Traz quando der.

— Ah, te liga só: tenta não matar o dono do carango, pelo amor de Deus! Se der merda na missão lá e todo o mundo acabar preso, eu e o meu pessoal até podemo segurar a bronca do roubo, mas ninguém vai querer levar homicídio no cu, sangue bom.

— Então quer dizer que tu vai tá junto, no atentado lá? — surpreendeu-se Guilherme.

— Vou, vou.

— Achei que tu tava só fazendo a correria de arranjar um carango pra outro, pra arrumar um dinheiro por fora, sei lá.

— Não, não, não é por dinheiro. Eu vou tá lá, na linha de frente. A fita é pessoal, Gui. Os Bala tomaro a boca dum mano meu lá na Planetário e fizero a maior judiaria com a coroa dele lá. O guri tá até dormindo ali na baia.

— Veja! Os Bala são foda.

— É. Só que dessa vez vai dar ruim pra eles.

Saindo da casa do amigo, Pedro se pôs a subir a rua Guaíba, rumo à Vila Nova São Carlos. Andando devagar, sem pressa, sacou o celular e ligou para Marques: ainda não tinha lhe dado a má notícia.

— Fala, Pedro.

— E aí, Marques, sereno? Seguinte: deu a maior merda do mundo ontem, irmão. — E contou sobre a mãe de Luan.

— Puta que pariu! — foi o que disse Marques, emendando um muxoxo, depois de ouvir toda a história. — Lamentável, isso aí.

— Então, cupincha, nem me fale. Tô cheio de ódio. Mas sabe o que que eu tava pensando? Deus que me perdoe, mas a morte da tia lá foi um choque de realidade que eu tava precisando.

— Como assim?

— Te liga só: o Luan não tava esperando aquilo. Mas, de qualquer jeito, ele esperando ou não, o fato é que aconteceu. É o tipo de vida que a gente tá levando, mano. Entendeu? A gente tá levando uma vida que, quando a gente menos espera, pá!, acontece uma merda com a gente, ou com um parente nosso, tá ligado? Eu, agora mesmo, por exemplo, não tô esperando que aconteça alguma coisa de ruim comigo, nem com a minha mãe, nem com nenhum parente meu, mas isso não quer dizer que não pode acontecer. Tá entendendo? Daí eu fiquei pensando: o que que eu tô esperando pra saltar fora dessa merda, afinal?

— Tu vai largar tudo de mão, então?

— Ih, já larguei, sangue bom. Já larguei! Tu, a tua mulher, o Roberto, o Luan mesmo, se vocês quiser continuar nessa aí, eu com isso!, problema de vocês! Mas eu tô legal: não me falta nada, tô com um dinheiro massa baixado. Então, quer saber? Tô fora! Eu vou é cuidar da minha vida. Hoje eu vou aparecer lá no Fênix só pra pedir as conta e já era, um abraço, nem me viu, nunca mais. Agora eu só quero me dedicar pra alcançar os meus objetivo que eu tenho pra minha vida e me entorpecer, tá ligado? Me entorpecer afu! E eu não tô falando de droga, não! Eu tô falando é de me iludir mesmo! Me entupir de iogurte, comer bolo de milho com cobertura de chocolate pra caralho, jogar videogame em paz, jogar bola em paz, curtir a minha mãezinha, curtir os meus amigo, curtir a vida, dar risada, comer mulher de montão, esquecer de uma vez por todas que este mundo é uma merda e fazer de conta que eu vivo na Disney, porque agora eu posso pagar essa porra dessa ilusão. O resto, mano... — Pedro deu um riso seco — o resto é o resto, eu não quero saber do resto, vem me falar do resto pra tu ver!, eu quero que o resto se exploda e o meu pau cresça! Já vivi no mundo real por tempo demais. Já vivi essa merda desse dilema de ter que escolher entre ser bandido ou ser escravo por tempo demais. Já remei contra a correnteza tempo demais. Chega! Tá na hora de delirar nas coisa boa um pouquinho, que eu também sou filho de Deus.

— É, não, não, eu vou meter o pé também. Tu tá certo, na real. Se não tivesse acontecido isso aí que aconteceu com a tia, era capaz de nós não parar nunca e seguir sempre nessa merda.

— Pois então. Mas é o seguinte: antes de sossegar de vez, tô tramando pra dar um atentado nos Bala lá, quarta de noite. Acabei de falar com um bruxo aqui que vai conseguir o carango.

— Qual é o plano?

— O plano é ir lá e matar todo o mundo. Tu vai? Na real, me espiei de te convidar, porque tu tem os teus filhos aí e pá, tá ligado? Então, se tu não quiser ir, beleza, eu vou entender.

— Tá louco? Vou, sim! Tô cheio de ódio também! Porra, considero o Luan pra caralho, tu sabe. Claro que eu vou.

— Aí, sim, vagabundo! Seguinte: eu tô indo ver a mão das ferramenta agora. Tô pensando em pegar quatro peça boa, porque tem eu, tem tu, tem o Luan, e acho que o Roberto vai querer ir também. Que que tu acha? Pego quatro ou pego cinco?

— E pra quem que ia ser a quinta?

— Pra tua mulher.

— Ah, então tô louco, então!

Pedro riu.

— Olha... Se eu conheço bem a Angélica, ela vai querer ir junto, hem...

— Pois vai ficar querendo.

Pedro tornou a rir.

— Beleza, mano, tu que sabe. Vou pegar só quatro, então. Te liga só: eu vou desligar agora. Mais tarde a gente se fala, valeu?

— Valeu, Pedro. Até depois.

Tão logo Marques largou o celular sobre a mesa, Angélica, que estava fazendo o desjejum ali com ele e que tinha ouvido tudo o que dissera ao telefone, perguntou preocupada:

— Cheio de ódio por quê, amor? Que que aconteceu?

Ao que parecia, o marido perdera a fome: deixando de lado os pães de queijo que havia pouco devorava, foi apenas bebericando o café que explicou sobre a mãe de Luan.

— Meu Deus do céu! — abismou-se ela.

— Pois é. Com essa história toda, o Cabide decidiu cair fora da mão da maconha. E eu vou te dizer, viu: acho que é melhor a gente fazer a mesma coisa.

— Sim, sim, sim, já chega dessa merda toda! — correu a concordar Angélica. — Meu Deus do céu! — disse de novo, horrorizada, balançando a cabeça. Custava a acreditar no que tinha acontecido com a mãe do comparsa.

Quanto ao plano de atacar os inimigos, o casal não teve tanta facilidade para entrar num acordo. A moça, conforme Pedro havia previsto, queria porque queria tomar parte na investida, e Marques se esforçava por dissuadi-la.

— Escuta aqui, Angélica: esse bagulho não vai ser que nem peidar dormindo!

— Ah, Marques, e tu acha que eu não sei? Eu não vou amarelar! Tu acha que eu não sei ser ruim, por acaso? Olha o que os cara fizero com a tia lá, que não tinha nada a ver com nada! Eu não vou amarelar, amor! Quando eu tiver na frente daqueles lixo (porque aquilo lá não é gente, aquilo lá é lixo), eu vou sentar o dedo, não quero nem saber!

— Eu não tô dizendo que tu vai amarelar, meu, não viaja! O problema é que a gente pode acabar todo o mundo preso, ou até morto! Entendeu? E aí, quem é que vai cuidar do Daniel e da Lúcia? Se der merda, eu preciso que tu teja aqui pra cuidar das criança. — Com esse argumento, Marques finalmente fez Angélica hesitar. Aproveitando a brecha, estendeu a mão e lhe fez um carinho na bochecha, para encerrar de vez o assunto. — Vai ser melhor assim, tá bom? — E, nesse momento, pareceu ter uma boa ideia. — Ah!, vou dar um pé ali no Véio! — informou bruscamente, levantando-se num pulo.

— Que tu vai fazer ali? — quis saber a moça.

— Ele tem uma pá de coisa da Polícia Civil: touca ninja, colete a prova de bala, camisa e até rádio, com os fonezinho e tudo o mais, tudo certinho. Se ele apoiar, vai dar pra ir todo o mundo fantasiado de rato na missão.

Dado que ainda faltavam cerca de duas horas para o meio-dia, e que nunca na vida o chefe do tráfico de drogas na Vila Lupicínio

Rodrigues acordara antes da uma da tarde num dia de inverno, Marques achou a residência do homem todinha fechada. Bater na porta não adiantou de nada. Bater de novo foi igualmente inútil.

— VÉIOOO!!!

— Ai, meu saco, já tô indo, já vou, já vou! — resmungou a voz rouca e sonolenta do velho, no interior da casa.

Instantes depois, o visitante estava lá dentro, desabando no sofá e ligando a televisão, enquanto o dono da residência, lutando contra o sono, metido num roupão imaculadamente branco, abria a persiana da janela. A luz do sol pareceu lhe causar o mesmo efeito que teria causado a um vampiro.

— Ai, *pora*!

— Então, Véio, tu ainda tem aquela porrada de coisa de rato que tu me mostrou uma vez? Eu vim ver se tu me apoia aquelas parada.

O velho estranhou o pedido.

— Pra que tu quer? — perguntou, sentando-se numa poltrona, diante de Marques.

— É que vai rolar um atentado.

— Atentado?

— É.

— Mas eu achei que tu e o teus amigo tavam tocando o esquema de vocês sem se meter em bronca. Eu achei que vocês nem tinha inimigo nenhum.

— E a gente não tinha mesmo. Mas isso mudou. Escuta: se lembra aquela vez que eu te falei que a gente tinha começado a vender maconha de quilo lá na Planetário?

— Que que tem?

— Tem que ontem os Bala correro o meu bruxo que tava fazendo a mão lá e mataro a coroa dele. Por isso, a gente vai dar um atentado lá, quarta de noite.

— Sim, sim, entendi. Bom, é claro que eu não vou virar as costa pro meu gurizinho querido. Pode ficar tranquilo: eu vou te largar pifado com os meus apetrecho.

— Valeu, Bill! Tu é o cara!

— É, eu sei que eu sou, eu sei que eu sou, mas também não precisa ficar falando...

Enquanto isso, a quilômetros da Vila Lupicínio Rodrigues, na Lomba do Pinheiro, Pedro conversava com Valdir, o chefe do tráfico de drogas na Vila Nova São Carlos. Gorro de lã na cabeça, garrafa térmica numa mão, cuia de chimarrão na outra, assim o homem viera receber o rapaz à porta de casa.

— Então, deixa eu ver se eu entendi direito. — Sorriu, cheio de mordacidade, como era de seu costume. — Tu tá querendo que eu largue umas ferramenta na tua mão pra tu usar no atentado lá, é isso?

— É isso aí, o senhor entendeu direitinho — confirmou Pedro.

— E por que diabos eu ia querer te ajudar?

— Por nada.

— Por nada?

— É, por nada. Eu não tenho nada pra oferecer pro senhor em troca do apoio. Se eu tivesse, oferecia. Mas, enfim, eu não tenho. Eu vim aqui contando com a boa vontade do senhor.

— Boa vontade?

— Boa vontade.

— Tá, e se eu não quiser te emprestar nada?

— Ora, daí eu peço desculpas por ter tomado o tempo do senhor à toa e vou-me embora, ué.

Sempre sorrindo, Valdir balançou a cabeça.

— Olha, eu esperava mais do teu poder de persuasão, viu.

— Bom, desculpa desapontar o senhor.

O homem largou a térmica sobre a balaustrada da varanda, aparentemente só para alisar o cavanhaque com a mão que ficou livre.

— Aquela vez, Pedro, tu saiu daqui dizendo que ia lá falar com o Renato. O clima tava estranho, lembra? Tinha uma guerra prestes a começar, porque o finado Bison, que Deus o tenha, queria vingança. Bom, tu não queria que aquela guerra acontecesse. Tu queria vender a tua maconha em paz. Aí tu foi lá falar com o Renato, e o Renato acabou matando o Bison, que era o braço direito dele. E pronto, problema resolvido: não teve guerra nenhuma, exatamente como tu queria. Olha, eu não faço ideia do que foi que tu disse pro Renato lá. Mas eu sempre quis saber. Então, vamo fazer assim: me conta o que tu disse pro Renato aquela vez e eu largo as ferramenta na tua mão.

O rapaz comprimiu os lábios e balançou a cabeça.

— Desculpa, mas eu não posso dizer isso pro senhor.

— E por que não?

— Porque, se eu disser, o senhor vai acabar matando o seu filho Lucas, que é o braço direito do senhor.

Valdir começou a rir. E assim, rindo, pegou a garrafa térmica para meter água na cuia.

— Gostei dessa! Tá certo, tá certo; não quer falar, não fala. Eu te apoio mesmo assim. Afinal, muitos diriam que eu te devo uma, por causa daquela vez, e eu não quero passar por mal-agradecido. Fala aí: o que tu vai querer?

— Ah, não precisa muita coisa, na real. Eu pensei em quatro pistola e oito pente de trinta.

— Tá bom. Eu vou ali buscar.

Instantes depois, agora com uma pequena mochila às costas, Pedro tornava a descer a Guaíba, mergulhando de volta na futura Vila Sapo. Viu que Luan já tinha acordado e saído para a rua: o adolescente estava na praça, conversando com Roberto. Este, braços cruzados, semblante fechado, apressou-se a dizer, assim que o primo de sua esposa se aproximou:

— O Luan me contou o que aconteceu. E também me contou que tu disse que não ia deixar por isso mesmo. Então, eu só quero saber de uma coisa: quando é que a gente vai ir lá dar o troco?

— É, eu achei mesmo que tu ia querer participar — comentou Pedro. — O atentado vai ser quarta de noite.

— Hum... E as ferramenta?

A isso, o rapaz respondeu apontando por cima do ombro com o polegar, indicando a mochila atrás de si.

— Que que tem aí? — quis saber Luan.

— Quatro pistola — disse Pedro. — Uma pra mim, uma pra ti, uma pro Roberto e uma pro Marques. Tem dois pente de trinta pra cada um, também.

— E o carango? — perguntou Roberto.

— Já falei com o Gui.

— Hum... Beleza, beleza.

Ainda naquela segunda-feira, Pedro adiantou todo o pagamento de Guilherme, conforme dissera que faria. Outra promessa que também cumpriu foi a de se demitir da rede Fênix de supermercados, ato que Marques imitou. Talvez aquele tenha sido o dia mais feliz da vida do sr. Geraldo e o mais infeliz da vida dos funcionários que já estavam habituados a se empanturrar de guloseimas na hora do intervalo às custas da dupla de supridores.

E, por falar em infelicidade, a terça-feira que se seguiu, 5 de julho de 2011, não começou nada bem para Marques. Pela manhã, ao acordar, ele teve a infeliz ideia de ligar para Fernanda e pedir que ela e Pâmela espalhassem a notícia de que o esquema do supermercado tinha chegado ao fim. Ocorre que Angélica parecia ter um sexto sentido totalmente dedicado a captar até os menores indícios de possíveis puladas de cerca: saindo da cama sem fazer qualquer ruído e indo pé ante pé atrás do marido, acabou ouvindo parte de sua conversa ao telefone. Mãos nas cadeiras, olhos semicerrados, beiços torcidos, prontamente cobrou-lhe esclarecimentos sobre aquela a quem tão carinhosamente chamava de "Fê".

De tarde, Roberto, que, a exemplo dos demais, também achava por bem largar a venda de maconha, lembrou Pedro de ligar para Fabrício para avisar que a quadrilha estava encerrando as atividades. Foi uma conversa longa: o homem tentou de tudo para não perder seus clientes, inclusive reduzir o preço da erva para meros quinhentos reais o quilo. Só parou de insistir quando Pedro contou sobre a mãe de Luan e sobre como a trágica morte dela deixara todos irreversivelmente decididos a abandonar os negócios; depois da represália que tinham arquitetado para a noite de quarta, garantiu o rapaz, deixariam para sempre a vida do crime, e não havia nada que pudesse fazê-los mudar de ideia. Vencido, Fabrício soltou um longo suspiro e disse que, se era assim, tudo bem, e que tinha sido muito bom trabalhar com eles. No entanto, demonstrando um misto de curiosidade e preocupação, quis saber sobre a tal vingança e, após ouvir o plano, ofereceu ajuda: podia emprestar armas e coletes a prova de bala. Pedro agradeceu diversas vezes, inclusive lamentando por não ter lembrado de pedir ajuda ao homem, porque agora, explicou, era tarde: o grupo já tinha tudo de que precisava.

Por fim, à noite, Guilherme apareceu na futura Vila Sapo, todo faceiro ao volante de um hatchback prata que, reluzindo ao luar, parecia recém-saído da fábrica. Roberto, Luan e Pedro, que estavam na praça conversando sobre o ataque da noite seguinte, calaram-se de pronto ao ver o belíssimo carro descendo devagar a rua Guaíba. Guilherme parou bem diante do trio, baixou o vidro e, sorridente, perguntou:

— Será que esse aqui tá bom, hem?

21.
Noite macabra

Quarta-feira, 6 de julho de 2011. Frio pesado. Nuvens duras na escuridão do céu. Ventos fortes uivando agourentos nas entranhas da noite. Folhas de papel e sacolas plásticas rodopiando no ar. Algo maligno vagava pelas ruas de Porto Alegre, flutuava nas águas do Guaíba, espreitava por detrás das árvores do Parque Farroupilha. Era possível sentir. Demônios do inferno tinham vindo à capital gaúcha, para ver de perto e aplaudir de pé o que estava para acontecer.

Marques e Angélica foram à Vila Campo da Tuca e lá deixaram seus filhos aos cuidados de Catarina, a irmã mais velha do rapaz. Agora estavam de volta em casa, na Vila Lupicínio Rodrigues, esperando Pedro, Luan e Roberto. Estes não demoraram a chegar. Estacionaram o hatchback numa rua próxima, apearam, fecharam as portas e foram tocar a campainha da residência do casal. Quem os recebeu foi Marques, já todo trajado como um autêntico agente da Polícia Civil.

— Qual vai ser, gurizada? Entra aí, entra aí — convidou, apertando a mão de cada um dos recém-chegados.

Pedro jogou a mochilinha com as armas emprestadas por Valdir em cima do sofá.

— As ferramenta tão aí — informou.

— Vocês querem tomar alguma coisa? — perguntou Angélica. — Tem café, tem uísque...

Em coro, os visitantes precipitaram-se a responder que aceitavam uma dose de uísque.

— Não sei se é uma boa ideia ir todo mundo bêbado no bagulho — comentou Marques.

— Só uma dose pra esquentar o pelo, sangue bom — argumentou Pedro. — Ninguém vai encher a cara. Além disso, eu trouxe uns pino, que é pra ficar todo o mundo alerta — explicou, tirando do bolso e largando sobre a mesa uma porção de cápsulas de cocaína.

— Ah, sim, sim, isso é bom, isso é bom — aprovou o dono da casa.

Após beber o uísque, os recém-chegados foram ao quarto do casal e fecharam a porta; passado um tempo, tornaram a abri-la e voltaram à sala, agora trajados do mesmo jeito que Marques já estava: como autênticos agentes da Polícia Civil.

— E então, Luan, como tão as coisa lá na Planetário? — interrogou Angélica.

— Eu liguei pro meu bruxo hoje e ele me disse que não chegou mais ninguém lá desde domingo — contou Luan. — Isso significa que eles ainda são quinze.

— O que mais o teu bruxo falou? — quis saber Marques.

— De importante, nada. Diz que eles começaro a traficar na segunda. Tão vendendo de tudo por lá: maconha, pó, pedra e até essas merda de playboy, tipo LSD.

— Tão vendendo numa das casa que eles compraro?

— Segundo o meu bruxo, não. Parece que eles ficam vendendo no Redondo. Aqui, te liga: eu fiz um mapa, pra gente se orientar melhor. — Dizendo isso, o adolescente tirou um pedaço de folha de caderno do bolso, desdobrou-o e colocou-o sobre a mesa.

— Aqui em cima é "Santa Terezinha", viu — correu a esclarecer, apontando para o topo do papel. — É que não teve espaço pra escrever tudo. E esse ponto de interrogação é uma rua que eu não lembro o nome.

Angélica botou os olhos no mapa.

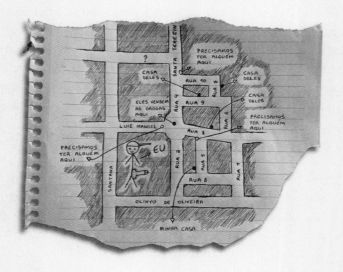

— E essas anotações?
— Ah, sim, sim, deixa eu explicar. — Luan começou a indicar pontos no papel com o dedo, enquanto ia falando: — As bolinhas preta é os lugar perigoso. O lugar mais perigoso é este aqui, bem no meio: é o Redondo, onde eles ficam vendendo os bagulho. É o lugar mais perigoso porque a maioria deles vai tá aí, ou talvez até todos. Outros lugar perigoso é as três casa deles, *aqui*, *aqui* e *aqui*. Pode ter um ou dois deles em cada uma delas. A minha casa é *aqui*, olha. Eu marquei a minha casa como lugar perigoso porque eles podem ter tomado conta dela. Na real, o meu bruxo me disse que eles não ocuparo a minha casa, mas nunca se sabe. Eu falei com ele era cedo, umas quatro da tarde, e agora já é quase meia-noite: quer dizer, de lá pra cá, os caras bem que podem ter decidido ocupar. É bom tomar cuidado.
— Essas três bolinha branca são o quê? — perguntou Marques.
— Então, eu pensei no seguinte: não adianta nada a gente ir todo mundo pelo mesmo lugar, porque assim a gente só vai

conseguir matar dois ou três e o resto vai sair correndo pra outro lado. A gente precisa cercar eles, entendeu? Essas bolinha branca são os três lugar onde a gente precisa se posicionar pra cercar quem tiver no Redondo. Se a gente conseguir se posicionar nesses três lugar, quem tiver no Redondo não vai ter pra onde correr, e assim a gente vai conseguir matar mais deles, se pá até todo o mundo.

Roberto passou seu enorme indicador no papel.

— Bom, a gente pode vir por aqui, dobrar aqui...

Mas o adolescente o interrompeu:

— Não, não, não dá pra entrar de carro na vila, mano. Essas rua numerada aí são rua só no nome, porque na real são tudo beco; não passa carro aí.

— E como é que a gente vai fazer, então?

— Olha, eu tenho um plano, presta atenção: a gente vem de carro pela Olinto de Oliveira, em direção à Santana, certo? Dois desce do carro aqui, na entrada da rua 1. Aqui precisa descer dois, porque esses dois vão percorrer o caminho mais longo e mais perigoso: vão entrar na rua 1, virar à esquerda na rua 8, virar à direita na rua 5, passar pela frente da minha casa (onde pode ter gente deles) e seguir até a esquina com a rua 3, onde vão se posicionar. Eu tenho que ser um dos dois que vão por esse caminho, porque só eu conheço bem a quebrada. Bom, enquanto eu e mais um vamo por esse caminho, o carro segue pela Olinto de Oliveira, vira à direita na Santana e vai até a esquina com a Luiz Manoel. Aí desce outro. Esse outro vai a pé pela Luiz Manoel e tenta se posicionar o mais perto possível do Redondo, sem ser notado, é claro. O último segue de carro pela Santana, vira à direita nessa rua que eu não sei o nome, vira à direita de novo na Santa Terezinha e vem até aqui. Esse ponto é onde a Santa Terezinha acaba e começa a rua 4 e a rua 10, que na real são só beco. A ideia é matar todo o mundo que tiver no Redondo. Depois disso, eu e quem tiver comigo na esquina da rua 3 com a rua 5, assim como o outro que tiver posicionado sozinho na Luiz Manoel, vamo passar pelo Redondo e ir pela rua 4, até chegar aqui em cima, na Santa Terezinha, onde tá o último que desceu do carro. Aí a gente entra todo o mundo no carro e vai embora. — Luan ergueu a cabeça e percorreu o olhar pelos comparsas, esperando um parecer.

Pedro arqueou os lábios e balançou a cabeça.

— Pra mim, o plano parece bom.

— Pra mim também — concordou Roberto.

— Pra mim também — repetiu Marques.

— É, mas vocês precisam tá todo o mundo posicionado direitinho, antes de começar a atirar nos cara — observou Angélica.

— Exatamente — concordou Luan. E, tornando a baixar a cabeça para olhar o mapa, continuou: — Além disso, tem outras coisa importante, olha só aqui. Em primeiro lugar, quem for se posicionar no fim da Luiz Manoel, não pode deixar *nenhum* deles fugir do Redondo pela rua 2. Se algum deles conseguir correr pra rua 2, o cara vai poder dar a volta pela rua 8 e pegar eu e o outro que tiver comigo pelas costa, lá na rua 5. Então, repito: ninguém pode escapar do Redondo pela rua 2, certo? Em segundo lugar, quem for se posicionar no fim da Santa Terezinha vai ter uma boa visão pra matar qualquer um que aparecer na rua 4, seja alguém que correu do Redondo pra rua 4, seja alguém que correu da rua 9 pra rua 4; aqui, tão vendo? Mas tem que tomar cuidado com a rua 10 também: de vez em quando, é bom dar uma espiada pra ver se não tem ninguém vindo por ali, pra não ser pego de surpresa, porque lá no fundo, na rua 7, tem uma casa deles. E em terceiro lugar, eu e quem tiver comigo na esquina da rua 5 com a rua 3 vamo ter que fazer duas coisa: meter bala em quem tiver no Redondo e, ao mesmo tempo, cuidar esta casa deles bem aqui, na rua 3, porque pode sair gente ali de dentro.

— Tá bom, e quem vai se posicionar onde? — indagou Pedro.

O grupo trocou olhares por um instante. Em seguida, Roberto se candidatou:

— Bom, eu posso ficar aqui em cima, na Santa Terezinha.

— E eu posso ficar na Luiz Manoel — escolheu Marques.

— Beleza — disse Luan. — O Pedro, então, é que vai entrar comigo pela rua 1.

— Pode ser — concordou Pedro.

Olhando para o mapa, imaginando o plano em andamento e percebendo que o marido correria grande risco ao avançar para o fim da Luiz Manoel sem saber a posição dos inimigos no Redondo, Angélica pensou num estratagema.

— Antes de vocês começarem a agir, eu posso entrar pela Luiz Manoel e ir lá comprar um pino dos cara. Eles não me conhecem. Daí eu aproveito pra ver como tão as coisa no Redondo.

Marques não pareceu gostar muito da ideia.

— Não sei, não, Angélica...

— Pensa bem, amor! — disse ela. — Eu não vou correr risco nenhum. Vai ser entrar, comprar o pó e sair.

— Acho que vale a pena, Marques — apoiou Pedro. — Saber de antemão quantos tão no Redondo e como exatamente eles tão posicionado vai ser importante pra nós. Além disso, é como a Angélica falou: não vai ter risco nenhum.

Marques inclinou a cabeça e comprimiu os lábios, num gesto que não deixava claro se estava ou não de acordo. Pedro, entretanto, tomou aquilo como uma concessão e disse:

— Beleza, então é o seguinte: a Angélica vai na frente, com o carro dela. A gente vai logo atrás, seguindo ela com o carro roubado. Na entrada da rua 1, eu e o Luan descemo. Depois a Angélica estaciona na esquina da Santana com a Luiz Manoel e vai lá no Redondo comprar o pó. O Roberto e o Marques estacionam atrás do carro dela e ficam esperando. Quando ela voltar, ela passa as informação pro Marques e pro Roberto, eles

265

repassa as informação pra nós pelo rádio, ela entra no carro dela e vai embora. Aí o Marques desce do carro roubado e entra a pé na Luiz Manoel. Por último, o Roberto segue com o carro roubado até a Santa Terezinha. É isso?

Todos concordaram, em coro.

Nesse momento, alguém tocou a campainha. E, fosse lá quem fosse, não parecia estar com muita paciência, porque não esperou um único segundo sequer: logo após tocar a campainha, pôs-se a esmurrar a porta com força. O ar no interior da residência tornou-se pesado na mesma hora. Roberto enrugou as sobrancelhas e fez um gesto de cabeça para Marques, como quem pergunta "quem é?"; em resposta, o dono da casa encolheu os ombros e abriu os braços, como quem diz "não faço a menor ideia".

— Quem é?! — berrou Angélica.

Foi também num berro que uma voz masculina respondeu:

— É a polícia, caralho! Abre já essa porra dessa porta!

Luan deu um passo atrás, pronto para correr para a cozinha; Roberto deu um passo adiante, parecendo decidido a se jogar para cima do policial, caso a porta fosse arrombada; Marques instintivamente se pôs à frente de Angélica; Angélica catou um dos copos de uísque esvaziados que ainda estavam sobre a mesa e se preparou para arremessá-lo; Pedro foi ao sofá e abriu o fecho da mochilinha onde estavam as pistolas.

Contudo, o homem do lado de fora não demorou a entoar uma sonora gargalhada, após a qual revelou:

— É brincadeira! Sou eu, o Alemão! Deixa eu entrar aí!

Instantes depois, Alemão já estava na sala, sendo veementemente repreendido por todos pela brincadeira de mau gosto.

— Ah, vão se foder! — queixou-se, puxando uma cadeira e se sentando. — Eu é que devia tá brabo com vocês. Como é que vocês decide dar uma festa e nem me convida? Se não é o Fabrício me contar o que vocês tava planejando pra hoje, eu não ia nem ficar sabendo. Vem cá: que tipo de amigo vocês são, hem? Além de tudo, eu venho ajudar, e como é que eu sou recebido? "Ai, ai, ai, Alemão, não se faz essas brincadeira, ui, ui, ui." Vão chupar um pau, na real! E é o seguinte: eu também vou querer disfarce, mano. Cadê o meu?

Marques teve que ir pedir mais um kit de policial civil para o chefe do tráfico na Vila Lupicínio Rodrigues. Enquanto isso, os outros trataram de pôr o recém-chegado a par do plano.

— Beleza, beleza, entendi tudo — disse Alemão. — E eu vou me posicionar onde? Com quem?

— Na esquina da rua 3 com a rua 5 já vai ter dois: eu e o Luan — lembrou Pedro. — Então, tu vai ou com o Marques na Luiz Manoel, ou com o Roberto na Santa Terezinha.

— Bom, pelo que eu tô vendo nessa bosta desse mapa que o Luan fez, acho que é melhor o Alemão ficar com o Marques — opinou Roberto. — O fim da Luiz Manoel é o ponto mais perto do tal de Redondo, onde vai tá a maioria dos cara, ou até todos eles. Por isso, acho melhor ter dois ali. Se o mapa tá certo, eu vou tá posicionado mais longe do Redondo do que todo o mundo, e por isso eu vou me proteger melhor do que todo o mundo.

— O mapa tá certo — garantiu Luan. — E é isso mesmo o que tu falou: apesar de tu ter que ficar com um olho na rua 4 e o outro na rua 10, tu vai tá no ponto mais seguro de todos, porque tu vai ser o que vai tá mais longe do Redondo.

— Então tá decidido — disse Pedro. — O Alemão fica com o Marques na Luiz Manoel.

Depois que Marques voltou e Alemão trajou-se como um autêntico agente da Polícia Civil, era chegada a hora de entrar em ação. Todos cheiraram uma generosa carreira de cocaína, ajeitaram cada qual seu rádio comunicador na cintura, botaram os fones nos ouvidos, fizeram um teste para ver se conseguiam se comunicar pelos aparelhos, prepararam as armas, meteram-nas nos coldres e, por fim, saíram para a rua.

Conforme o combinado, Angélica foi na frente, dirigindo seu próprio carro pelas ruas de Porto Alegre, praticamente desertas àquela hora; os outros iam logo atrás, no hatchback roubado. Saindo do bairro Menino Deus, os veículos passaram pela Cidade Baixa, através da rua Dr. Sebastião Leão; em seguida, cruzando a avenida João Pessoa e indo reto pela avenida Jerônimo de Ornelas, introduziram-se no bairro Santana. Um pouco mais à frente dobraram à direita, na rua Jacinto Gomes, e seguiram para o sul; assim, logo chegaram à ponta leste da rua Dr. Olinto de Oliveira, onde entraram.

Poucos metros adiante estacionaram, junto à entrada da rua 1 da Vila Planetário. Luan e Pedro, então, vestiram cada qual sua touca ninja, sacaram cada qual sua pistola e desceram do hatchback, fechando as portas e olhando ao redor. Não havia vivalma por ali para testemunhar a cena.

Os carros puseram-se em movimento novamente, virando à direita na esquina da dr. Olinto de Oliveira com a Santana. Logo, porém, tornaram a parar, próximos à esquina seguinte. Era a deixa de Angélica: ela apeou de seu carro e, seguindo a pé, entrou na Luiz Manoel, em direção ao Redondo.

Roberto, ao volante do hatchback, percebeu, olhando pelo retrovisor, o desassossego de Marques, que estava sentado no banco de trás, ao lado de Alemão.

— Fica calmo aí, Marques. Ela só vai ali e já volta. Não vai acontecer nada.

— Assim espero — suspirou Marques.

— Vocês já tivero num tiroteio? — quis saber Alemão. E, depois de ver as duas cabeças fazerem que não, continuou: — Não importa o que aconteça, é melhor não dar as costa pro inimigo. Se, por acaso, vocês der de cara com um deles, vão ter que engolir o medo e não fugir pro outro lado.

— Não fugir?

— É isso aí, mano. Quando tu vira as costa e sai correndo, atirando pra trás, é quase impossível acertar um tiro onde tu quer acertar. Se vocês der de cara com alguém e, no susto, fugir, dificilmente um tiro de vocês vai acertar o cara que apareceu na frente de vocês, porque vocês tão correndo e atirando pra trás, como loucos; e o pior é que, se o cara for frio e ficar parado onde tá, ele vai poder mirar nas costa de vocês com toda a tranquilidade, e provavelmente vai acertar.

— Tá, mas então o que a gente faz, se a gente der de cara com um deles?

— Ora, vocês precisa ser frio! Entre vocês e o cara na frente de vocês, quem for mais frio vai ter mais chance de matar o outro. Se vocês der de cara com um deles, fica *exatamente* onde tiver; se abaixa, pra reduzir o tamanho do corpo de vocês, porque assim é mais difícil um tiro pegar em vocês; aí mira bem, da maneira mais certinha que der, e atira. Entendero? Por maior que seja o medo e a vontade de sair correndo prum canto, o negócio é: abaixar, mirar, atirar; abaixar, mirar, atirar; abaixar, mirar, atirar. Dar as costa, sangue bom, nem pensar. Olha: é só fingir que as bala deles são de festim. Hem? Que tal? Se vocês conseguir fazer isso, se conseguir fingir que os tiro deles não pode acertar vocês, vocês vão conseguir ficar tranquilo pra fazer a coisa certa: abaixar, mirar, atirar.

Roberto achou que a explicação fazia muito sentido.

— Interessante, viu. Mais alguma dica?

— Sim... — Alemão abriu um sorriso demente. — Não tenham pena deles, porque eles não vão ter pena de vocês.

— Mas vai cagar, Alemão! — soou a voz de Pedro, falando nos fones de ouvido de todos. — Tu viu isso aí no *Senhor dos Anéis*!

As prontas gargalhadas de Roberto, Marques e Alemão se misturaram no interior do hatchback.

— Olha lá ela, lá — avisou Roberto, ainda rindo.

Capuz na cabeça, mãos enfiadas nos bolsos, Angélica andava a passos ligeiros pela calçada. Passou reto por seu próprio carro e veio se aproximando do veículo onde estavam os comparsas. Roberto baixou o vidro no lado do carona; a moça, curvando-se e esticando-se para dentro do hatchback pela janela, abriu o porta-luvas e ali jogou a cápsula de cocaína que tinha acabado de comprar na Vila Planetário.

— E aí? — perguntou Alemão.

— Tem só dez cara lá no Redondo. Se eles são mesmo quinze ao todo, não sei cadê o resto. Devem tá nas casa que o Luan mostrou no mapa. Esses dez que tão no Redondo, tão à esquerda de quem entra pela Luiz Manoel. Tão escutando música, bebendo e fumando maconha. Não consegui ver se tão armado. Devem tá, claro. Mas acho que vai dar tudo certo. Eles tão distraído e já tão meio chapado: acho que vai dar pra matar uns cinco deles antes mesmo de eles entender o que tá acontecendo. Outra coisa: lá no fim da Luiz Manoel tem um carro estacionado. Dá pra usar ele de escudo.

— Tá bom, amor, agora vai pra casa — disse Marques. — Daqui a pouco eu tô lá.

— Beleza. Tomem cuidado. — Angélica deu meia-volta e foi para seu carro. No momento seguinte, o veículo já desaparecia de vista, seguindo pela rua Santana.

— Pedro, Luan, vocês conseguiro escutar o que a Angélica falou? — interrogou Roberto.

A voz de Pedro e a de Luan responderam "não" ao mesmo tempo, nos fones.

— Tem dez no Redondo, à esquerda de quem entra pela Luiz Manoel. Os outros cinco devem tá pra dentro da vila. Seguinte: tomem cuidado quando vocês passar na frente da casa do Luan aí.

— Valeu, Roberto — falou Pedro.

— Valeu, Roberto — imitou Luan.

Marques e Alemão saltaram do hatchback e fecharam as portas, vestindo cada qual sua touca ninja; Roberto pôs o carro em movimento e se afastou.

Após um instante, Alemão apontou para a esquina da Luiz Manoel com a Santana, poucos metros à frente, e perguntou a Marques:

— Vamo entrando?

Mas a resposta não veio de Marques, e sim de Roberto, através dos fones:

— Não, caralho! Espera eu me posicionar lá na Dona Terezinha.

Não ocorreu a ninguém lembrar Roberto de que, na verdade, o nome da rua era *Santa* Terezinha, e não *Dona* Terezinha. Alemão, contudo, disse o seguinte:

— Eu e o Marques não precisamo chegar lá atirando nos cara. A gente pode só se aproximar o máximo que der e ficar escondido, esperando tu se posicionar. Na hora de agir, a gente age todo o mundo junto.

A voz de Luan intrometeu-se na conversa:

— Não é uma boa ideia, Alemão. Os cara pode acabar vendo tu e o Marques e vocês iam ter que atirar neles antes da hora. Vamo deixar o Roberto se posicionar primeiro, porque não tem como verem ele lá na Santa Terezinha. Depois, eu e o Pedro avançamo por aqui. Tu e o Marques entram por último, porque vocês vão ser os mais fáceis de eles acabarem vendo e, se isso acontecer, pelo menos eu, o Pedro e o Roberto já vamo tá posicionado.

— Tá bom, tá bom! — respondeu Alemão, emendando um muxoxo. Em seguida, sacou teatralmente seu par de pistolas, dando um beijo em cada uma delas. — Tu já conhecia a Ruth e a Raquel, Marques?

Marques não quis ficar para trás: sacou a arma que Pedro tinha conseguido emprestada com Valdir.

— E tu, Alemão, já conhecia a... — hesitou brevemente, pensando num bom nome — a Vanusa?

Alemão fez cara de nojo ao ver a pistola.

— Pente de trinta! Que coisa bem horrível isso aí!

— Por quê?

— Porra, olha o tamanhão desse pente, com um tantão sobrando pra fora do cabo! Coisa mais grosseira, cara, sério. Não é coisa de cavalheiro, tá ligado? É coisa de maloqueiro, na real. Eu ia ter vergonha de andar com esse bagulho na mão. Isso aí é que nem andar de pochete.

Enquanto isso, Roberto, guiando o hatchback, virava à direita, saindo da Santana e entrando na via identificada por um ponto de interrogação no mapa de Luan. Era, na verdade, a rua Laurindo, que terminou abruptamente, um pouco mais adiante, desembocando na Santa Terezinha.

Ao verificar a placa na esquina e perceber que tinha chegado à rua desejada, Roberto pensou consigo mesmo que talvez não fosse uma boa ideia se aproximar da vila de carro. Por isso deu marcha à ré e estacionou o veículo na Laurindo. Feito isso, apeou, vestiu sua touca ninja, sacou sua pistola e avançou a pé até o fim da Santa Terezinha. Espiou para dentro da rua 10, à esquerda, e não viu nada além de sombras; contudo, olhando para frente, através da igualmente escura rua 4, podia ver, lá adiante, a luz amarelada que o poste lançava sobre o Redondo. Também conseguia ouvir vozes e som de música vindos daquela direção, embora não lhe fosse possível avistar ninguém: os dez inimigos contados por Angélica estavam lá no outro extremo da viela, à direita, ocultos atrás dum muro.

— Pedro, Luan, já tô aqui — informou Roberto.

— Beleza, a gente vai entrar — respondeu Pedro.

Ele e Luan, então, avançaram rua 1 adentro, as pistolas estendidas à frente, seguras por ambas as mãos, os dedos indicadores nos gatilhos, prontos para puxá-los ao surgimento de qualquer ameaça. Logo adiante, entraram à esquerda e foram costeando as casas à direita daquela que já era a rua 8. Quando chegaram na esquina com a rua 5, pararam e ficaram espiando.

— Aquela ali é a minha casa — disse o adolescente, indicando com um gesto de cabeça uma residência mergulhada em breu.

— Parece que não tem ninguém lá — comentou Pedro.

— É, eu acho que não. Vem, vamo lá ver.

Seguiram abaixados em direção à casa. Sem fazer o menor ruído, abriram o portãozinho de ferro e passaram para dentro do pátio minúsculo. A porta da residência estava entreaberta; empurrando-a devagar, Luan esticou o pescoço para dentro e deu uma olhada na sala. A escuridão diante dele era tanta, que foi como se tivesse fechado os olhos.

— Acho que, se tivesse alguém aqui, ia ter alguma luz acesa.

— Pois é.

Ainda assim, os dois só relaxaram depois de checar todos os cômodos, o que fizeram sem acender lâmpada nenhuma, para não chamar a atenção de alguém que eventualmente passasse na rua.

— E aí, a casa tá limpeza? — perguntou a voz de Marques nos fones.

— Limpeza total — afirmou Luan. — Mas calma aí, que a gente ainda tem que ir até a esquina agora. Calma aí.

Saiu de volta para a rua 5 e seguiu devagar em direção à rua 3. Pedro, em seus calcanhares. Este perguntou:

— Que porra é isso aí na frente, Luan?

Referia-se a sacos gigantescos que estavam à beira do caminho, escorados numa casa. Luan respondeu:

— Aí na frente é o ferro-velho do Espeto. Ele faz reciclagem. Esses saco aí tão cheinho de garrafa PET.

O ferro-velho ficava bem perto da esquina da rua 5 com a rua 3. E, em frente ao ferro-velho, no lado direito da rua 5, havia um par de árvores tão próximas uma da outra que as copas se fundiam numa só. Parando debaixo delas, costas voltadas para os troncos, Luan apontou para uma casa na rua 3 e explicou:

— Aquela é uma das casa deles. E tem uma luz acesa lá, tá vendo? Acho melhor um de nós ficar aqui. É uma boa posição pra atirar em quem sair de lá de dentro. O outro fica ali — apontou o outro lado da viela —, pra poder atirar em quem tiver no Redondo.

— Beleza, eu fico ali, então. — Dizendo isso, Pedro passou para o outro lado da rua 5 e avançou dois ou três passos; ombro colado na última casa do beco, espiou com cuidado à esquerda, pela rua 3: a uns dez ou vinte metros, viu os inimigos reunidos em torno dum antigo rádio portátil, sob a luz amarelada do poste. Conversavam tranquilamente. — Tô vendo eles, tô vendo eles.

— Tu e o Luan já tão posicionado? — quis saber Alemão.

— Já. Tu e o Marques podem entrar por aí. Eles não vão ver vocês. Tão distraído. E se eles ver vocês, eu posso atirar neles daqui.

Marques e Alemão, então, avançaram cuidadosamente pela Luiz Manoel. Não demoraram a avistar alguns dos inimigos lá no largo onde a rua terminava, cerca de trinta metros adiante, à esquerda. Foi um momento tenso, porque bastava um dos homens voltar-se para o lado da dupla e esta seria descoberta. Entretanto, avançando um pouco mais, logo os dois estavam escondidos atrás do carro de que Angélica tinha falado.

— Beleza, nós também já tamo posicionado — informou Alemão. — Quem vai atirar primeiro?

— Eu nem consigo ver ninguém daqui — apressou-se a esclarecer Roberto.

— Quem tem que atirar primeiro são vocês, Alemão — observou Pedro.

— E por que nós? — perguntou Marques.

— Porque, se eu atirar neles daqui, eles vão correr pro lado de vocês, e vocês tão muito perto. Entendeu? Se eles tudo sair correndo pro lado de vocês, talvez não dê tempo de vocês matar todo o mundo, e aí eles podem acabar matando vocês. Mas, se vocês atirar primeiro, eles vão correr pra cá e lá pro lado do Roberto, e a gente tá em melhor posição pra atirar neles antes de eles chegar perto da gente. Assim, pode ser que a gente consiga até matar todo o mundo. Se alguns ficar vivo, vão correr lá pro canto, onde nenhum de nós consegue ver.

— Beleza, beleza, podemo começar aqui, então? — interrogou Alemão.

— Vai firme, mano, mete bala nesses puto — respondeu Pedro. E, em seguida, no que pareceu uma espécie de voto de boa sorte, disse: — Fé em Deus, gurizada!

Os outros repetiram em coro:

— Fé em Deus!

Quando Marques e Alemão, vestidos de preto dos pés à cabeça, ergueram-se por trás do carro para poder mirar nos inimigos, foi como se as sombras da Luiz Manoel estivessem se condensando e produzindo aquele par de figuras. No momento seguinte, a quietude da noite teve fim com o som feroz das pistolas cuspindo fogo.

Três corpos amontoaram-se no chão imediatamente; ato contínuo, os inimigos restantes ficaram sem saber o que fazer: ao mesmo tempo, procuravam a origem dos disparos, tentavam se afastar, se escondiam uns atrás dos outros, sacavam suas armas. Nessa apavorada indecisão, outro deles acabou sendo baleado, no exato instante em que puxava seu revólver da cintura, e caiu ao chão, gritando de dor. Por fim, ao perceber de onde eram alvejados, os seis homens ainda em pé, agora já todos de arma em punho, não hesitaram em revidar: puseram-se a efetuar incontáveis disparos naquela direção. Dado que possuíam armas de diferentes tipos e calibres, a salva de tiros produzia estouros de toda sorte: uns mais altos, outros mais baixos, uns mais secos, outros mais prolongados, uns se repetindo com espantosa rapidez, outros se repetindo de maneira mais pausada. No entanto, Marques e Alemão não foram atingidos, porque, ao início do revide, prontamente tornaram a se abaixar atrás do carro.

Embora atirassem na direção da Luiz Manoel, os inimigos iam recuando, caminhando para trás, e assim entraram todos de costas na rua 4. Logo um deles desabou, atingido na nuca por um dos vários disparos que Roberto começou a efetuar lá da Santa Terezinha. Outro, atingido na parte posterior do ombro, soltou um berro e, no susto, saiu correndo em direção à rua 3. Os demais, agora todos cientes de que não estavam seguros na rua 4, foram se empurrando atrás do amigo ferido, mas logo estacaram, desistindo de segui-lo, porque na entrada da rua 3 o homem se retorceu duas, três, quatro vezes, como se tivesse sido possuído por um espírito maligno, e por fim perdeu as forças, dobrando os joelhos e deitando-se de lado, encolhido como um feto: Pedro acertara diversos tiros nele, disparando lá da esquina da rua 3 com a rua 5.

Agora restavam apenas quatro inimigos em pé, os quais, conforme Pedro previra, correram para o cantinho entre a rua 4 e a Luiz Manoel, onde se amontoaram, encurralados, desesperados, pressentindo a própria morte. Mas a verdade é que, ali, estavam temporariamente a salvo: nem Marques, nem Alemão, nem Roberto, nem Luan, nem Pedro podiam vê-los.

Cessados os disparos, foi possível perceber que cachorros tinham começado a latir por toda parte.

— Alguém aí tomou tiro? — perguntou Luan.

— Não.

— Não.

— Não.

— Não.

Marques começou a levantar devagar, para espiar por cima do carro.

— Quer morrer, pau no cu? — indagou Alemão, puxando-o de volta para baixo pelo braço.

O rapaz se desvencilhou.

— Me solta, meu! A gente não pode ficar abaixado aqui. A gente precisa cuidar pra nem um deles correr pra rua 2.

— Merda, é verdade!

Os dois puseram-se de pé e olharam por cima do carro.

— Alguém viu pra onde eles foro? — quis saber Marques.

— Cuidado: eles tão bem pertinho de vocês — respondeu Pedro. — Eu não consigo ver eles daqui agora, mas vi quando correro pra esse lado aí. Devem tá escondido do lado do prédio que tem na frente de vocês, no canto que eu tinha falado antes.

— Te liga ali, Marques — sorriu Alemão, fazendo um gesto de cabeça.

Marques esticou o pescoço e olhou na direção indicada, para ver o sujeito que tinha sido baleado logo no início do tiroteio, no momento exato em que sacava seu revólver. Esparramado no chão, o homem se arrastava com dificuldade, tentando, silenciosa e despercebidamente, ir se juntar a seus amigos, no cantinho onde estavam escondidos. Alemão, então, tratou de guardar Ruth, para segurar Raquel com as duas mãos; deu um passo para o lado, abaixou-se e, com toda a tranquilidade, apontou para o infeliz; por fim, disparou. Foi um único tiro, certeiro; atingido na moleira, o homem não se mexeu mais, e uma poça de sangue se formou rapidamente debaixo de sua cabeça.

— Quem foi que atirou? — alarmou-se Pedro.

— Calma, fui eu.

Nesse momento, a porta da casa que Luan vigiava se abriu e duas figuras masculinas saíram apressadas para rua, detendo-se para abrir o portãozinho de ferro do pátio. Assustado, o adolescente apontou a arma naquela direção e puxou o gatilho diversas vezes. Foram mais de dez tiros seguidos, dos quais muitos atingiram as grades do portãozinho, a julgar pela chuva de faíscas que iluminou fugazmente aquele ponto da rua 3. Um dos homens caiu morto, mas o outro conseguiu correr de volta para dentro da residência, sem nem mesmo perder tempo fechando a porta.

— Cuidado com a munição, Luan — advertiu Pedro. — Tenta atirar só se tu achar que vai acertar.

— T-tá bom — gaguejou Luan.

— Tu tá bem, sangue bom?

— Tô bem, tô bem. Só que levei um susto. Eu já tava pensando que não ia sair ninguém daquela porra daquela casa.

O susto maior, porém, veio logo em seguida: foi como se dezenas de bombas tivessem começado a explodir dentro da Planetário, ou como se dezenas de carros estivessem colidindo em alta velocidade contra as casas, ou ainda como se dezenas de trovões tivessem resolvido soar um atrás do outro no interior da vila: uma rajada potente e interminável, de arma pesada e automática, era disparada contra Luan e Pedro. Este chegou a pensar que seria impossível não morrer sob tão feroz ataque; jogou-se no chão, encolheu-se todo e procurou proteger a cabeça com os braços; tinha a impressão não só de que sua própria vida chegava ao fim, mas de que o mundo inteiro estava prestes a acabar: a violência dos estrondos era tal que os tiros pareciam efetuados a um palmo de seu ouvido direito.

Enquanto Pedro se jogava no chão, Luan, igualmente apavorado, tinha corrido para trás dos enormes sacos de garrafas PET do ferro-velho. Espiando dali, pela fresta entre os sacos, conseguiu perceber de onde vinham os disparos. Não que pudesse ver o atirador; tudo o que conseguia enxergar eram os clarões que se sucediam por trás da copa das árvores. Mas foi o suficiente para deduzir que os tiros só podiam vir da janela do andar superior da casa dos inimigos na rua 3, e que possivelmente quem atirava era o mesmo sujeito que havia pouco estivera na rua e conseguira fugir de volta para dentro da residência. Entretanto, do mesmo modo que nem Luan nem Pedro podiam vê-lo de onde estavam, também ele não podia vê-los de sua posição: a farta copa das árvores interpunha-se entre a dupla, cá embaixo, e o homem, lá em cima, de modo que a este só restava atirar a esmo através da folhagem.

Ao que tudo indicava, o atirador não soltou o gatilho da arma até que o carregador se esvaziasse por completo. Quando os disparos finalmente cessaram, todos se puseram a falar ao mesmo tempo, gerando confusão de vozes nos fones.

— Ah, porra!

— Que merda é essa?

— O que que foi isso?

— Tão atirando de onde com isso?

— Isso é metralhadora, mano!

— Não, não, isso é fuzil!

— Tá todo o mundo bem?

— Vem pra cá, Pedro! Pedro, vem pra cá, caralho! — Isso quem dizia era Luan. E, percebendo que não seria escutado naquele falatório, tratou de fazer um enérgico e prolongado "psiu!". — Cala a boca, seus pau no cu! Cala essa merda dessa boca de vocês! — Depois que todos por fim ficaram em silêncio, tornou a chamar: — Pedro! Ei! Vem, vem, vem, porra!

Ainda encolhido no chão, Pedro virou a cabeça e olhou para trás, só então percebendo que Luan já não estava no mesmo lugar de antes; outra coisa que só agora notava, e que não pôde compreender de imediato, era que folhas e mais folhas caíam da copa das árvores, rodopiando lentamente na escuridão da noite. Sem perder mais tempo, levantou-se e correu para junto do adolescente, enquanto um forte cheiro de pólvora tomava conta do ar.

No instante seguinte, cinco tiros se fizeram ouvir: "pá!", "pá!", "pá-pá-pá!". Contudo, não foram estouros tão potentes como os de havia pouco.

— Quem atirou? — perguntou Luan.

— Eu e o Alemão — respondeu Marques. — Um deles tentou sair correndo lá do canto e fugir pra rua 2.

— Tá morto? Vocês mataro? Conseguiro matar?

— Tá morto, tá morto.

— Beleza, beleza, beleza!

Apontando para a rua 3 por entre os sacos do ferro-velho, Luan começou a explicar a Pedro sobre o atirador no segundo andar da casa, mas logo sua voz não pôde mais ser ouvida: o homem já tinha recarregado a arma e reiniciava os estrondosos disparos. Desta vez, contudo, puxava o gatilho aos poucos, dando apenas três ou quatro tiros por vez. Aproveitando uma das pausas, o adolescente apressou-se a concluir sua explicação, acrescentando:

— Fica aqui, Pedro, fica aqui. Atira nele daqui. Entendeu? Atira nele daqui. Eu vou dar a volta lá pela rua 1 e vou pegar esse puto cagando.

— Tá, sereno, vai lá, vai lá, vai lá. — Dizendo isso, Pedro atirou quatro vezes através da copa das árvores, na direção da casa; em seguida, se abaixou, porque a resposta foi uma devastadora rajada de mais de dez disparos.

Luan saíra correndo pela rua 5, deixando para trás o som da troca de tiros às cegas entre Pedro e o atirador. Chegando à rua 8, virou à esquerda; em seguida, no fim da quadra, entrou à esquerda novamente. Logo estava na esquina da rua 1 com a rua 3, ofegante. Permitiu-se ficar ali por um instante, tomando ar; depois, avançou alguns passos, para espiar com cuidado.

Aquele era um ponto muito mais perigoso do que a esquina do ferro-velho. Não havia nada impedindo o atirador de ver o adolescente: bastava que olhasse em sua direção.

Além disso, o homem não era a única preocupação de Luan: dado que os inimigos possuíam mais duas casas além daquela (uma na rua 7 e outra na rua 9), era possível que, vindo de alguma delas, um deles acabasse saindo da rua 6 de repente, pegando-o de surpresa. Quanto mais se demorava ali, mais risco corria, e por isso decidiu não perder tempo: avançou pela rua 3, procurando ângulo para mirar no atirador.

A primeira coisa que viu foi a arma, exalando fumaça à beira da janela; causou-lhe estranheza o fato de ela estar em posição vertical, com o cano para cima, mas logo entendeu o que se passava: oculto atrás da parede, o inimigo a recarregava. Calculando que, depois de engatilhar, o homem precisaria se expor para fazer pontaria e atirar contra Pedro, o adolescente parou onde estava e ficou esperando, com a pistola apontada para a janela. Tinha razão: após puxar o ferrolho da arma, o atirador se inclinou para a frente, por cima do parapeito, revelando o busto. Nesse momento, Luan sentiu um frio na barriga: quase disparou contra o sujeito, mas, numa fração de segundo, pensou que talvez pudesse errar o tiro, o que terminaria por denunciar sua posição privilegiada; para que não houvesse erro, pois, preferiu se aproximar mais um pouco, pé por pé. Lembrou-se da voz de Alemão recomendando nos fones: "abaixar, mirar, atirar; abaixar, mirar, atirar. Dar as costa, sangue bom, nem pensar". Abaixou-se; manteve o inimigo na mira; seguiu se aproximando; também decidiu que, caso fosse visto (ideia que lhe inspirava pavor), não daria as costas nem sairia correndo: seria frio, ficaria onde estava, tentaria acertar o alvo.

E aconteceu que, para seu desespero, o atirador de fato acabou por vê-lo, virando a arma em sua direção com inesperada rapidez. Houve uma troca de tiros que durou eternos três segundos. Nesse meio-tempo, abaixado, atirando como louco em direção ao inimigo, o adolescente manteve-se rigorosamente imóvel, ouvindo os zunidos e sentindo os deslocamentos de ar causados pelos projéteis que passavam a seu redor como raios invisíveis, sem acertá-lo. Por fim, atingido em alguma parte, o atirador deu um gritinho seco e estranho, parecido com um arroto malogrado, tombando para dentro da casa e deixando a arma cair para o lado de fora, sobre o telhadinho que cobria o pátio frontal da residência.

— Peguei ele — disse Luan, fechando os olhos e respirando fundo, aliviado.

— Maravilha, Chokito! — festejou Pedro. — Tu é o cara! Mas não volta pra cá por esse lado, que é capaz de os cara te ver lá do canto onde eles tão. Dá a volta lá por trás de novo.

— Não, espera aí...

— O que foi?

— Eu vou lá conferir esse puto.

— Tu vai entrar na baia?

— Vou. — Na verdade, Luan já entrava na residência, e por isso respondia aos cochichos.

— Tá louco, cupincha?

— Olha só: eu acertei o tiro no cara e a arma caiu pra rua, mas eu não sei se ele morreu. E se o tiro só pegou de raspão? Se tiver outra arma lá com ele, daqui a pouco ele tá atirando na gente de novo pela janela, e daí não adiantou nada eu ter vindo aqui atirar nele.

— Mas e se tiver mais gente lá dentro? Luan, Luan, Luan, presta atenção: volta já pra cá, filho duma puta!

— Ah, para de falar comigo, cacete! Eu não posso responder. Tô dentro da baia já.

— Merda!

Pedro tratou de reassumir seu posto na esquina, à esquerda da rua 5, tornando a vigiar dali o Redondo. No entanto, mal conseguia prestar atenção no largo, tamanha era sua preocupação com Luan. E, no momento seguinte, sentiu-se gelar por

inteiro: uma súbita e intensa troca de tiros teve início. Podia-
-se ouvir, no meio dos numerosos disparos, gritos de ódio e
de dor, entoados por mais de uma pessoa.

— Não, não, não!

— Filho da puta!

— Ai, ai, ai!

Passados instantes, depois dos tiros e da gritaria, restou
ainda no ar uma única voz agoniada, berrando alto num falsete arranhado. E já não havia, naquela voz, qualquer caracte-
rística que facilitasse classificá-la como humana. Parecia mais
o rugido desesperado de uma fera em pleno abate — rugido
esse que, aos poucos, foi assumindo a forma de um choro convulso, sofrido. Contudo, logo houve um último disparo isolado, após o qual a voz desapareceu.

Num primeiro momento, Pedro precipitara-se a associar
aquela repentina troca de tiros ao fato de Luan ter entrado na
casa dos inimigos, naturalmente. Em questão de segundos,
entretanto, percebera que o confronto parecia se dar na rua 4.
A confirmação veio em seguida.

— Matei dois na rua 4 — informou Roberto. — Eles saíro
dum beco ali adiante, que é a rua 9, se não me engano. Na real,
era três: um conseguiu voltar pra dentro do beco.

— Mas foi uma penca de tiro, mano! — comentou Marques.

— Pois é, eles foro esperto. Saíro dali dois virado pra cá, e
um virado lá pro outro lado. Quando eu atirei, eles reagiro.

— Beleza, beleza, mas tu tá bem? — perguntou Alemão,
quase afirmando.

— Tô, tô. Na real, eu tô bem mocozado aqui. Eles atiraro
pra cá a bangu; nem um tiro passou nem perto de mim. Véio,
o cara que escapou, o que voltou pra dentro do beco, tava com
um *monstro* na mão. Acho até que era uma 12.

— Ué, mas eu não ouvi tiro de 12... — estranhou Marques.

— Pois é, nem eu... — disse Alemão.

283

— Não, não, ele não chegou a atirar. Ele viu que o bicho tava pegando na rua 4 e voltou bem ligeiro pra rua 9, ou sei lá que porra de rua é aquela ali. Nem tentou atirar em mim.

— Mas fica esperto aí, Roberto, que agora ele tá ligado que tem gente aí — alertou Pedro. — Quando vê, ele dá a volta e sai no beco que tem aí do teu lado.

— Pode deixar, tô esperto, tô esperto.

A essa altura, Luan tinha examinado todos os cômodos do pavimento inferior da residência dos inimigos, sem encontrar ninguém, e já subia a escada de ferro em caracol com todo o cuidado. Uma vez lá em cima, viu que tudo o que havia era um par de quartos e um pequeno banheiro. Todas as três portas eram sanfonadas e estavam abertas; só a lâmpada do corredor achava-se acesa. Como a entrada do banheirinho era voltada para o oeste, bastou ao adolescente se curvar para o lado e esticar o pescoço ali mesmo, onde estava, para constatar que lá não havia inimigo algum escondido; a entrada dos quartos, porém, era voltada para o norte: não restava jeito de checá-los, a não ser indo em frente pelo corredor e expondo-se a quem eventualmente estivesse dentro deles.

Avançou bem devagar, sem fazer o menor ruído, e colocou a cabeça junto à entrada do primeiro quarto, espiando lá para dentro, inicialmente com um só olho, num ângulo fechado que lhe permitia ver apenas a ponta de um guarda-roupa, posicionado no canto esquerdo do cômodo. Aos poucos, tomando cuidado até mesmo para não respirar alto demais, foi movendo a cabeça para o lado, fazendo aumentar seu campo de visão. Logo começou a ver uma cama de solteiro, posicionada com a cabeceira junto à janela aberta; os cobertores estavam ensopados de sangue, o que lhe causou um princípio de preocupação: ao que tudo indicava, o atirador caíra em cima do leito ao ser baleado e ali já não estava mais. Porém, tomando cada vez mais ângulo para espiar, logo percebeu que, na verdade, havia, sim, parte do homem sobre a cama: as pernas. E a posição delas permitiu-lhe supor que, ferido, o sujeito devia ter tentado se locomover para fora do leito, morrendo (ou desmaiando) no meio da tentativa, com a parte superior do corpo no chão e as pernas ali em cima.

A suposição estava correta, conforme concluiu ao ter a visão completa do quarto. Outra conclusão a que chegou foi que o inimigo não podia estar vivo: olhos arregalados, boca escancarada, semblante petrificado na expressão de quem não consegue respirar, assim o homem jazia ali, imóvel, com a bochecha esquerda espremida no chão; havia um rombo na parte de trás de seu pescoço, produzido pela saída da bala, e a quantidade de sangue que ainda vertia dali fez Luan ter arrepios.

No entanto, logo o adolescente esqueceu o cadáver; como que atraídos por um ímã, seus olhos se fixaram numa mochila que estava sobre o criado-mudo, junto à cabeceira da cama. E não era difícil imaginar o motivo de ela estar justamente ali, perto da janela, assim como não era difícil imaginar o motivo de estar toda aberta: restava ainda em seu interior, despontando para fora, um par de carregadores de munição. Mas o que chamou a atenção de Luan foi outra coisa, também dentro da mochila: dinheiro. *Muito dinheiro*. Vários e vários bolinhos de notas de cem, cingidos com as típicas borrachinhas amarelas.

A vontade do adolescente foi dar de mão naquela dinheirama toda e ir embora correndo; contudo, lembrou que ainda precisava checar o quarto seguinte. E não demorou a perceber que essa segunda averiguação seria muito mais arriscada do que a primeira: a lâmpada do corredor estava posicionada de tal maneira que projetaria sua sombra direto na entrada do cômodo assim que avançasse. Não seria possível, portanto, repetir a estratégia de se aproximar devagar e despercebidamente: precisaria jogar-se à frente e apontar a pistola para dentro do quarto, torcendo para ser mais rápido no gatilho do que quem eventualmente estivesse lá dentro.

Fechou os olhos, respirou fundo e fez o sinal da cruz. Em seguida, avançou rapidamente, virando-se para o interior do quarto, pistola estendida à frente. Tomou um susto: havia uma figura na cama! Mas notou, instantaneamente, que não corria qualquer perigo: deitado de lado, encolhido, o vulto parecia pertencer a uma pessoa morta. Tateou na parede à esquerda, depois na parede à direita, em busca do interruptor. Ao achá-lo, fez a luz inundar o cômodo, para, aí, tomar outro susto, maior ainda que o anterior.

— *Larissa!*

Pedro, Marques, Alemão e Roberto repetiram, todos juntos: "Larissa?".

Mas, em seu abalo, Luan não lhes deu a menor atenção: metendo a arma no coldre, pulou em cima da cama; desamarrou os pés da moça; desamarrou-lhe as mãos; removeu a larga fita adesiva que lhe cobria a boca.

— Ei! Larissa! Larissa! Ei! Larissa! Larissa! — chamou repetidas vezes, ora sacudindo-a pelos ombros, ora dando-lhe tapas na bochecha. — Larissa! Sou eu, porra, o Luan! — Surpreendeu-se com as próprias lágrimas, quando gotejaram sobre o rosto da moça. — Ah, Larissa, que merda, meu! Acorda, caralho! Larissa! Ei, ei, ei! Aqui, fala comigo! Não faz isso comigo! — Abraçou-a com força, entregando-se ao choro e ao desespero.

Curioso como, mesmo sendo literalmente a coisa mais natural da vida, mesmo sendo a única certeza da vida, ainda assim a morte possa parecer tão absurda, para quem ama aquele que morreu. Apesar de perceber que já não havia calor algum no corpo de Larissa, Luan insistia em achar que a moça não podia estar morta. Como poderia estar morta, se ele tinha por ela um sentimento tão bonito, tão forte e tão especial? Como poderia estar morta, se ele nem tivera a oportunidade de lhe falar sobre aquele sentimento? Como poderia estar morta, se era tão perfeito o plano que ele tinha acabado de fazer de pegar o dinheiro no quarto ao lado, sair à sua procura logo no dia seguinte, encontrá-la onde quer que estivesse e ir-se embora para viver em paz com ela em algum canto tranquilo da cidade? Deus do céu, se ele já tinha perdido a própria mãe não fazia nem uma semana, como era possível que, agora, perdesse Larissa também? Não era justo! Mas era verdade. Não fazia sentido! Mas era verdade. Era mentira! Mas era verdade.

E, por mais absurdo que eventualmente possa parecer a quem estiver lendo esta história maldita, também era verdade que, logo em seguida, ele próprio, Luan, caía morto em cima da amada, atingido na parte posterior da cabeça por um tiro de espingarda .12.

— Luan! — chamou Pedro, após ouvir o disparo. — Luan! — repetiu, sentindo crescer dentro de si a terrível suspeita de que jamais haveria uma resposta. — Luan!

Depois do terceiro chamado, deixou-se finalmente cair no mesmo silêncio pesado em que Marques, Alemão e Roberto já estavam. E todos eles assim permaneceram por algum tempo, ruminando aquela trágica realidade. O primeiro a falar novamente foi Roberto:

— Que merda...

No momento seguinte, não foi voz alguma que se fez ouvir nos fones de todos, mas chiados, ruídos, pequenos estalos. Ao que tudo indicava, havia alguém mexendo no rádio comunicador de Luan.

Quando os barulhos cessaram, Pedro tornou a chamar:

— Luan?

E uma áspera voz masculina respondeu:

— Luan? Não, não, não, nada disso... Teu parça não tem mais boca pra falar nada, sangue bom. Na real, a cabeça inteira do teu parça sumiu, se tu quer saber.

— Ah, é? Então espera aí, então, pra tu ver só uma coisa, filho da puta do caralho, espera aí!

Cego de fúria, Pedro saiu correndo em direção à casa, sem dar ouvidos a nada do que todas as vozes falaram ao mesmo tempo nos fones (inclusive a voz do inimigo). E nem sequer lembrou de fazer a volta pela rua 1 como Luan tinha feito antes: correu direto pela rua 3, expondo-se fugazmente aos homens que ainda estavam escondidos lá no canto entre a Luiz Manoel e a rua 4; estes chegaram a disparar três ou quatro vezes contra ele, mas não acertaram tiro algum.

Enquanto isso, no pavimento superior da residência, o inimigo se preparava para recebê-lo. Apagou a luz que Luan tinha acendido, e também a do corredor; cuspiu fora um chiclete que já não tinha sabor nenhum, talvez pensando que conseguiria se concentrar melhor sem ele; estralou o pescoço e as costas, como quem se prepara para permanecer o tempo que for necessário numa mesma posição desconfortável; por fim, postou-se junto à entrada do primeiro quarto, segurando a espingarda num ângulo ligeiramente oblíquo, de cima para baixo, pronto para atirar ao surgimento da primeira mecha de cabelo que fosse na abertura quadrada do chão. Do mesmo jeito que matara Luan, assim também esperava matar Pedro quando este subisse a escada em caracol: dando-lhe um tiro na parte de trás da cabeça. Ocorre, porém, que, poucos instantes depois de se posicionar, seria ele próprio, o inimigo, a levar um tiro justamente na parte de trás da cabeça. Pois Pedro nunca nem chegou a entrar naquela casa. Em vez disso, escalou o telhadinho que cobria o pátio frontal da residência e, caminhando por cima dele, chegou à janela aberta do quarto. A princípio, espiando dali o interior escuro do cômodo, nada viu. Precisou esperar um momento, até que suas pupilas se habituassem com a falta de luz. Então, quando isso aconteceu, pôde distinguir tenuemente a figura do homem plantada à entrada do quarto, de costas, a poucos metros, quase imperceptível na escuridão, espingarda apontada lá para o outro lado. Dali mesmo mirou cuidadosamente no topo do vulto, puxando devagarinho o gatilho da pistola, até acabar a folga e senti-lo firme no indicador; feito isso, completou o puxão bruscamente, colocando força no dedo. Ao estrondoso clarão, uma quantidade de sangue borrifou o ar e o inimigo amontoou-se disforme no chão, como se todos os ossos tivessem desaparecido de seu corpo.

— Matei, matei, matei ele!

Marques, Alemão e Roberto comemoraram.

— Ah! Isso!

— Morre, filho da puta, morre!

— Um abraço, puto de merda!

Na euforia, deram diversos tiros para o alto.

— Ei, ei, ei! Gurizada! Gurizada! — chamou Pedro. — Já chega disso, tá bom? Já chega! Vamo saltar de cena!

— Mas tem uns vivo ainda... — observou Alemão.

— Ah, porra, esquece! Esquece! A gente nem devia ter vindo aqui! O Luan tá morto, caralho, será que tu não entendeu? Foi a maior merda do mundo a gente ter vindo aqui! Matar dez, vinte, matar mil: que diferença faz? O guri morreu, mano, o guri morreu!

— Eu vou pegar o carro, eu vou pegar o carro — apressou-se a dizer Roberto. — Me esperem no mesmo lugar onde eu deixei vocês.

E era melhor mesmo irem embora, porque já se ouviam sirenes da polícia ao longe.

22.
A sopa e o pão que o diabo amassou

Quando Angélica abriu a porta de casa e viu todos passarem para dentro, menos Luan, pensou logo em perguntar onde estava o adolescente; não só pensou em perguntar, como chegou mesmo a desgrudar os lábios para fazê-lo. Mas não foi necessário. Em silêncio, seus olhos assustados encontraram a resposta na expressão desolada dos comparsas. Levou as mãos à cabeça, indo desabar no sofá.

Marques foi direto à cozinha. Quando voltou de lá, trazendo a garrafa de uísque — e nenhum copo —, os outros todos tinham tomado assento. Desprezando as cadeiras junto à mesa, preferiu vir sentar-se no braço do sofá, ao lado da esposa, e ali ficou tragando o uísque no bico, quieto. A essa altura, as lágrimas já escorriam pelo rosto de Angélica. Era um choro cheio de dor, mas silencioso, a não ser por uma fungada ou outra.

Ninguém se atrevia a falar coisa alguma. Palavras não cabiam ali. Alemão, no entanto, não parecia tão abalado quanto os demais. Muito sério, de vez em quando até soltava um suspiro e balançava a cabeça, mas era como se estivesse entediado, acima de qualquer outra coisa. Em determinado momento, começou a dar petelecos na folha da samambaia pendurada junto à janela. Isso deixou Pedro profundamente aborrecido; sem dizer nada, porém, o rapaz limitou-se a censurar o comparsa com um olhar duro, que, nem mesmo sendo notado pelo outro, não surtiu qualquer efeito.

Tentando ignorar o sucessivo ruído dos petelecos, Pedro pegou a garrafa de uísque que Marques lhe estendia. Empinou-a, tomando um grande gole e fazendo uma careta; em seguida, passou a bebida para Roberto, acendeu um cigarro e disse, soltando uma espiral de fumaça pelas narinas:

— Cara, eu preciso dar um raio. Sobrou alguma coisa do pó que eu tinha trazido?

— Não sobrou nada — respondeu Marques, abanando a cabeça.

— É, e eu acho que na Planetário não vai dar pra comprar — sorriu Alemão.

Isso Pedro não conseguiu engolir.

— Vem cá, véio, tu vai ficar fazendo piadinha, é isso aí mesmo?

— Não adianta nada ficar brabo comigo, sangue bom — retrucou o comparsa, sem interromper os petelecos. — Essa ideia toda nem foi minha, pra começar. Eu vim só ajudar. A ideia foi de vocês. O guri morreu? Morreu. Acontece. Mas se tem algum culpado aqui, esse alguém não sou eu.

Pedro ergueu as sobrancelhas e abriu um sorriso desvairado, como quem pensa em diversas coisas para falar ao mesmo tempo e não sabe por qual delas começar.

— Ah! Não, não, tu tá certo, tu tá certo! Desculpa aí, foi mal. A culpa não foi tua. Claro que não foi. E, aliás, obrigado por ter vindo ajudar, mano. Valeu mesmo! Eu nem tinha te agradecido. Agora, será que tu pode me fazer só mais um favorzinho? — E, fechando o sorriso de repente, apontou para a porta da rua e esbravejou: — Te some daqui, antes que eu faça tu comer essa porra dessa planta!

A princípio, Alemão pareceu chocado com a expulsão, mas, vendo que voz nenhuma se ergueu em sua defesa, nem mesmo a dos donos da residência, comprimiu os lábios e concordou:

— Sereno, fera. É melhor eu ir, mesmo. — Dirigiu-se, então, ao quarto do casal, onde tirou as roupas de policial civil e tornou a botar as suas próprias. Depois voltou, passou pela sala e, sem se despedir de ninguém, saiu para a noite fria, fechando a porta atrás de si.

Após a saída de Alemão, nem uma única palavra foi dita dentro da casa durante quase uma hora inteira. É difícil falar quando a alma faz tanto barulho: só se quer ouvi-la. Mas a torneira da cozinha seguia pingando água no aço da pia, parecendo até competir com o relógio da parede da sala, que jamais interrompia seu escandaloso tique-taque; na rua, o vento continuava a assoviar e os cães, a latir. Apesar de tudo, tudo, tudo o que tinha acontecido naquela noite, o mundo, por alguma razão, se recusava a parar; se recusava mesmo a interromper seu pulsar por alguns instantes que fosse. Indiferente não só à morte de Luan, indiferente não só à morte de todos aqueles integrantes da maior organização criminosa de Porto Alegre — os Bala na Cara —, mas indiferente a todas as tragédias humanas, de todos os tempos e de todas as nações, o mundo teimava em seguir existindo, teimava em seguir pulsando, como se nada.

A garrafa de uísque tinha passado de mão em mão até secar e ser abandonada ao pé do sofá. E foi por sentir falta da bebida rasgando-lhe a garganta que Pedro, parecendo despertar de um transe, soltou um longo suspiro e perguntou:

— Não tem mais uísque?

— Não. Mas tem uma vodca. — Dizendo isso, Marques se levantou e foi à cozinha.

— O que tu fez do pó que tu comprou lá na Planetário, Angélica? — quis saber Pedro.

— Tá no porta-luvas do carro roubado — respondeu a moça.

— Eu vou lá pegar e já volto.

Roberto tirou as chaves do veículo do bolso e jogou-as ao rapaz.

O hatchback tinha ficado estacionado atrás do ginásio municipal Osmar Fortes Barcellos — mais conhecido como ginásio Tesourinha. Não havia prédios altos naquele setor melancólico e esquecido do bairro Menino Deus: o vento forte e gelado que vinha do Guaíba atingia Pedro em cheio, enquanto ele, abraçado em si mesmo, atravessava a escuridão da rua Almirante Álvaro Alberto da Mota e Silva e se aproximava do carro.

Depois de abrir a porta do carona e sentar-se no banco, deixando os pés para fora do veículo, o rapaz se pôs a revirar o conteúdo do porta-luvas, à procura da cápsula de cocaína. Entretanto, o que encontrou foi outra coisa: o mapa feito por Luan, que Roberto tinha deixado ali dentro, caso precisasse. Foi um golpe inesperado. Um golpe duro. Fechou os olhos e mordeu o lábio inferior com força, mas não conseguiu segurar o pranto. E foi até com algum prazer, ou com algum alívio, que baixou a guarda, deixando as lágrimas finalmente correrem soltas, deixando os gemidos passarem livres pela garganta, deixando os ombros se agitarem com os soluços. Estava sozinho agora: não havia a quem se esforçar para enganar, não havia diante de quem lutar para manter-se firme em sua representação. Lembrou das palavras de Alemão e reconheceu nelas uma amarga verdade: "se tem algum culpado aqui, esse alguém não sou eu". De fato, a culpa não era mesmo dele, mas sua, e somente sua! Deus do céu, a culpa era toda sua! E aquele maldito papel estava bem ali, para não deixá-lo esquecer da dimensão do fardo que teria de carregar pelo resto da vida: as mãos que poucas horas antes fizeram aquele mapa jamais fariam qualquer outra coisa, e a culpa disso era sua! Chorou ainda mais forte, afogando-se no remorso e sentindo-se à beira da loucura. Parte dele próprio queria vê-lo como um monstro, e podia mesmo vê-lo como um monstro; outra parte clamava desesperadamente por perdão, mas não sabia onde procurar ou a quem pedir. Perdão onde?, perdão de quem? Sua ideologia estava destroçada; *ele* estava destroçado; era impossível ter a mais vaga noção do que seria certo ou do que seria errado, assim como também era impossível reconhecer a si próprio; só sabia que tinha ido longe demais: em algum momento, não saberia dizer ao certo quando, tinha cruzado uma fronteira invisível que jamais deveria ser cruzada por ninguém e estava agora perdido, sem saber como voltar; ou pior, sem saber sequer se haveria algum jeito de voltar. Deus! Não tinha mais em que se agarrar, não tinha mais uma luz a seguir; na verdade, não se sentia digno de seguir luz alguma ou de agarrar-se a qualquer coisa, e isso atirava-o na sensação terrível de que já não lhe restava razão alguma para viver. Quis procurar nas estrelas alguma resposta, algum indício de indulto, mas, Deus!, até mesmo o simples ato de erguer a cabeça lhe parecia um direito perdido; teve a impressão de que não suportaria a vergonha diante das nuvens, do ginásio, do poste. O máximo que se permitiu fazer foi abrir os olhos. E, nesse momento, tomou um susto: com a visão embaçada pelas lágrimas, percebeu que havia um par de pernas bem na sua frente, metidas numa calça social preta, a um passo de distância; os sapatos, também pretos, não deixavam dúvida de que eram pernas masculinas. Parando de chorar na mesma hora, sacou a pistola e apontou para o sujeito.

— Sai de perto de mim! Sai pra lá, sai pra lá!

— Humm! Humm! — O sujeito, que segurava um cachorro-quente com as duas mãos, estava de boca cheia. Recuou dois ou três passos, apressando-se a engolir, para falar: — Vira essa merda pra lá!

Apesar da tensão, Pedro não pôde deixar de se perguntar onde o desconhecido teria conseguido comprar um cachorro-quente àquela hora da noite. No entanto, a pergunta que fez a ele foi outra:

— O que que o senhor veio fazer aqui em cima de mim?

— Ora, eu te vi aí chorando e vim ver de perto. Eu já ia dar um "oi", mas eu tava de boca cheia.

Convencido, Pedro respirou aliviado e guardou a pistola.

— O senhor me assustou.

Tornando a se aproximar, sem deixar de mordiscar seu lanche, o homem comentou, entre uma mastigada e outra:

— Humm, a minha mãezinha, que já bateu as bota faz um tempão, humm, ela me dizia sempre o seguinte: "Nunca deixa te verem sangrando". Humm, é isso que tu veio fazer aqui? Veio sangrar em paz e sozinho?

Não houve resposta. O rapaz limitou-se a baixar a cabeça e suspirar, encarando os basaltos da calçada. O outro continuou:

— Humm, parece que o atentado de vocês não saiu do jeito que tu esperava. *Moreu* algum de vocês? Eu espero que não tenha sido o Marques. Humm, eu gosto do Marques. O Marques é um guri bom.

Testa enrugada, Pedro tornou a erguer a cabeça, lançando no sujeito um olhar intrigado.

— Quem é o senhor?

— O meu nome é Avelino. Mas pode me chamar de Véio. Humm — o homem apontou o dedo indicador para Pedro, fazendo um ligeiro floreio —, fui eu que emprestei esse uniforme de rato aí que tu tá usando.

O rapaz sorriu.

— Ah, sim, sim! O Marques já me falou do senhor um tonel de vez. Desculpa ter apontado a arma pro senhor. Enfim, eu não sabia que era o senhor. Eu sou o Pedro.

Apertaram-se as mãos.

— É, eu imaginei que tu fosse o Pedro.

— Imaginou?

— Sim. Humm, é que o Marques também me falou bastante de ti. E ele falou, uma vez, que tu parece um cabide, de tão magro. — As mandíbulas sempre trabalhando, o velho teve que rir pelo nariz. — Humm, daí foi assim que eu te reconheci.

— Pois é...

— Ah, mas ele também me falou que tu é um cara inteligente! Eu duvidei, no início. Mas, depois, humm, eu tive que mudar de ideia.

— Ah, é?

— É. Sabe, a vida do Marques e da mulher dele melhorou cem por cento com esse esquema de venda de maconha que tu bolou. Humm, antes, eles mal conseguia dar de comer pro gurizinho deles ali; eu tô aqui, eu via. E agora, olha aí, que beleza: tivero mais a guriazinha, tão conseguindo cuidar bem dos dois, não tão deixando faltar nada pros dois, tão com o *carinho* deles, *arumaram* a casinha deles, fizero várias casinha pra alugar por aí, tão com uma fonte de renda bem bacana. Não é? E eu imagino que a tua vida tenha melhorado bastante também. Enfim. Humm, neste mundo, meu amigo, *buro* não ganha dinheiro. Não ganha! Foi por isso que eu descobri que tu não pode ser um *buro*. Essa ideia maluquinha que saiu da tua cabeça trouxe dinheiro suficiente pra melhorar não só a tua vida, mas a vida de quem tava na volta, participando das coisa. Humm, *buro* nenhum no mundo consegue uma coisa dessas. *Buro*, quando nasce na lama, *more* na lama.

As lágrimas voltaram a brotar nos olhos de Pedro, mas desta vez ele se apressou a enxugá-las com a palma da mão.

— O senhor tá sabendo do atentado; então, o senhor tá sabendo que os Bala tomaro a Planetário dum mano meu. E, e, e, e olha só: sabe o que eles fizero? Eles foro lá e pegaro uma mina que esse meu mano curtia afu! Pegaro ela sei lá por quê! Devem ter feito um tonel de pergunta pra guria, sobre como era o esquema desse mano meu, se ele tinha uns aliado ou não... Sei lá! Mas, depois disso, eles não soltaro ela de boa, não! Ah, não, não, não! Negativo! Eles ficaro com ela lá! E deixaro ela morrer de fome, ou de sede, ou se pá até esganaro ela, tá ligado? Eu não sei. E só Deus sabe o que eles fizero com ela nesse meio-tempo. Só Deus sabe! De repente, até estupraro a guria até não querer mais! Eu, eu, eu, ah!, cara, eu não gosto nem de imaginar! O fato é que a gente achou ela morta lá hoje. E aqueles filhos da puta também já tinham fuzilado a coroa desse meu mano em público, o senhor deve saber disso. O senhor sabe, não sabe? E, depois de tudo, ah!, mas adivinha só! A cereja do bolo: esse meu mano também acabou morrendo lá no atentado! Então, veja bem, o senhor não perde as conta aí: esse meu mano primeiro perdeu a coroa do jeito que perdeu, pra depois descobrir que a mina que ele curtia também morreu do jeito que morreu, pra, só depois de sofrer isso tudo, ele morrer também! Tá bom pro senhor, ou não? Tudo isso é o resultado dessa ideia maluquinha que saiu da minha cabeça. E, e, e, e, sabe, eu vou ter que conviver com isso pro resto da minha vida! Não dá pra apagar!

O cachorro-quente tinha acabado. Passando o guardanapo de papel nos beiços e limpando o interior da boca com a língua, o velho balançou a cabeça e disse:

— Sei como é. Tu salgou demais a tua sopa.

— Quê?

— Tu salgou demais a tua sopa.

— Eu salguei demais a minha sopa?

— Parece que sim. Quando eu era guri e aprontava alguma traquinagem um pouquinho mais grave, como na vez que eu dei uma facada no meu irmão mais velho e ele foi parar no hospital, a minha mãezinha dizia o seguinte: "Cuidado pra não salgar demais a tua sopa, Avelino, porque depois quem vai ter que comer ela é tu". Bom, eu demorei muito tempo pra entender o que ela queria dizer com aquilo. Mas hoje eu sei que ela tava falando sobre essas coisa que às vez foge do nosso controle e que não pode ser desfeita nunca mais. É como tu disse:

tu vai ter que conviver com isso. Tu salgou demais a tua sopa, e agora tem que comer. Mas, se te serve de consolo, a minha vida também já foi uma sopa salgada demais, viu. Eu sei pelo que tu tá passando. E eu posso te garantir que vai ficar tudo bem. Vai passar.

— Ah, não, não vai, não! — Pedro sacudiu a cabeça vigorosamente, dando uma fungada. — Eu não quero ofender o senhor, mas eu não sou o tipo de pessoa capaz de esquecer uma coisa dessa. Daqui pra frente, todo santo dia eu vou lembrar dessa tragédia que eu causei, e não vou me perdoar por isso.

— Mas quem falou em esquecer? Quem falou em se perdoar? Olha, a minha mãezinha não me falou tudo. Muita coisa que eu sei hoje, eu tive que aprender sozinho. E uma das coisa que eu aprendi sozinho é que a sopa nunca fica pronta de verdade. A sopa só fica pronta quando tu *more*. — Parecendo satisfeito consigo mesmo, o velho botou as mãos nas cadeiras, lançou os cabelos para trás com um gesto de cabeça e ficou sorrindo para as estrelas. — É... Isso a minha mãezinha esqueceu de me ensinar... Talvez nem ela soubesse. A verdade é que tu passa a vida toda em volta da sopa. A *pora* da vida é a própria sopa! E assim tu vai preparando e experimentando, preparando e experimentando, preparando e experimentando. — Tornou a olhar para Pedro. — Então, meu gurizinho, se a tua sopa tá salgada demais agora, eu te aconselho a parar de botar sal, antes de mais nada. Para de botar sal e bota água. Depois, pica umas batata e joga ali. Bota umas cenoura também. Chuchu, abóbora, *macarão*... Sei lá. Vai botando as coisa que tu gosta, entendeu? Não adianta: se tu botou sal demais, tá botado, não tem como tirar. Tu só não pode esquecer uma coisa: a sopa só fica pronta quando tu *more*; até lá, o melhor que tu faz é dar um jeito de fazer a sopa ficar gostosa, pra não ter que passar o resto da vida comendo ela assim como tá. Olha, o que eu tô querendo dizer é bem simples: se tu não te orgulha das coisa que tu fez, ou das coisa que acontecero por tua causa, tá aí o melhor motivo de todos pra tu *corer* e aproveitar o tempo que te sobra pra realizar as coisa que pode te devolver a esperança e o orgulho. Faz sentido pra ti?

Fazia. Fazia sentido. Fazia, sim. E muito.

Curiosa a frequência com que esses pequenos e mágicos estalares de dedos do acaso, esses acontecimentos inesperados e aparentemente desimportantes, esses momentos preciosos que se garimpa no terreno da vida, curiosa a frequência com que eles terminam por selar o destino de uma pessoa. Se Pedro nunca houvesse tido aquela breve conversa com o chefe do tráfico de drogas na Vila Lupicínio Rodrigues, talvez jamais tivesse conseguido resgatar sua esperança e seu orgulho.

Mas a conversa aconteceu. A conversa aconteceu, e Pedro agarrou-se à metáfora da sopa como se fosse uma boia salva-vidas. A conversa aconteceu, e Pedro nunca mais deixou de cultivar a metáfora da sopa em seus pensamentos. A conversa aconteceu, e foi graças à metáfora da sopa que Pedro conseguiu suportar a dor, o medo, as porradas, as ameaças de morte. A conversa aconteceu, e foi concentrando-se na metáfora da sopa que Pedro não denunciou os amigos. A conversa aconteceu, e foi na metáfora da sopa que Pedro encontrou forças para sustentar o silêncio, mesmo achando que, em razão dele, terminaria morto na mão dos policiais que o prenderam e o torturaram por horas a fio, querendo saber quem mais havia participado do confronto na Vila Planetário.

A conversa aconteceu, e, ainda hoje, é a metáfora da sopa que ajuda Pedro a engolir o pão que o diabo amassou, quase uma década após ter sido jogado atrás das grades.

A resposta para a pergunta que o leitor talvez esteja se fazendo é muito simples: Alemão. Alemão e a fúria que carregava consigo quando, enxotado por Pedro, saiu da casa de Marques e Angélica para aquela noite fria de 2011. Alemão e sua covardia. Alemão e uma denúncia anônima. E foi assim. Na metade da manhã do dia seguinte, Pedro abriu os olhos de repente, despertado pelo estrondo da porta de sua casa sendo arrombada pela polícia. Era tarde demais para se arrepender por haver deixado o carro roubado estacionado em frente à sua própria casa, em vez de ter lhe dado um sumiço no meio da madrugada, antes de ir dormir; era tarde demais para se arrepender por ainda ter consigo, ali, em seu quarto, as pistolas usadas na noite anterior, que planejava devolver para Valdir assim que acordasse. Depois, veio tudo aquilo de que a polícia é capaz quando deseja extrair informações daqueles contra quem é permitido todo e qualquer tipo de abuso. Veio a coleta de impressões digitais no hatchback, veio o exame de balística, veio o julgamento, veio a sentença. Culpado. Setenta e dois anos. Regime fechado.

Conforme dito, Pedro nunca perdeu a fé na metáfora da sopa. Entretanto, não é fácil arranjar bons ingredientes para adicionar à vida — muito menos em uma cela de presídio superlotada. Demorou, pois, algum tempo até que o rapaz encontrasse algo realmente especial. Foi em algum dia do primeiro semestre de 2013, após a visita que recebeu da mãe.

— Qualé desse bagulho aí, Sméagol? — perguntou um companheiro de cela, vendo Pedro com um livro na mão.

— Não tá vendo que é um livro, mano? Minha coroa trouxe pra mim. Ela sabe que eu gosto de ler e pá.

— Cumé que chama?

— *Os criminosos vieram para o chá.*

— Xeuvê qualé, xeuvê qualé. — Pegando o livro na mão e olhando-o de perto, o homem abriu um largo sorriso. — Ah, nas que é, o bagulho! *"Os criminosos vieram para o chá"* — leu em voz alta. E, após um momento, inclinou a cabeça para o lado, dizendo: — E tu, Sméagol? Por que que tu não escreve um livro também, irmão? Não é tu que é todo metido a cabeção e pá?

O rosto de Pedro se iluminou. Foi como se tivessem descortinado, diante dele, o próprio sol. Como nunca havia pensado naquilo antes?

— Porra, Fenômeno, vou te dizer que a tua ideia não é das pior, não.

— Claro que não, sangue bom. Nunca será. Te liga, olha só com quem tu tá falando, rapaz.

Olhos brilhando, um leve sorriso nos lábios, assim Pedro deixou-se cair em pensamentos. Sim. Escrever um livro. Por que não? Era, sem dúvida, um ingrediente que gostaria muito de adicionar à sua sopa, por mais trabalho que lhe desse. E, a bem da verdade, dias depois, quando decidiu realmente enfrentar a empreitada, quando por fim viu-se com uma caneta na mão, encarando o grande abismo que lhe parecia aquela folha de caderno em branco, chegou mesmo a imaginar que escrever uma história inteira, do início ao fim, talvez lhe fosse uma tarefa impossível. Mas não demorou a concluir que pensar no livro como um todo não era uma boa ideia: melhor seria ir devagar, sem pressa, com calma, passo a passo, um passo de cada vez. Tempo era o que não lhe faltava. Assim raciocinando, escreveu o seguinte, no alto da primeira folha do caderno: "Os supridores".

E se tu, leitor, estiveres lendo isto, *très bien*. É porque Pedro conseguiu escrever tudo o que desejava.

Agradecimentos

Agradeço à minha mãe e ao meu pai, dona Rita Helena Falero e seu José Carlos da Silva, que me criaram para o sonho. Agradeço à minha irmã, Caroline Falero, que sempre foi e sempre será a minha maior referência. Agradeço à minha namorada, Dalva Maria Soares, que me fez sair da canoa. Agradeço aos meus primos, Douglas Falero e Hitalo Juliano, que leram *Os supridores* em primeira mão, há séculos, e me levaram a crer que eu estava no caminho certo. Agradeço a todas e todos que, direta ou indiretamente, contribuíram para que fosse possível não só este trabalho, mas também este escritor.

Obrigado.

© José Falero, 2020

Todos os direitos desta edição reservados à Todavia.

Grafia atualizada segundo o Acordo Ortográfico da Língua
Portuguesa de 1990, que entrou em vigor no Brasil em 2009.

capa
Paula Carvalho
imagem de capa
Alex Batista
composição
Manu Vasconcelos
preparação
Mariana Delfini
revisão
Huendel Viana
Tomoe Moroizumi

12ª reimpressão, 2025

Dados Internacionais de Catalogação na Publicação (CIP)

Falero, José (1987-)
 Os supridores / José Falero. — 1. ed. — São Paulo :
Todavia, 2020.

 ISBN 978-65-5692-071-9

 1. Literatura brasileira. 2. Romances brasileiros. 3. Ficção
brasileira. 4. Literatura contemporânea. I. Título.

CDD B869.3

Índice para catálogo sistemático:
1. Literatura brasileira : Romance B869.3

Bruna Heller — Bibliotecária — CRB 10/2348

todavia
Rua Fidalga, 826
05432.000 São Paulo SP
T. 55 11 3094 0500
www.todavialivros.com.br

fonte
Register*
papel
Pólen natural 80 g/m²
impressão
Geográfica